2001'CHINESE

2001年中国小说排行榜

TOP STORIES

漠　月《湖道》
陈忠实《日子》
刘庆邦《遍地白花》
魏　微《乡村、穷亲戚和爱情》
杨显惠《逃亡》
赵本夫《鞋匠与市长》
孙春平《把门关上》
戴　来《把门关上》
聂鑫森《铁支子》
方　方《奔跑的火光》
张　者《唱歌》
毕飞宇《玉米》
陈应松《豹子最后的舞蹈》
荆　歌《卫川和林老师》
蒋　志《铁皮人的秘密情书＋关于身体》
王　童《美国隐形眼镜》
叶兆言《马文的战争》
何玉茹《素素》
红　柯《西去的骑手》
莫　言《檀香刑》
李　洱《花腔》
阎连科《坚硬如水》
成　一《白银谷》
阎　真《沧浪之水》

毕飞宇，男，1964 年 1 月生于江苏兴化，1987 年毕业于扬州师范学院中文系，从教 3 年，后从事新闻工作，1998 年入江苏作协，任杂志社编辑至今。

80 世纪，80 年代中期开始小说创作，出版长、中、短篇小说计 150 万字，并有小说集《慌乱的指头》、《祖宗》、《睁大眼睛睡觉》、《青衣》、《款款而行》等多部。

玉 米

毕飞宇

出了月子施桂芳把小八子丢给了大女儿玉米，除了喂奶，施桂芳不带孩子。按理说施桂芳应该把小八子衔在嘴里，整天肉肝心胆的才是。施桂芳没有。做完了月子施桂芳胖了，人也懒了，看上去松松垮垮的。这种松松垮垮里头有一股子自足，但更多的还是大功告成之后的懈怠。施桂芳喜欢站在家门口，依住门框，十分安心地嗑着葵花。施桂芳一只手托着瓜子，一只手挑挑拣拣的，然后捏住，三个指头肉乎乎地翘在那儿，慢慢等候在下巴底下。施桂芳的懒主要体现在她的站立姿势上，施桂芳只用一只脚站，另一只却要垫到门槛上去，时间久了再把它们换过来。人们不太在意施桂芳的懒，但人一懒看起来就傲慢。人们看不惯的其实正是施桂芳的那股子傲气，她凭什么嗑葵花也要嗑得那样目中无人？施桂芳过去可不这样。村子里的人都说，桂芳好，一点官太太的架子都没有。施桂芳和人说话的时候总是笑着的，如果正在吃饭，笑起来不方便，那她一定先用眼睛笑。现在看起来过去的十几年施桂芳全是装的，一连生了七个丫头，自己也不好意思了，所以敛着，客客气气的。现在好了，生下了小八子，施桂芳自然有了底气，身上就有了气焰。虽说还是客客气气的，但是客气和客气不一样，施桂芳现在的客气是支部书记式的平易近人。她的男人是村支书，她又不是，她凭什么懒懒散散地平易近人？二婶子的家在巷子的那头，她时常提着丫杈，站在阳光底下翻草。二婶子远远地打量着施桂芳，动不动就是一阵冷笑，心里说，大腿叉了八回才叉出个儿子，还有脸面做出女支书的模样来呢。

施桂芳二十年前从施家桥嫁到王家庄，一共为王连方生下了七个丫头。这里头还不包括掉的那三胎。施桂芳有时候说，说不定掉走的那三胎都是男的，怀胎的反应不大同，连舌头上的淡寡也不一样。施桂芳每次说这句话都要带上虚设往事般的侥幸心情，就好像只要保住其中的一个，她就能一劳永逸了。有一次到镇上，施桂芳特地去了一趟医院，镇上的医生倒是同意她的说法，那位戴着眼镜的医生把话说得很科学，一般人是听不来的，好在施桂芳是个聪明的女人，听出意思来了。简单地说，男胎的确要娇气一些，不容易挂得住，就是挂住了，多少也要见点红。施桂芳听完医生的话，叹了一口气，心里想，男孩子的金贵打肚子里头就这样了。医生的话让施桂芳多少有些释怀，她生不出男孩也不完全是命，医生都说了这个意思了，科学还是要相信一些的。但是施桂芳更多的还是绝望，她望着码头上那位流着鼻涕的小男孩，愣了好大一会儿，十分怅然地转过了身去。

王连方却不信邪。支部书记王连方在县里学过辩证法，知道内因和外因、鸡蛋和石头的关系。关于生男生女，王连方有着极其隐秘的认识。女人只是外因，只是泥地、温度和墒情，关键是男人的种子。好种子才是男孩，种子差了才是丫头。王连方望着他的七个女儿，嘴上不说，骨子里头却是伤了自尊。

男人的自尊一旦受到挫败反而会特别地偏执，王连方开始和自己犟。他下定了决心，决定排除万难去争取胜利。儿子一定要生。今年不行明年，明年不行后年，后年不行大后年。王连方既不渴望速胜，也不担心绝种。他预备了这场持久战。说到底男人给女人下种也不算特别吃苦的事。相反，施桂芳倒有些恐惧。刚刚嫁过来的那几年，施桂芳对待房事是半推半就的，这还是没过门的时候她的嫂子告诉她的。嫂子把她嘴里的热气一直哈到施桂芳的耳垂上，告诫桂芳一定要夹着一些，捂着一些，要不然男人会看轻了你，看贱了你。嫂子用那种晓通世故的神秘语气说，要记住桂芳，难啃的骨头才是最香的。嫂子的智慧实际上没有能够派上用场。连着生了几个丫头，事态反过来了，施桂芳不再是半推半就，甚至不是半就半推，确实是怕了。她只能夹着，捂着。夹来捂去的把王连方的火气都弄出来了。那一天晚上王连方给了她两个嘴巴，正面一个，反面一个。"不肯？儿子到现在都没叉出来，还一顿两碗饭的！"王连方的声音那么大，站在窗户的外面也一定能听得见。施桂芳"在床上不肯"，这话传出去就要了命了。光会生丫头，还"不肯"，绝对是丑女多作怪。施桂芳不怕王连方打，就是怕王连方吼。他一吼施桂芳便软了，夹也夹不紧，捂也捂不严。王连方像一个笨拙的赤脚医生，板着脸，拉下施桂芳的裤子就插针头，插进针头就注射种子。施桂芳怕的正是这些种子，一颗一颗地数起来，哪一颗不是丫头。

老天终于在1971年开眼了。阴历年刚过，施桂芳生下了小八子。这个阴历年不同寻常，有要求的，老百姓们必须把它过成一个"革命化"的春节。村子里严禁放鞭炮，严禁打扑克。这些严禁令都是王连方在高音喇叭里向全村老少宣布的。什么叫革命化的春节，王连方自己也吃不准。吃不准不要紧，关键是做领导的要敢说。新政策就是做领导的脱口而出。王连方站在自家的堂屋里，一手捏着麦克风，一手玩弄着扩音器的开关，开关小小的，像一个又硬又亮的感叹号。王连方对着麦克风厉声说："我们的春节要过得团结、紧张、严肃、活泼。"说完这句话王连方就把亮锃锃的感叹号撅了下去。王连方自己都听出来了，他的话如同感叹号一般，紧张了，严肃了，冬天的野风平添了一股浩荡之气，严厉之气。

　　初二的下午王连方正在村子里检查春节，他披着旧大衣，手上夹了半截子飞马香烟。天气相当地阴冷，巷子里萧索得很，是那种喜庆的日子反有的冷清，只有零星的老人和孩子。男将们不容易看得到，他们一定躲到什么地方赌自己的手气去了。王连方走到王有庆的家门口，站住了，咳了几声，吐出一口痰。王有庆家的窗户慢慢拉开一道缝隙，露出了王有庆老婆的红棉袄。有庆家的面对着巷口，越过天井敞着的大门冲王连方打了一个手势。屋子里的光线太暗，她的手势又快，王连方没看清楚，只能把脑袋侧过去，认真地调查研究。这时候高音喇叭突然响了，传出了王连方母亲的声音，王连方的老母亲掉了牙，主要是过于急促，嗓音里夹杂了极其含混的气声，呼噜呼噜的。高音喇叭喊道："连方啊连方啊，养儿子了哇！家来呀！"王连方歪着脑袋，听到第二遍的时候听明白了。回过头去再看窗前的红棉袄，有庆家的已经垂下了双肩，脸却靠到了窗棂口，面无表情地望着王连方，看上去有些怨。这是一张好看的脸，红色的立领裹着脖子，对称地竖在下巴底下，像两只巴掌托着，格外地媚气了。高音喇叭里杂七杂八的，听得出王连方的堂屋里挤的都是人。后来唱机上放上了一张唱片，满村子都响起了"大海航行靠舵手"，村里的空气雄赳赳的，昂扬着，还一挺一挺的。有庆家的说："回去吧你，等你呢。"王连方用肩头簸了簸身上的军大衣，兀自笑起来，心里说："妈个巴子的。"

玉米在门口忙进忙出。她的袖口挽得很高，两条胳膊已经冻得青紫了。但是玉米的脸颊红得厉害，有些明亮，发出难以掩抑的光。这样的脸色表明了内心的振奋，却因为用力收住了，又有些说不出来路的害羞，绷在脸上，所以格外地光滑。玉米在忙碌的过程中一直咬着下嘴唇，就好像生下小八子的不是母亲，而是玉米她自己。母亲终于生儿子了，玉米实实在在地替母亲松了一口气，这份喜悦是那样地深入人心，到了贴心贴肺的程度。玉米是母亲的长女，而从实际情况来看，不知不觉已经是母亲的半个姐妹了。事实上，母亲生六丫头玉苗的时候，玉米就给接生婆做下手了，外人终究是有诸多不便的。到了小八子，玉米已经是第三次目睹母亲分娩了。玉米借助于母亲，亲眼目睹了女人的全部隐秘。对于一个长女来说，这实在是一份额外的奖励。二丫头玉穗只比玉米小一岁，三丫头玉秀只比玉米小两岁半，然而，说起晓通世事，说起内心的深邃程度，玉穗玉秀比玉米都差了一块。长幼不只是生命的次序，有时候还是生命的深度和宽度。说到底成长是需要机遇的，成长的进度只靠光阴有时候反而难以弥补。

玉米站在天井往阴沟里倒血水，父亲王连方走进来了。今天是一个大喜的日子，王连方以为玉米会和他说话的，至少会看他一眼。玉米还是没有。玉米没穿棉袄，只穿了一件薄薄的白线衫，小了一些，胸脯鼓鼓的，到了小腰那儿又有力地收了回去，腰身全出来了。王连方望着玉米的腰身和青紫的胳膊，意外地发现玉米已经长大了。玉米平时和父亲不说话，一句话都不说。个中的原委王连方猜得出，可能还是王连方和女人的那些事。王连方睡女人是多了一些，但是施桂芳并没有说过什么，和那些女人一样有说有笑的，有几个女人还和过去一样喊施桂芳嫂子呢。玉米不同。她嘴上也不说什么，背地里却有了出手。这还是那些女人在枕头边上告诉王连方的。好几年前了，第一个和王连方说起这件事的是张富广的老婆，还是个新媳妇。富广家的说："往后我们还是轻手轻脚的吧，玉米全知道了。"王连方说："她知道个屁，才多大。"富广家的说："她知道，我知道的。"富广家的没有嚼蛆，前两天她和几个女的坐在槐树底下纳鞋底，玉米过来了。玉米一过来富广家的脸突然红了。富广家的瞥了玉米一眼，目光躲开了。再看玉米的时候玉米还是看着她，一直看着她。就那么盯着。从头到脚，又从脚到头。旁若无人，镇定得很。那一年玉米才十四岁。王连方不相信。但是没过几个月，王大仁的老婆吓了王连方一大跳。那一天王连方刚刚上了王大仁老婆的身，大仁家的用两只胳膊把脸遮住了，身子不要命地往上拱，说："支书，你用劲，快弄完。"王连方还没有进入状态，稀里糊涂的，草草败了。大仁家的低着头，极慌张地擦换，什么也不说。王连方叉住她的下巴，再问，大仁家的跪着说："玉米马上来踢毽子了。"王连方眨巴着眼睛，这一回相信了。但是一回到家，玉米一脸无知，王连方反而不知道从哪儿说起了。玉米从那个时候开始不再和父亲说话了。王连方想，不说话也好，总不能多了一个蚊子就不睡觉。然而今天，在王连方喜得贵子的时刻，玉米不动声色地显示了她的存在与意义。这一显示便是一个标志，玉米大了。

王连方的老母垂着两条胳膊，还在抖动她的下嘴唇。她上了岁数，下嘴唇耷拉在那儿，现在光会抖。喜从天降对年老的女人来说是一种折磨，她们的表情往往很僵，很难将心里的内容准确及时地反映到脸上。王连方的老爹则沉稳得多，他选择了一种平心静气的方式，慢慢地吸着烟锅。这位当年的治保主任到底见过一些世面，反而知道在喜上心头的时刻不怒自威。

"回来啦?"老爹说。

"回来了。"王连方说。

"起个名吧。"

王连方在回家的路上打过腹稿，随即说："是我们家的小八子，就叫王八路吧。"

老爹说："八路可以，王八不行。"

王连方忙说："那就叫王红兵。"

老爹没有再说什么。这是老家长的风格。老家长们习惯于用沉默来表示赞许。

接生婆又在产房里高声喊玉米的名字了。玉米丢下水盆，小跑着进了西厢房。王连方看着玉米的背影，她在小跑的过程中已经知道将两边的胳肢窝夹紧了，而辫子在她的后背却格外地生动。这么多年来王连方光顾了四处苫弄，四处播种，再也没有留意过玉米，玉米其实也到了谈婚论嫁的岁数了。玉米的事其实是拖下来的，王连方是支书，到底不是一般的人家，不大有人敢攀这样的高枝。就是媒婆们见到玉米通常也是绕了过去。皇帝的女儿不愁嫁，哪一个精明的媒婆能忘得了这句话。玉米这样的家境，这样的模样，两条胳膊随便一张就是两只凤凰的翅膀。

农民的冬天并不清闲。用了一年的水车、槽桶、农船、丫杈、铁锹、钉耙、连枷、板锨，都要关照了。该修的要修，该补的要补，该淬火的要淬火，该上桐油的要上桐油。这些都是事，没有一件落得下来。最吃力气、最要紧的当然还是兴修水利。毛泽东主席都说了，水利是农业的命脉。主席做过农民，他老人家要是不到北京去，一定还是个好把式。主席说得对，水、肥、土、种、密、保、工、管，"八字方针"水为先。兴修水利大多选择在冬天，如果摊上一个大工程，农民们恐怕比农忙的时候还要劳累一些。冬天里还有一件事是不能忘记的，那就是过年。为了给过去的一年做一道总结，也为了给下一个来年讨一个吉祥，再懒散、再穷苦的人家也要把年过得像个样子。家家户户用力地洗、涮，炒花生、炒蚕豆、炒瓜子、爆米花、掸尘、泥墙、划糕、蒸馒头，直到把日子弄得香气缭绕的，还雾气腾腾的。赶上过年了当然又少不了一大堆的人情债、世故账，都要应酬好。所以，到了冬天，主要是腊月和正月，农活是没有了，人反而更忙了。"正月里过年，二月里赌钱，三月里种田"。这句话说得很明白了。农民们真正清闲的日子其实也只是阴历的二月，利用这段清闲的日子走一走亲戚，赌一赌自己的手气。到了阴历的三月，一过了清明，也就是阳历的 4 月 5 号，农民们又要向土地讨生活了。别的事再重要、再复杂，但农民的日子终究在泥底下，开了春你得把它翻过来，这样才过得下去。城里的人喜欢伤叹"春日苦短"，那里的意思要文化得多，心情里修饰的成分也多得多。农民们说这句话可是实打实的，说的就是这二三十天。春里这二三十天的好时光实在是太短暂了，连伤叹的工夫都没有。

　　整个二月玉米几乎没有出门。她在替她的母亲照料小八子。没有谁逼迫玉米，带小八子完全出于玉米的自愿。玉米是一个十分讷言的姑娘，心却细得很，主要体现顾家这一点上，最主要的一点又表现在好强上。玉米任劳，却不任怨，她绝对不能答应谁家比自家过得强。可是家里没有香火，到底是他们家的话把子。玉米是一个姑娘家，不好在这件事情上多说什么，但在心里头还是替母亲担忧着，牵挂着。现在好了，他们家也有小八子了，当然就不会留下什么缺陷和把柄了。玉米主动把小八子揽了过来，替母亲把劳累全包了，不声不响的，一举一动都显得专心致志。玉米在带孩子方面有些天赋，一上来就无师自通，没过几天已经把小八子抱得很像那么一回事了。她把小八子的秃脑袋放在自己的胳膊弯里，一边抖动，一边哼唧。开始还有些害羞，一些动作一下子做不出来，但害羞是多种多样的，有时候令人懊恼，有时候却又不了，反而叫人特别的自豪。玉米抱着小八子，专门往妇女们中间钻，而说话的对象大多是一些年轻的母亲。玉米和她们探讨，交流一些心得，诸如孩子打奶嗝之后的注意事项，婴儿大便的颜色，什么样的神态代表了什么样的需求，就这些，很琐碎，很细枝末节，却又十分地重大，相当地愉悦人心。拖得久了，玉米抱孩子的姿势和说话的语气再也不像一个大姐了。她抱得那样妥帖，又稳又让人放心，还那么忘我，表现出一种切肤的、扯拽着心窝子的情态。一句话，玉米通身洋溢的都是一个小母亲的气质。而"我们"小八子似乎也把大姐搞错了，只要喝足了，并不贪恋施桂芳。他漆黑的眼珠子总是对着玉米，毫无意义，却又全神贯注，盯着她。玉米和"我们"小八子对视着，时间久了，平白无故地陷入了恍惚，憧憬起自己的终身大事。玉米习惯于利用这样的间隙走走神，熄灯瞎火地谋划一下自己的将来。这是身不由己的。玉米至今没有婆家，村子里倒是有几个不错的小伙子，玉米当然不可能看上他们。但是他们和别的姑娘有说有笑，玉米一挨和进来，他们便局促了，眼珠子像受了惊吓的鱼，在眼眶子里头四处逃窜。这样的情形让玉米多少有些寥落。老人说，门槛高有门槛高的好，门槛高也有门槛高的坏，玉米相信的。村子里和玉米差不多大的姑娘已经"说出去"好几个了，她们时常背着人，拿着鞋样子为未来的男人剪鞋底。玉米看在眼里，并不笑话她们，习惯性地偷看几眼鞋底，依照鞋底的长宽估算一下小伙子的高矮程度。这样的心思在玉米的这一头实在有点情不自禁。好在她们在玉米的面前并不骄傲，反而当了玉米的面自卑了。她们说："我们也就这样了，还不知道玉米会找怎样好的人家呢。"玉米听了这样的话当然高兴，私下里相信自己的前程更要好些。但终究没有落到实处，那份高兴就难免虚空，有点像水底下的竹篮子，一旦提出水面都是洞洞眼眼的了。这样的时候玉米的心中不免多了几缕伤怀，绕过来绕过去的。好在玉米并不着急，也就是想想。瞎心思总归是有酸有甜的。

不过母亲越来越懒了。施桂芳生孩子一定是生伤了，心气全趴下了。她把小八子交给玉米也就算了，再怎么说也不该把一个家都交给玉米。女人活着为了什么？还不就是持家。一个女人如果连持家的权力都不要了，绝对是一只臭鸡蛋，彻底地散了黄了。玉米倒没有抱怨母亲，相反，很愿意。做姑娘的时候早早学会了带孩子、持家，将来有了对象，过了门，圆了房，清早一起床就是一个利索的新媳妇、好媳妇，再也不要低了头，从眼眶的角落偷偷地打量婆婆的脸色了。玉米愿意这样还有另外一层意思，玉穗、玉秀、玉英、玉叶、玉苗、玉秧，平时虽说喊她姐姐，究竟不服她。老二玉穗有些憨，不说她。关键是老三玉秀。玉秀仗着自己聪明，又会笼络人心，不管是在家里还是在村子上，势力已经有一些了。还有一点相当要紧，玉秀有两只双眼皮的大眼睛，皮肤也好，人漂亮，还狐狸精，屁大的委屈都要歪在父亲的胸前发嗲，玉米是做不出来的。所以父亲偏着她。但是现在不同，玉米带着小八子，还持起了家，不管管她们绝对不行了。母亲不撒手则罢，母亲既然已经撒了手了，玉米是老大，年纪最大，放到哪里说都是这样。

　　玉米的第一次掌权是在中午的饭桌上。玉米并没有持家的权力，但是，权力就这样，你只要把它握在手上，捏出汗来，权力会长出五根手指，一用劲就是一只拳头。父亲到公社开会了，玉米选择这样的时机应当说很有眼光了。玉米在上午把母亲的葵花炒好了，吃饭之前也提好了洗碗水。玉米不声不响的，心里头却有了十分周密的谋划。家里的人多，过去每一次吃饭母亲都要不停地催促，要不然太拖拉，难收拾，也难免鸡飞狗跳。玉米决定效仿母亲，一切从饭桌上开始。中饭到了临了，玉米侧过脸去对母亲说："妈，你快点，葵花我给你炒好了，放在碗柜里。"玉米交待完了，用筷子敲着手上的碗边，大声说："你们都快点，我要洗碗的，各人都快一点。"母亲过去也是这样一边敲打碗边一边大声说话的。玉米的话产生了效应，饭桌上扒饭的动静果真紧密了。玉秀没有呼应。咀嚼的样子反而慢了，骄傲得很，漂亮得很。玉米把七丫头玉秧抱过来，接过玉秧的碗筷，喂她。喂了两口，玉米说："玉秀，你是不是想洗碗？"玉米说这话的时候并没有抬头，话说得也相当平静，但是，有了威胁的力量。玉秀停止了咀嚼，四下看了看，突然搁下饭碗，说："等爸爸回来!"玉米并没有慌张。她把玉秧的饭喂好了，开始收拾。玉米端起玉秀的饭碗，把玉秀剩下的饭菜倒进了狗食盆。玉秀退到西厢房的房门口，无声地望着玉米。玉秀依旧很骄傲，不过，几个妹妹都看得出，玉秀姐脸上的骄傲不对称了，绝对不如刚才好看。

玉秀在晚饭的饭桌上并没有和玉米抗争，只是不和玉米说话。好在玉米从她喝粥的速度上已经估摸出玉秀的基本态度了。玉秀自然是不甘心，开始了节外生枝。她用筷子惹事，很快和四丫头玉英的筷子打了起来。玉米没有过问，心里却有了底了，一个人如果开始了节外生枝，大方向首先就不对头，说明他已经不行了，泄气了，喊喊冤罢了。玉英的年岁虽然小，并不示弱，一把把玉秀的筷子打在了地上。玉米放下手里的碗筷，替玉秀捡起筷子，放在自己的碗里，用粥搅和干净，递到玉秀的手上，小声告诫的却是玉英："玉英，不许和三姐闹。"玉米当着所有妹妹的面把玉秀叫做"三姐"，口气相当地珍重，很上规矩。玉秀得到了安抚，脸上又漂亮了。这一来委屈的自然是玉英。玉米知道玉英委屈，但是怪不得别人，在两强相争寻找平衡的阶段，委屈必然要落到另一些人的头上。

玉秀第一个吃完了。玉米用余光全看在眼里。狐狸精的气焰这一回彻底下去了。不要看狐狸精猖獗，狐狸精有狐狸精的软肋。狐狸精一是懒，二是喜欢欺负比她弱的人，这两点你都顺了她，她反而格外地听话了。所有的狐狸精全一个样。玉米要的其实只是听话。听了一次，就有两次，有了两次，就有三次。三次以后，她也就习惯了，自然了。所以第一次听话是最最要紧的。权力就是在别人听话的时候产生的，又通过要求别人听话而显示出来。放倒了玉秀，玉米意识到自己开始持家了，洗碗的时候就有一点喜上心头，当然，绝不会喜上眉梢的。心里的事发展到了脸上，那就不好了。

　　阴历的二月，也就是阳历的三月，玉米瘦去了一圈。她抱着王红兵四处转悠了。王红兵也就是小八子，但是，当着外人，玉米从来不说"小八子"，只说"王红兵"。村子里的男孩一般都不用大号，大号是学名，只有到了课堂上才会被老师们使用。玉米把没有牙齿的小弟弟说得有名有姓的，这一来特别地慎重、正规，和别人家的孩子区分开来了，有了不可相提并论的意思。玉米抱着王红兵的时候，说话的腔调和脸上的神色已经是一个老到的母亲了。其实也不是什么无师自通，都是她在巷口、地头、打谷场上从小嫂子们身上学来的。玉米是一个有心的人，不论什么事都是心里头先会了，然后才落实到手上。但是，玉米毕竟还是姑娘家，她的身上并没有小嫂子们的拉挂、邋遢，抱孩子抱得格外地好看。所以玉米的腔调和神色就不再是模仿而来的，有了玉米的特点，成了玉米的发明与创造。玉米带孩子的模样给了妇女们极为深刻的印象。她们看到的反而不是玉米抱孩子抱得如何好看，说来说去，还是玉米这丫头懂事早，人好。不过村子里的女人们马上看出了新苗头，玉米抱着王红兵四处转悠，不全是为了带孩子，还有另外一层更要紧的意思。玉米和人说着话，毫不经意地把王红兵抱到有些人的家门口，那些人家的女人肯定是和王连方上过床的。玉米站在他们家的门口，站住了，不走。一站就是好半天。其实是在替她的母亲争回脸上的光。富广家的显然还没有明白玉米的深刻用意，冒失了，她居然伸出胳膊想把王红兵从玉米的怀里接过去，嘴里还自称"姨娘"，说："姨娘抱抱嘛，肯不肯抱?"玉米一样和别人说话，不看她，像是没有这个人，手里头抱得更紧了。富广家的拽了两下，有数了，玉米这丫头不会松手的。但是当着这么多的人，又是在自家的门口，富广家的脸上非常下不来。富广家的只好拿起王红兵的一只手，放到嘴边上，做出很香的样子，很好吃的样子。玉米把王红兵的手抢回来，把他的小指头含在嘴里，一根一根地吮干净，转脸吐在富广家的家门口，回过头去呵斥王红兵："脏不脏！"王红兵笑得一嘴的牙床。富广家的脸却吓白了，又不能说什么。周围的人一肚子的数，当然也不好说什么了。玉米一家一家地站，其实是一家一家地揭发，一家一家地通告了。谁也别想漏网。那些和王连方睡过的女人一看见玉米的背影禁不住地心惊肉跳，这样的此地无声比用了高音喇叭还要惊心动魄。玉米不说一句话，却一点一点揭开了她们的脸面，活活地丢她的人，现她的眼。这在清白的女人这一边特别地大快人心，还特别地大长志气。她们看在眼里，格外地嫉妒施桂芳，这丫头是让施桂芳生着了！她们回到家里，更加严厉地训斥自己的孩子。她们告诫那些"不中用的东西"："你看看人家玉米！""你看看人家玉米"，这里头既有"不怕不识货、就怕货比货"的意思，更有一种树立人生典范的严肃性、迫切性。村子里的女人比以往的任何时候都更喜欢玉米了，她们在收工或上码头的路上时常围在玉米的身边，和玉米一起逗弄王红兵，逗弄完了，总要这样说："不知道哪个婆婆有福气，能讨上玉米这样的丫头做儿媳。"妇女们羡慕着一个虚无的女人，拐了一个弯子，最终还是把马屁结结实实地拍在玉米的身上。这样的话玉米当然不好随便接过来，并不说什么，而是偷偷看一眼天上，鼻尖都发亮了。

人家玉米已经快有婆家啦！你们还蒙在鼓里呢！玉米的婆家在哪里呢？远在天边，近在眼前，就在七里远外的彭家庄。"那个人"呢，反过来了，近在眼前，却又远在天边。这样的事玉米绝不会随随便便让外人知道的。

春节过后王连方多了一件事，一出去开会便到处托人——玉米是得有个婆家了。丫头越来越大了，留在村子里太不方便。急归急，王连方告诉自己，一般的人家还是不行。女孩子要是下嫁了，委屈了孩子还在其次，丢人现眼的还是父母。依照王连方的意思，还是要按门当户对的准则找一个做官的人家，手里有权，这样的人家体大力不亏。王连方在四周的邻乡倒是打听到几个了。王连方让桂芳给玉米传了话，玉米那头没有一点动静。王连方猜得出，玉米这丫头心气旺得很，有他这样的老子，她对做官人家的男人肯定不放心。后来还是彭家庄的彭支书说话了，他们村子里的箍桶匠家有个小三子。王连方一听到"箍桶匠"、"小三子"再也没有接话，不会是什么人高马大的人家。彭支书解释说："就是前年验上飞行员的那个。全县才四个。"王连方咬紧了下嘴唇，"嘶"了一声。这一来不同寻常了。要是有一个飞行员做女婿，他王连方也等于上过一回天了，他王连方随便撒一泡尿其实就是一天的雨了。王连方马上把玉米的相片送到彭支书的手上，彭支书接过照片，说："是个美人嘛。"王连方说："要说最标致，还要数老三。"彭支书默无声息地笑了，说："老三还太小。"

箍桶匠家的小三子把信回到彭支书那边去了。这封信连同他的相片经过王连方、施桂芳的手，最后压在了玉米的枕头底下。小伙子叫彭国梁，在名字上面就已经胜了一筹，因为他是飞行员，所以他用"国家的栋梁"做名字，并不显得假大空，反而有了名副其实的一面，顶着天，又立着地，听上去很不一般。从照片上看，彭国梁的长相不好。瘦，有些老相，滑边眼，眯眯的，眼皮还厚，看不出他的眼睛有什么本领，居然在天上还认得回家的路。嘴唇是紧抿的，因为过于努力，反而把门牙前倾这个毛病突现出来了，尽管是正面像，还是能看出拱嘴。然而，彭国梁穿着飞行服，相片又是在机场上拍摄的，画面上便有了常人难以想象的英武。彭国梁的身旁有一架银鹰，也就是飞机，衬托在那儿，相当容易激活人的想象力。玉米的心思跨过了彭国梁长相上的不足，心气已经去了大半，自卑了，无端端地自惭形秽。说到底人家是一个上天入地的人哪。

玉米恨不得一口就把这门亲事定下来。彭国梁在信封上写了一个详细到最小单位的地址，意思已经很明确了。玉米知道，她的终身大事现在完全取决于自己的回信了。这件事相当大。不能有半点马虎。玉米原计划到镇上再拍几张相片的，想了一想，彭国梁肯给彭支书回信，说明他对自己的长相已经满意了，没有必要节外生枝。现在的问题就是信本身了。彭国梁的信写得相当含混，口气虽然大，好像自己也不太有底。他只是强调自己"对家乡很有感情"，然后强调他在飞机上"恨不得飞到家乡，看看家乡的人民"，最露骨的一句话也只是表扬了"彭叔叔"，说"彭叔叔看上的人"，他"绝对信得过"，但是，到底没有把话挑破了，更没有完完全全地落实到玉米的身上。所以是不能一上来就由玉米挑破了的。那样太贱。不好。一点不说更不行，彭国梁要是误解了麻烦反而大了，挽回的余地都没有。彭国梁近在眼前，毕竟远在天边。遥远的距离让玉米自豪，到底也是伤神的地方。

　　玉米的信写得相当低调。玉米想来想去决定采取低调的办法。她简单地介绍了自己，用笔是那种适当的赞许。然而，笔锋一转，玉米说："我一点点也比（配）不上（你）。你们在天上，天上的先（仙）女才比（配）得上。我没有先（仙）女好，没有先（仙）女好看。"玉米的话说得一点都不失体面。一个人说自己没有仙女好看，毕竟是应该的。信的最后玉米说："我现在天天看天上，白天看，晚上看。天上是老样子，白天只有太阳，夜里只有月亮。"信写到这儿已经相当抒情了，关键是玉米的胸中凭空涌起万般眷恋，结结实实的，却又空无一物，很韧，很折磨人。玉米望着自己的字，竟难以掩抑，无声地落泪了，心中充满了委屈。玉米想说的话其实不是这些，她多想让彭国梁知道，自己对这一门亲事是多么满意。要是有一个人能替自己说，把彭国梁全说明白了，让彭国梁知道她的心思，那就太好了。玉米封好信，寄了出去。玉米在寄信的时候多了一分心思，她留的是王家庄小学的地址，"高素琴老师转"。信是寄出去了，玉米却活生生地瘦去了一圈。

　　有了儿子，王连方的内心松动多了。施桂芳他是不会再碰她的了，攒下来的力气都给了有庆家的。要是细说起来，王连方在外面弄女人的历史复杂而又漫长。第一次是在施桂芳怀上玉米的时候。老婆怀孕对男人来说的确是一件伤脑筋的事。施桂芳刚刚嫁过来的那几十天，两个人都相当地贪，满脑子都是熄灯上床。可是问题立即来了，第二个月桂芳居然不来红了。怎么说好景不长久的呢。桂芳自豪得很。她平躺在床上，两只手护着肚子，拿自己特别地当人，说："我这是坐上喜，就是的，我知道的，我肯定是坐上喜，就是的。"自豪归自豪，施桂芳并没有忘记给王连方颁布戒严令。施桂芳说："从今天起，我们不了。"王连方在黑暗中板起了面孔。他还以为结了婚了就能够甩开膀子七仰八叉的，原来不是，结婚只是老婆怀孕。施桂芳把王连方的手拉过来，放到自己的肚子上去。王连方无声地叹了一口气，指头却活动得很，在施桂芳的肚子上蠕动。蠕动了几下，手指头全挺起来了，忍不住往下面去。施桂芳抓住王连方的手，用力掐，是那种建功立业之后特有的放肆。王连方很急，却又找不到出路。这种急还不容易忍，你越忍它反而越是急，跳墙的心思都有。王连方忍了十来天。他再也没有料到自己会有胆量做那样的事，他在大队部居然把女会计摁在了地上，扒开来，睡了。王连方睡她的时候肯定急红了眼了，浑身都绷着力气，脑子里却一片空。相关的细节还是事后回忆起来的。王连方拿起了《红旗》杂志，开始回忆，后怕了。那是中午，他怎么突然起了这份心的？一点过渡都没有。女会计大他十多岁，长他一个辈分，该喊她婶子呢。女会计从地上爬起来，用揩布擦了擦自己，提上来，系好，捋了捋头发，前前后后掸了掸，把揩布锁进了柜子，出去了。她的不动声色太没深没浅了。王连方怕的是出人命。一出人命他这个全公社最年轻的支书肯定当不成了。那天晚上王连方在村子里转到十一点钟，睁大了眼睛四处看，竖起了耳朵到处听。第二天他一大早就到大队部去了，把所有的屋梁都看了一遍，没有尸体挂在上面。还是不放心。大队部陆续来了一些人，到了九点多钟，女会计进门了，一进门客客气气的，眼皮并不红肿。王连方的心到了这个时候才算放下了，发了一圈香烟，开始了说笑。后来女会计走到了他的身边，递过一本账本，指头下面却压着一张纸条。小纸条说："你出来，我有话说给你。"因为是写在纸上的，王连方听不出话里话外的语气，一点好歹都没有，刚刚放下来的心又一次提上去了，还咕咚咕咚的。王连方看着女会计出门，又隔着窗棂远远地看着女会计回家去了。王连方很不安。熬了十几分钟，很严肃地从抽屉里取出《红旗》，摊开来，拉长了脸用指头敲了几下桌面，示意人们学习，出去了。王连方一个人来到了会计家。王连方作为男人的一生其实正是从走进会计家的那一刻开始的。作为一个男人，他还嫩。女会计辅导着他，指引着他。王连方进了前所未有的好光景，他算什么结了婚的男人？这里头绪多了。王连方和女会计开始了斗争，这斗争是漫长的，艰苦卓绝的，你死我活的，危机四伏的，最后却又是起死回生的。王连方迅速地成长了起来，女会计后来已经不能辅导了。她的脸色和声音都很惨。王连方听到了身体内部的坍塌声，撕裂声。

　　在斗争中，王连方最主要的收获是锻炼了胆量。他其实不需要害怕。主观主义害死人。主观主义就是没有活过实践就给自己尤其是就给别人下结论，很唯心，很不好。怕什么呢？没有什么需要害怕的嘛。就算她们不愿意，说到底也不会怎么样。女会计在这个问题上倒是批评过王连方，女会计说："不要一上来就拉女人的裤子，就好像人家真的不肯了，"女会计晃动着王连方裆里的东西，看着它，批评它说，"你呀，你是谁呀？就算不肯，打狗也要看主人呢，不看僧面看佛面呢。"

　　长期和复杂的斗争不只是让王连方有了收获，还让王连方看到了意义。王连方到底不同于一般的人，是懂得意义和善于挖掘意义的。连自己都冒进，可见所有的新郎官都冒进了，他们不懂得斗争的深入性和持久性，不懂得所有的斗争都必须进行到底。要是没有王连方，那些婆娘们这一辈子都要蒙在鼓里。

关于王连方的斗争历史，这里头还有一个外部因素不能不涉及。十几年来，王连方的老婆施桂芳一直在怀孕，她一怀孕王连方只能"不了"。施桂芳动不动就要站在一棵树的下面，一手扶着树干，一手捂着腹部，把她不知好歹的干呕声传遍了全村。施桂芳十几年都这样，王连方听都听烦了。施桂芳呕得很丑，她干呕的声音是那样地空洞，没有观点，咋咋呼呼，肆无忌惮，每一次都那样，所以有了八股腔。这是王连方极其不喜欢的。她的任务是赶紧生下一个儿子，又生不出来。光喊不干，扯他娘的淡。王连方不喜欢听施桂芳的干呕，她一呕王连方就要批评她："又来作报告了。"

王连方虽然在家里"不了"，但是并没有迷失了斗争的大方向。在这个问题上施桂芳倒是个明白人，其他的女人有时候反而不明白了。她们要么太拿自己当回事，要么太忸怩。王裕贵的老婆就是一个例子。王连方一共才睡了裕贵家的两回，裕贵家的忸怩了，还眼泪鼻涕的一把。裕贵家的光着屁股，捂着两只早就被人摸过的奶子，说："支书，你都睡过了，你就省省，给我们家裕贵留一点吧。"王连方笑了。她的理论很怪。这是能省下来的么？再说了，你那两只奶子有什么捂头？过门前的奶子是金奶子，过了门的奶子是银奶子，喂过奶的奶子是狗奶子。她还把她的两只狗奶子当做金疙瘩，紧紧地捂在胳膊弯里。很不好。王连方虎下了脸来，说："随你，反正每年都有新娘嫁过来。"这个女人不行。后来连裕贵想睡她她都不肯，气得裕贵老是揍她。深更半夜的，老是在床上被裕贵揍得鬼叫。王连方不会再管她了。她还想留一点给裕贵，看起来她什么也没有留。

十几年过去了，眼下的王家庄最得王连方欢心的还是有庆家的。除了把握村子里阶级方面的问题，王连方其余的心思全扑在有庆家的身上。十几年了，王连方这一回算是遇上真菩萨了。有庆家的上床之后浑身上下找不到一块骨头，软塌塌地就会放电。王连方这一回绝对遇上真菩萨了。1971 年的春天，王连方的好事有点像老母猪下崽，一个跟着一个来。先是儿子落了地，后是玉米有了婆家，现在，又有了有庆家的这么一台发电机。

彭国梁回信了。信寄到了王家庄小学，经过高素琴，千里迢迢转到了玉米的手上。玉米接到回信的时候正在学校那边的码头上洗尿布。玉米以往洗尿布都是在自家的码头，现在不同，女孩子的心里一旦有了事，做任何事情都喜欢舍近求远了。玉米弯着身子，搓着那些尿布片。每一片尿布都软软的，很苍白，看上去忧心忡忡。玉米的手上在忙，心里想的其实还是彭国梁的回信。她一直在推测，彭国梁到底会在信上和她说些什么呢？玉米推测不出来。这是让玉米分外伤怀的地方，说到底命运捏在人家的手上，你永远不知道人家究竟会说什么。

高素琴后来过来了，她来汰衣裳。高素琴把木桶支在自己的胯部，顺着码头的石阶一级一级地往下走。她的步子很慢，有股子天知地知的派头。玉米一见到高老师便是一阵心慌，好像高老师捏着她的什么把柄了。高素琴俯视着玉米，只是笑。玉米看见高素琴的笑脸，预感到将要发生什么事。但是高老师光是笑，并不说什么。这一来还是什么事都没有了，相当地惆怅人。玉米也只能陪着笑。还能怎样呢。要是说起来，高老师是玉米最为佩服的一个人了。高老师能说普通话，她在朗读课

411

文的时候，能把教室弄得像一个很大的收音机，她就呆在收音机里头，把普通话一句一句播送到窗户外面。她还能在黑板上进行四则混合运算。玉米曾亲眼看见高老师把很长的题目写在黑板上，中间夹杂了许多加、减、乘、除的标记，还有圆括号和方括号。高老师一个步骤一个步骤的，一连写了七八个等于，结果出来了，是"O"。三姑奶奶说："高老师怎么教这个东西，忙了半天，屁都没有。"玉米说："怎么没有呢，不是零嘛。"三姑奶奶说："你倒说说，零是多少？"玉米说："零还是有的，就是这样一个结果。"

高老师现在就蹲在玉米的身边，微笑着，脸上的皱纹像一个又一个圆括号和方括号。玉米吃不准高老师的心里在怎样地加、减、乘、除，结果会不会也是"O"呢？

高老师终于说话了。高老师说："玉米，你怎么这么沉得住气？"玉米一听这话心都快跳出嗓子了。玉米故意装着没有听懂，咽了一口，说："沉什么气？"高老师微笑着从水里提起衣裳，直起身子，甩了甩手，把大拇指和食指伸进口袋里，捏住一样东西，慢慢拽出来。是一封信。玉米的脸吓得脱去了颜色。高老师说："我们家小二子不懂事，都拆开了——我可是一个字都没敢看。"高素琴把信递到玉米的面前，信封的确是拆开了。玉米又是惊，又是羞，又是怒。更不知道说什么了。玉米在大腿上一正一反擦了两遍手，接过来，十个指头像长上了羽毛，不停地扑楞。这样的惊喜实在是难以自禁的。但是，这封宝贵的信到底被人拆开了，玉米在惊喜的同时又涌上了一阵彻骨的遗憾。

玉米走上岸，背过身去，一遍又一遍地读彭国梁的信。彭国梁称玉米"王玉米同志"，这个称呼太过正规、太过高尚了，玉米其实是不敢当的。玉米第一次被人正经八百地称作"同志"，内心涌起了一股难言的自爱，都近乎神圣了。玉米一看到"同志"这两个字已经喘息了，胸脯顶着前襟，不停地往外鼓。彭国梁后来介绍了他的使命，他的使命就是保卫祖国的蓝天，专门和帝、修、反做斗争。玉米读到这儿已经站不稳了，幸福得近乎崩溃。天一直在天上，太远了，其实和玉米没有半点关系。现在不同了，"天"和玉米捆绑起来了，成了她的一个部分，在她的心里，蓝蓝的，还越拉越长，越拉越远。她玉米都已经和蓝蓝的天空合在一起了。最让玉米感到震撼的还是"和帝、修、反做斗争"这句话，轻描淡写的，却又气壮如牛。帝、修、反，这可不是一般的地主富农，它太遥远、太厉害、太高级了，它既在明处，却又深不见底，可以说神秘莫测，你反而不知道他们究竟在哪里了。你听一听，那可是帝、修、反哪！如果没有飞机，就算你顿顿大鱼大肉你也看不见他们在哪儿。

　　彭国梁的信几乎全是理想和誓言，决心与仇恨。到了结尾的部分，彭国梁突然问：你愿意和我一起，手拉手，和帝修反做斗争吗？玉米好像遭到了一记闷棍，被这记闷棍打傻了。神圣感没有了，一点一点滋长起来的却是儿女情长。开始还点点滴滴的，一下子已经汹涌澎湃了。"手拉手"，这三个字真的是一根子，是一根擀面杖，玉米每读一遍都要从她松软的身子上碾过一遍。玉米的身子几乎铺开来，十分被动却又十分心甘情愿地越来越轻、越来越薄。玉米已经没有一点力气了，面色苍白，扶在树干上吃力地喘息。彭国梁终于把话挑破了。这门亲事算是定下来了。玉米流出了热泪。玉米用冰凉的巴掌把滚烫的泪水往两只耳朵的方向抹。但是抹不干。玉米泪如泉涌。抹干一片立即又潮湿了一片。后来玉米索性不抹了，她知道抹不完的。玉米干脆蹲下身去，把脸埋在肘弯里头，全心全意地往伤心里头哭。

高素琴早就汰好衣裳了。她依旧把木桶架在胯部，站在玉米的身后。高素琴说："玉米，差不多了，你看看你。"高素琴说完这句话，向河边努了努嘴，说，"玉米，你看看，你的木桶都漂到哪里去了。"玉米站起来，木桶已经顺水漂出去十几丈远了。玉米看见了，但是视而不见，只是僵在那儿。高素琴说："快下去追呀，晚了坐飞机都追不上了。"玉米还过神来了，跑到水边，顺着风和波浪的方向追逐而去。

当天晚上玉米的亲事在村子里传开了。人们在私下里说的全是这件事。玉米"找了"一个飞行员，专门和帝修反做斗争的。玉米这样的姑娘能找到一个好婆家，村子里的人是有思想准备的，但是，"那个人"是飞行员，还是大大超出了人们的预料。这天晚上，每一个姑娘和每一个小伙的脑子里都有了一架飞机，只有巴掌那么大，在遥远的高空，闪闪发亮，屁股后面还拖了一条长长的气尾巴。这件事太惊人了。只有飞机才能在蓝天上飞翔，你换一只老母猪试试？要不换一头老公牛试试？一只老母猪或一头老公牛无论如何也不能冲上云霄，变得只有巴掌那么大的。想都没法想。那架飞机不仅改变了玉米，肯定也改变了王连方。王连方过去很有势力，说到底只管着地上。现在，天上的事也归王连方管了。王连方公社里有人，县里头有人，如今天上也有人了。人家是够得上的。

玉米的"那个人"在千里之外，这一来玉米的"恋爱"里头就有了千山万水，不同寻常了。这是玉米的恋爱特别感人至深的地方。他们开始通信。信件的来往和面对面的接触到底不同，既是深入细致的，同时又还是授受不亲的。一来一去使他们的关系笼罩了雅致和文化的色彩。不管怎么说，他们的恋爱是白纸黑字，一竖一横，一撇一捺的，这就更令人神往了。在大多数人的眼里，玉米的恋爱才更像恋爱，具有了示范性，却又无从模拟。一句话，玉米的恋爱实在是不可企及。

　　人们错了。没有人知道玉米现在的心境。玉米真是苦极了。信件现在是玉米的必需，同时也成了玉米没日没夜的焦虑。它是玉米的病。玉米倒是读完初小的，如果村子里有高小、初中，玉米当然也会一直读下去。村子里没有。玉米将将就就只读了小学三年级，正经八百地识字只有两年。过了这么多年，玉米一般地看看还行，写起来特别地难了。谁知道恋爱不是光"谈"，还是要"写"的呢。彭国梁一封一封地来，玉米当然要一封一封地回。这就难上加难了。玉米是一个多么内向的姑娘，内向的姑娘实际上多长了一双眼睛，专门是向内看的。向内看的眼睛能把自己的内心探照得一清二楚，所有的角落都无微不至。现在的问题是，玉米不能用写字的方式把自己表达在纸上。玉米不能。那么多的字不会写，玉米的每一句话甚至每一个词都是词不达意的。又不好随便问人，这太急人了。玉米只有哭泣。要是彭国梁能在玉米的身边就好了，即使什么也不说，玉米会和他对视，用眼睛告诉他，用手指尖告诉他，甚至，用背影告诉他。玉米现在不能，只能把想像当中见面的场面压回到内心。玉米压抑住自己。她的一腔柔情像满天的月光，铺满了院子，清清楚楚，玉米一伸手地上就会有手的影子。但是，玉米逮不住它们，抓一把，张开来还是五只指头。玉米不能把满天的月光装到信封里去。玉米悄悄偷来了玉叶的《新华字典》，可是这又有什么用？字典就在手头，玉米却不会用它。那些不会写的字全是水里的鱼，你知道它们就在水的下面，可哪一条也不属于你。这是怎样的费心与伤神。玉米敲着自己的头，字呢！字呢？——我怎么就不会多写几个字的呢？写到无能为力的地方，玉米望着纸，望着笔，绝望了，一肚子的话慢慢变成了一脸的泪。她把双手合在胸前，说："老天爷，可怜可怜我，你可怜可怜我吧！"

玉米抱起了王红兵，出去转几圈。家里是不能呆的。一呆在家里她总是忍不住在心里"写信"，玉米恍惚得很，无力得很。"恋爱"到底是个什么东西？玉米想不出头绪。剩下来的只能是在心里头和他说话了，可是，说得再好，又不能写到信上去，反而堵着自己，叫人分外难过。玉米越发不知道怎样好了。玉米就觉得愁得慌，急得慌，堵得慌，累得慌。好在玉米有不同一般的定力，并没有在外人面前流露过什么，人却是一天比一天瘦了。

玉米抱着王红兵来到了张如俊的家门口。如俊家的去年刚生了孩子，又是男孩，所以和玉米相当地谈得来。如俊家的长得很不好，眼睛上头又有毛病，做支书的父亲是不会看上她的。这一点玉米有把握。一个女人和父亲有没有事，什么时候有的事，逃不出玉米的眼睛。如果哪个女人一见到玉米突然客气起来了，反而提醒了玉米，玉米会格外地警惕。那样的客气玉米见多了，既心虚，又巴结，既热情周到，又魂不附体。一边客气还要一边捋头发，做出很热的样子。关键还是眼珠子，会一下子活络起来，什么都想看，什么都不敢看，带着母老鼠的鼠相。玉米想，那你就客气吧，不打自招的下三滥！再客气你还是一个骚货加贱货。对那些骚货加贱货玉米绝不会给半点好脸的。说起来真是可笑，玉米越是不给她们好脸她们越是客气，你越客气玉米越是不肯给你好脸。你不配。个臭婊子。长得好看的女人没有一个好东西，王连方要不是在她们身上伤了元气，妈妈不可能生那么多的丫头。玉秀长得那么漂亮，虽说是嫡亲的姊妹，将来的裤带子也系不紧。人家如俊家的不一样，虽说长得差了点，可是周正，一举一动都是女人样，做什么事都得体大方，眼珠子从来不躲躲藏藏的，人又不笨，玉米才和她谈得来。玉米对如俊家的特别好还有另外的一层，如俊不姓王，姓张。王家村只有两个姓，一个王姓，一个张姓。玉米听爷爷说起过一次，王家和张家一直仇恨，打过好几回，都死过人。王连方有一次在家里和几个村干部喝酒，说起姓张的，王连方把桌子都拍了。王连方说："不是两个姓的问题，是两个阶级的问题。"当时玉米就在厨房里烧火，听得清清楚楚。姓王的和姓张的眼下并没有什么大的动静，风平浪静的，看不出什么，但是，毕竟死过人，可见不是一般的鸡毛蒜皮。死去的人总归是仇恨，进了土，会再一次长出仇恨来。表面上再风平浪静，再和风细雨，再一个劲地对着姓王的喊"支书"，姓张的肯定有一股凶猛的劲道掩藏在深处。现在看不见，不等于没有。什么要紧的事要是都能看见，人就不是人了，那是猪狗。所以玉米平时对姓王的只是一般地招呼，而到了姓张的面前，玉米反而用"嫂子"和"大妈"称呼她们了。不是一家子，才要像一家子对待。

玉米抱着王红兵，站在张如俊的院子门口和如俊嫂子说话。如俊家的也抱着孩子，看见玉米过来了，把自己的孩子送进里屋，拿出了板凳，却把王红兵抱过去了。玉米不让，如俊家的说："换换手，隔锅饭香呢。"玉米坐下了，向远处的巷头睃了几眼。如俊家的看在眼里，知道玉米这些日子肯到她这边来，其实是看中了她家的地段，好等邮递员送信呢。如俊家的并不点破，一个劲地夸耀王红兵，千错万错，夸孩子总是不错。扯了一会儿咸淡，如俊家的发现玉米直起了上身，目光从自己的头顶送了出去。如俊家的知道有人过来了，低了头仔细地听，没听到自行车链条的滚动声，知道不是邮递员，放心了。身后突然响起了一阵哄笑，如俊家的回过头，原来是几个年轻人过来了，他们把脑袋攒在一处，一边看着什么东西一边朝自己的这边来，样子很振奋，像看见了六碗八碟。慢慢来到了张如俊的家门口，小五子建国抬起了头，突然看见了玉米。小五子招了招手，说："玉米，你过来，彭国梁来信了。"玉米有些将信将疑，走到他们的面前。小五子一手拿着信封，一手拿着信纸，高高兴兴地递到了玉米的面前。玉米看了一眼，上头全是彭国梁的笔迹。是自己的信。是彭国梁的信。玉米的血冲上了头顶，羞得不知道怎样才好，好像自己被扒光了，被游了好几趟的街。玉米突然大声说："不要了！"小五子看了一眼玉米的脸色，连忙把信叠好了，装进了信封，再用舌头舔了舔，封好了递过去。玉米一把又把小五子手上的信打在了地上，小五子捡起来，解释说："是你的，不骗你，是彭国梁写给你的。"玉米抢过来，再一次扔在地上。玉米说："你们一家都死光！"巷子里僵持住了。玉米平时不这样，人们从来没有发现玉米动过这么大的脾气。事态已经很严重了。麻子大叔一定听到巷子里的动静，挺了一只指头，走到小五子的面前，捡起信，对着小五子拉下了脸。麻子大叔厉声说："唾沫怎么行？你看看，又炸口了！"麻子大叔用指头上的饭粒把信重新封好，递到玉米的面前，说："玉米，这下好了。"玉米说："他们看过了！"麻子大叔笑了，说："你兴旺大哥也在部队上，他来信了我还请人念呢。"玉米说不出话了，只是抖。麻子大叔说："再好的衣裳，上了身还是给人看。"麻子大叔说得在理，笑眯眯的，他一笑滚圆的麻子全成了椭圆的麻子。可是玉米的心碎了。高素琴老师拆过玉米的两封信，玉米关照过彭国梁，往后别再让高素琴转了。这有什么用？难怪最近一些人和自己说话总是怪声怪气的，一些话和信里的内容说得似是而非，玉米还以为自己多心了，看来不是。彭国梁的信总是全村先看了一遍，然后才轮到她玉米。别人的眼睛都长到玉米的肚脐眼上了，衣裳还有什么用？玉米小心披着的秘密哪里还有一点秘密！麻子大叔宽慰了玉米几句，回去了。玉米的脸上已经了无血色，而两道泪光却格外地亮，在阳光下面像两道长长的刀疤。如俊家的都看在眼里，一下子不知所措，害怕了。连忙侧过身去，莫名其妙地解上衣的纽扣，刚露出自己的奶子，一把把王红兵的小嘴摁了上去。

有庆家的是从李明庄嫁过来的。李明庄原来叫柳河庄，1948 年出了一个烈士，叫李明，后来国家便把柳河庄改成了李明庄。有庆家的姓柳，叫粉香，做姑娘的时候相当有名气的。主要是嗓子好，能唱，再高的音都爬得上去。嗓子好了，笑起来当然就具有号召力，还有感染力。而她的长相则有另外一些特点，虽说皮肤黑了一些，不算太洋气，但是下巴那里却有一道浅浅的沟，嘴角的右下方还有一颗圆圆的黑痣，这一来她笑起来便有了几分的媚。最关键的是，她的目光不像乡下人那样讷，那样拙，活动得很，左盼右顾的时候带了一股眼风，有些招惹的意思。人们私下说，这是她在宣传队的戏台上落下的毛病。柳粉香微笑的时候先把眼睛闭上，然后，睫毛挑了那么一下，睁开了，侧过脸去接着笑。关于柳粉香的笑，李明庄的人们有个总结，叫做听起来浪，看上去骚，天生就是一个下作的坏子。柳粉香的名气大，不好的名声当然也跟着大。人们私下说："这丫头不能惹。"话说得并不确切，反而让人浮想联翩，听上去黏乎得很，有了"母狗不下腰，公狗不上腔"的意思，也许还有摊上谁就是谁的味道。有些话就这样，不说则罢，只要说了，越看反而越像，一刀子能捅死人。不管怎么说，柳粉香是带着身子嫁到王家庄来的，这一点毋庸置疑。眼力老到的女人曾深刻地指出："至少四个月！"屁股在那儿呢。柳粉香肚子里的孩子到底是谁的，不容易弄得清。尖锐的说法是，柳粉香自己也弄不清。那阵子柳粉香在各个公社四处汇演，身子都让男人压扁了。身子扁了下去，肚子却鼓了起来。女人就这样，她们的肚子和她们的嘴巴一样，藏不住事。柳粉香被她的肚子弄得声名狼藉，赔大了。但是王家庄的王有庆却赚了，可以用喜从天降和喜出望外来双倍地形容。柳粉香办婚事的速度比她肚子的成长速度还要快，称得上雷厉风行，真是说时迟，那时快。才听说王有庆刚刚订了婚了，一转眼，柳河庄的柳粉香已经在王家庄变成有庆家的了。柳粉香连一套陪嫁的衣裳都没有捞到，就算王有庆置得起，以她现在的腰身，还浪费布证做什么。

有庆家的并没有把孩子生下来。她结结实实地摔了一跤，当晚见红，当夜小产了。据说，只能是据说了，谁也没有亲眼看见，是她的婆婆"一不小心撞了她的屁股"，把她从桥上推了下去。那还是有庆家的过门不久的日子，有庆家的和她的婆婆一起过桥，两个人在桥上说说笑笑的，像一对嫡亲的母女。快到岸边的时候，婆婆一个趔趄，冲到她的屁股上了。婆婆站稳了，有庆家的却栽了下去，一屁股坐在了河岸上。有庆家的一躺就是一个月，婆婆屋里屋外地伺候，有庆家的还吃了半斤红糖，一只鸡。婆婆对人说，"我们家的"粉香把"小腰闪了"。婆婆真是精明得过了分了，精明的人都有一个毛病，喜欢此地无银。谁还不知道有庆家的躺在床上做小月子呢。不过有庆家的说起来也怪，带着身孕过门的，过了门之后却又怀不上了。转眼都快两年了，有庆家的越来越苗条。最先沉不住气的还是婆婆。婆婆相当地怨。她在有庆的面前嘟囔说："我算是看出来了，这丫头当着不着的，是个外勤内懒的货。"有庆听了这话不好交待，委屈得很，但是有庆太老实，只能在床上加倍地刻苦，加倍地努力。然而，忙不出东西。可是有庆他不该在老婆的面前搬弄母亲的话。有庆家的一听到"外勤内懒"这四个字脸都气白了，她认准了是婆婆在嚼舌头。有庆老实巴交的样子，放不出这样阴损毒辣的屁。有庆家的发了脾气，大骂有庆，一字一句却是指桑骂槐而去。有庆家的一不做，二不休，勒令王有庆和寡母分了家。"有她没我，有我没她。"有庆家的把婆婆扫地出门之前留下了一句狠话："×老了，别想夹得死人！"其实婆婆说那句话是事出有因的，有庆家的总是生不出孩子，外面的话开始难听了，好多话都是冲着有庆去的。做母亲的怎么说也要偏着儿子，所以才对儿媳有怨气。外面是这样看待有庆的："有庆也不像是有种的样子。"

　　有庆家的心里头其实有一本明细账。她是生不出孩子来了。只不过有庆太死心眼，在床上又是那样地吃苦，不忍心告诉他罢了。她小产的那一次伤得太重，医生已经说得很明白了。有庆家的自己当然也不肯甘心，又连着吃了三四个月的中药，还是没有用。说起中药，有庆家的最怕了。倒不是怕中药的味道，而是别的。按照吃中药的规矩，药渣子要倒到大路的中央去，作践它，让千人踩，万人跨，这样药性才能起作用。有庆家的不想让人知道她在吃药，不想让人知道她有这样的把柄，很小心地瞒着。好在有庆家的在宣传队上宣传过唯物主义，并不迷信，她把药渣子倒进了河里。但是瞒不住，中药的气味太大，比煨了一只老母鸡味道还传得远。只要家里头一熬药，过不了多久，天井的门口肯定会伸头伸脑的，门缝里挤进来的目光绝对比砒霜还要毒。这一来有庆家的不像是吃药了，而像在家做贼，吃药的感觉上便多了一倍的苦。有庆家的后来放弃了，哑巴苦当然是不吃的好。

有庆家的和王连方的事并不像外面传说的那样。事实上，他们没有事。王连方真正爬上有庆家的身，还是在 1970 年的冬天。时间并不长。要是细说起来，有庆家的做完小月子不久就和王连方在路口上认识了。王连方和蔼得很，目光甚至有点慈祥。但是有庆家的只看了他一眼，立即看出王连方的心思来了。有了一官半职的男人喜欢这样，用亲切微笑来表示他想上床。有庆家的对付这样的男人最有心得。她冲王连方很不好意思地笑了笑，知道被他睡是迟早的事，什么也拦不住的。有庆家的心里并不乱，反而提早有了打算。无论如何，这一次她一定要先怀上有庆的孩子，先替有庆把孩子生下来的。这一条是基本原则。还有一点不能忘记，既然是迟早的事，迟一步要比早一步好。男人都是贼，进门越容易，走得越是快。有庆家的在这个问题上有教训，历史的经验不能忘。

但是王连方急。有庆家的认识王连方的时间不算长，已经感受到这一点了。他在寻找和创造与她单独见面的机会。不管怎么说，当着外人的面王连方还是不好太冒失。猫都知道等天黑，狗还知道找角落里呢。王连方要是逛到她家的天井里来了，有庆家的热情得很，嗓门扯得像报幕，还到隔壁去讨开水，高声说："王支书来了，看我们呢。"王连方很窝火。但是你不能对人家的热情生气，只能亲切，再加上微笑。有庆家的大大方方的，把一切全做在明处，这和胆小慎为和时刻小心的女人大不相同了，你反而不好下手。你不能像公鸡那样爬上去就搁母鸡的脑袋。王连方有一次都跟她把话说破了，说："有庆这个呆子，我哪一天才享到有庆那样的呆福。"有庆家的心口咯噔了一下，都有点心动了。但是有庆家的装出一脸的没心没肺，嗓子还是那么大，反而把王连方弄得提心吊胆了。不过有庆家的却拿捏着分寸，决不会让王连方对她绝望。王连方要是对你绝望了，到头来你一定比他更绝望。有庆家的知道自己，懒。懒的人必须有靠山，没靠山只能是等死了。那一回生产队长已经摊派有庆家的沤肥去了。沤肥是一个又脏又累的活儿，工分又低。生产队长这样摊派有庆家的，显然是给她颜色了。有庆家的扛着钉耙，夹在男人堆里一路说说笑笑地向田里去。迎面却走来了王连方，一起招呼过了，走出去十来步，有庆家的却回过身，来到王连方的面前。她把王连方衣领上的头皮屑掸干净，随后扯出一根线头。有庆家的没有用手，而是把脸俯上去，用牙齿咬住了，咬断，在舌尖上打成结，很波俏地吐了出去。有庆家的小声说："死样子，一点不像支书，替我沤肥去！"有庆家的没头没脑地丢下这句话，王连方被弄得魂不守舍，幸福得两眼茫茫。有庆家的当然没有和那些男人一起沤肥，她只是在地头站了一会儿，把绿格子方巾从头顶上摘下来，窝在手里头，说"不行"，说她得"先回去"。有庆家的当着队长的面扛上钉耙打道回府了。屁股一扭一扭的，像拖拉机上的两只后轮。没有人敢拦她。谁知道她什么"不行"了呢？谁知道她"先回去"干什么呢。

　　到了1970年的冬天，有庆家的对自己彻底死了心了。她不可能再怀上。有庆似乎也放弃了努力，他忙不出什么头绪来。一赌气，有庆上了水利工地。大中午王连方来了。有庆家的刚刚哭过，想起自己的这一生，慢慢地有了酸楚。她不知道自己错在哪儿，怎么会落到这一步的。有庆家的当初是一个心气多旺的姑娘，风头正健，处处要强，现在却处处不甘，处处难如人意了，越想越觉得没有指望。王连方进门了，背着手，把门反掩上了。人是站在那儿，却好像已经上了床。有庆家的并没有吃惊，立起身，心里想，他也不容易了，又不缺女人，惦记着自己这么久，对自己多少有些情意，也难为他了。再说了，作为男人，他到底还是王家庄最顺眼的，衣有衣样，鞋有鞋样，说出来的话一字一句都往人心里去，牙也干净，肯定是天天刷牙的。有庆家的这么一想，两只肩头松了下去，望着王连方，凄凉得很。眼泪无声地溢了出来。有庆家的慢慢转过身，走进屋里，侧着身子缓缓地拿屁股找床沿，揿下头，脖子拉得长长的，一颗一颗地解。解完了，有庆家的抬起头，说："上来吧。"

　　有庆家的到底是有庆家的，见过世面，不惧王连方。就凭这一点在床上就强出了其他女人。王连方最大的特点是所有的人都怕他。他喜欢人家怕他，不是嘴上怕，而是心底里怕。你要是咽不下去，王连方有王连方的办法，直到你真心害怕为止。但是让人害怕的副作用在床上表现出来了。那些女人上了床要不筛糠，要不就像死鱼一样躺着，不敢动，胳膊腿都收得紧紧的，好像王连方是杀猪匠，寡味得很。没想到有庆家的不怕，关键是，有庆家的自己也喜欢床上的事。有庆家一上床便体现出她的主观能动性，要风就是风，要雨就是雨。没人敢做的动作她敢做，没人敢说的话她说得出，整个过程都惊天动地。做完了，还侧卧在那儿安安静静地流一会儿眼泪，特别地招人怜爱，特别地开人胃口。这些都是很迷人的地方。王连方一下子喜欢上这块肉了。王连方胃口大开，好上了这一口。

　　这一回王连方算是累坏了，最后趴在了有庆家的身上，睡了一小觉。醒来的时候在有庆家的腮帮子上留下了一滩口水。王连方拖过上衣，掏出小瓶子来，倒出一只白色的小药片。有庆家的看了一眼，心里想，准备工作倒是做得细，真是不打无准备之仗呢。王连方笑笑，说，"乖，吃一个，别弄出麻烦来。"有庆家的说："凭什么我吃？我就是要给王家庄生一个小支书。——你自己吃。"从来没有人敢对王连方说这样的话，王连方又笑，说："个要死的东西。"有庆家的歪过了脑袋。不吃。无声地命令王连方吃。王连方看了看，很无奈，吃了一颗。有庆家的也吃了一颗。王连方看了看有庆家的，把药片吐出来了，放在了手上。接着笑。有庆家的抿了嘴，也是无声地笑，慢慢把嘴唇咧开，两排门牙的中间咬着一颗小白片。王连方很幸福地生气了，是那种做了长辈的男人才有的懊恼，说："一天到晚和我闹。"赌气吃下去一颗，张开嘴，给她普查。有庆家的用舌尖把小白片舔进去，喉头滚动了一下，吐出长长的舌头，伸到王连方的面前，也让他普查。她的舌头红红的，尖尖的，像扒了皮的小狐狸，又顽皮又乖巧，挑逗得厉害。王连方很孟浪地搂住了有庆家的，一口咬住了。有庆家的抖了一下，小药瓶已经给打翻在地，碎了，白花花地散了一屋子，像夏夜的星斗。两个人都吓得不轻，有庆家的说："才好。"王连方急吼吼的，却又开始了。有庆家的吐出嘴里的药片，心里想，我不用吃它了，这辈子没那个福分了。这个突发的念头让有庆家的特别地心酸。是那种既对不起自己又对不起别人的酸楚。但是有庆家的立即赶走了这个念头，呼应了王连方。有庆家的一把勾紧了王连方的脖子，上身都悬空了，她对着王连方的耳朵，哀求说："连方，疼疼我！"王连方说："我在疼。"有庆家的流出了眼泪，说："你疼疼我吧！"王连方说："我在疼。"他们一直重复这句话，有庆家的已经泣不成声了，直到嘴里的字再也连不成句子。王连方快活得差一点发疯。

王连方尝到了甜头，像一个死心眼的驴，一心一意围着有庆家的这块磨。有庆在水利工地，正是一寸光阴一寸金，寸金难买寸光阴。可是有些事情还真是人算不如天算，那一天中午偏偏出了意外，有庆居然回来了。有庆推开房门，有庆家的赤条条地躺在床上，而王连方赤条条地站在床边，气焰十分地嚣张。有庆立在门口，脑子转不过来，就那么看着，呆在那儿。王连方停止了动作，回过头，看了一眼有庆。王连方说："有庆哪，你在外头歇会儿，这边快了，就好了。"

有庆转身就走。王连方出门的时候房门、屋门和天井的大门都开在那儿。王连方一边往外走一边把门带上。王连方对自己说："这个有庆哪，门都不晓得带上。"

玉米现在的主攻目标是柳粉香。也就是有庆家的。有庆家的现在成了玉米的头号天敌。这个女人实在不像话了，把王连方弄得像新郎官似的，天天刮胡子，一出门还梳头。王连方在家里几乎都不和施桂芳说话了，他看施桂芳的眼神玉米看了都禁不住发冷。施桂芳天天在家门口嗑葵花，而从骨子里看，施桂芳已经不是这个家的人了。在王连方的那一边，施桂芳一生下小八子这个世上就没有施桂芳这么一个人了。王连方有时候都在有庆家的那边过夜了。玉米替母亲寒心。但是这样的状况玉米只能看在眼里，不可以随便说。这一切都因为什么？就因为有了那只骚狐狸！这一切全是骚狐狸一手做的鬼！玉米对有庆家的已经不是一般的恨了。

关于有庆家的，玉米的感觉相当复杂。恨是恨，但还不只是恨。这个女人的身上的确有股子不同寻常的劲道。是村子里没有的，是其他的女人难以具备的。你能看得出来，但是你说不出来。就连王连方在她的面前都难免流露出贱相。这是她出众的地方，高人一头的地方。最气人的其实也正是这个地方。比方说，她说话的腔调或微笑的模样，村子里已经有不少姑娘慢慢地像她了。谁也不会点破，谁也不会提起。这里头无疑都是她的力量，也就是说，每个人的心里其实都有一个柳粉香。而男人们虽说在嘴上作践她，心里还是喜欢，一和她说话嗓子都不对，老婆骂了也没用，不过夜的。玉米嘴上不说，心里还是特别地嫉妒她。这是玉米恨之入骨的最大缘由。玉米一直想把王红兵抱到她的家门口去，但是有庆家的并没有躲躲藏藏的，她和王连方的事都做在明处，还敢和王连方站在巷口说话，那样做就没什么意思了。这个女人的脸皮太厚，小来来羞辱不了她。不过玉米还是去了。玉米想，你生不出孩子，总是你的短处，你哪里疼我偏偏要往哪里戳。玉米抱上王红兵，慢悠悠地来到有庆家的门口。一起跟过来很多人。一些是无意的，一些是有意的。她们的神情相当紧张，又有些振奋。有庆家的看见玉米来了，并没有把门关上，而是大大方方地出来了。她的脸上并没有故作镇定，因为她的确很镇定。她马上站到这边和大家一起说话了。玉米不看她。她也不看玉米。甚至没有偷偷地睃玉米一眼。还是玉米忍不住偷偷瞄她了。玉米还没有开口，有庆家的已经和别人谈论起王红兵了。主要是王红兵的长相。有庆家的认为，王红兵的嘴巴主要还是像施桂芳，如果像王连方反而更好。她对王连方嘴巴的赞美是溢于言表的。不过有庆家的补充说，长大了会好一点，男孩子小时候像妈，到了岁数骨架子出来了，最终还是像老子。玉米都有点听不下去了。而王红兵的耳朵也有问题，有些招风。其实王红兵不招风，反而是有庆家的自己有点招风。玉米侧过身，看着她，毫不客气地对着她的脸说："也不照照！"玉米的出手很重了，换了别的女人一定会惭愧得不成样子，笑得会比哭还难看。但是有庆家的没听见。话一出口玉米已经意识到上了这个女人的当了，是自己首先和她说话的。有庆家的还是不看她，和别人慢慢拉呱。这一回说的是玉米，反而像说别人。有庆家的说："玉米这样漂亮的女孩子，就是嘴巴不饶人。"有庆家的没有说"漂亮的丫头"、"漂亮的姑娘"，而是说"漂亮的女孩子"，非常地文雅，听上去玉米绝对是鸡窝里飞出的金凤凰。她的话锋一转，却帮着玉米说话了，她说，"我要是玉米我也是这个样子。"她很认真地说了这句话。玉米没法再说什么了，反而觉得自己厉害得不讲方寸，像个泼妇了。而她偏偏就说玉米漂亮，她这么一说其实已经是定论了。有庆家的又和别人一起评价起玉秀的长相了，有庆家的最后说："还是玉米大方。玉米耐看。"口气是一锤子定音的。玉米知道这是在拍自己的马屁，但她的脸上没有一点巴结玉米的神色，都没有看自己，完全是有一说一，有二说二的样子。看来是真心话。玉米其实蛮高兴的，这反而气人。玉米最不能接受的还是这个女人说话的语气，这个女人说起话来就好像她掌握着什么权力，说怎样只能是怎样，不可以讨价。这太气人了。她凭什么？她是什么破烂玩艺儿！玉米"哼"了一声，挖苦说："漂亮！"口气里头对"漂亮"进行了无情打击，赋予了"漂亮"无限丰富和无限肮脏的潜台词。都是毁灭性的。玉米说完这句话走人了。这在看客的眼里不免有些寡味。玉米和有庆家的第一次交锋其实没有什么实质性的成绩。充其量也就是平手。不过玉米想，日子长呢，你反正是嫁过来的人。你有庆家的有把柄，你的小拇指永远夹在王家庄的门缝里头。

　　彭国梁原计划在夏忙的季节回家探亲，爷爷却没有等到那个时候，开春后匆匆地咽了气，真是黄泉路上不等人。一份电报过去，彭国梁探亲的日程只好提前。彭国梁已经回到彭家庄了，玉米的这边还没有半点消息。彭国梁没有能够和爷爷见到最后一面，他走进家门的时候爷爷做死人已经做到第三天了。爷爷入了殓，又过了四天，烧好头七，彭国梁摘了孝，传过话来，他要来相亲。

　　玉米失措得很。这件事是不好怪人家的。彭国梁这个时候回来，本来就是一件意外。问题是，玉米连一件合适的衣裳都没有。玉米打算穿上过年的新衣裳，试了一下，那是加在棉袄上的加褂，上身之后挂在身上，有点疯疯傻傻的。很不好看。重做吧，还要到镇上扯料子，无论如何来不及了。玉米惆怅得很，心情相当地压抑，老是想哭，但到底心里头是欢喜，一直没哭出来。这反而更压抑了。

　　玉米没有料到有庆家的会把她拦在路口。看上去好像前几天她们一点也没有发生过什么事，都好像没有见过面。有庆家的把玉米叫住，还没等玉米开口，有庆家的先说话了。有庆家的说："玉米，你恨我的吧。"玉米没有料到有庆家的先把话题挑开来，一时嘴更笨了。玉米想，这个女人的脸皮是厚，换了别人把裤子穿在脸上也不敢这样说话。有庆家的说："飞行员快来相亲了，你这身衣裳怎么穿得出去。"玉米盯着有庆家的，想一想，说："你都有人要，我怎么会嫁不出去。"有庆家的显然没想到玉米说出这样的话。这句话打脸了。玉米自己都觉得过分了。但这个女人脸太厚，不这样不足以平民愤。有庆家的从胳肢窝里取下小布包，用方巾裹着，递到玉米的手上。她一定预备了好多话的，但是玉米的话究竟让有庆家的有些乱，一时忘了想说的东西，所以手上的动作分外地快。有庆家的说："这件衣裳是我在宣传队上报幕时穿的，没用处了。"这个举动大大出乎玉米的意料。有些出格。但是不管她是什么用意，她的东西玉米怎么可能要。玉米没有打开，推了回去。有庆家的说："玉米，做女人的可以心高，却不能气傲，天大的本事也只有嫁人这么一个机会，你要把握好。可别像我。""天大的本事也只有嫁人这么一个机会"，这句话玉米听进耳朵里去了。有庆家的又把包裹塞到玉米的怀里，回头便走。走出去四五步，有庆家的突然回过头，冲着玉米笑。她的眼眶里头早就贮满泪光了，闪闪烁烁的，心碎的样子。"可别像我。"玉米没有想到有庆家的会说这样的话。看起来这个女人并不气盛，没想到她对自己的评价这样低。玉米再也没有料到这个女人心中盘着那样的怨结，差一点心软了。有庆家的这一个回头给了玉米极其疼痛的印象。玉米这一回算是大胜了有庆家的，但是胜得有点寡味，不知道是哪里出了毛病了。玉米站在那儿，望着手里的衣裳，脑子里一直翻卷的都是有庆家的那句话："你要把握好，可别像我。"

　　玉米想扔了的，但是，毕竟是有庆家的"报幕"时穿的，这件衣裳一下子有了特殊的诱惑。这是一件小开领的春秋衫，收了一点腰身。虽说玉米的体形和有庆家的有点类似，可是玉米还是觉得紧了一些。玉米走到大镜子前，吓了自己一大跳。自己什么时候这样洋气、这样漂亮过？乡下的女孩子大多挑过重担，压得久了，背部会有点弯，含着胸，盆骨那儿却又特别地侉。玉米不同，她的身体很直，又饱满，好衣服一上身自然会格外地挺拔，身体和面料相互依偎，一副体贴谦让又相互帮衬的样子。怎么说人靠衣裳马靠鞍呢。最惊心动魄的还在胸脯的那一把，凸是凸，凹是凹，比不穿衣服还显得起伏，挺在那儿，像是给全村的社员喂奶。柳粉香当年肯定正是那样，挺拔四方，漂亮得不像样子。玉米无法驱散对柳粉香当年的设想，可是，设想到最后，玉米却设想到自己的头上去了。这个念头极其危险了。玉米相当伤感地把衣服脱了下来，正正反反又看了几回。想扔，舍不得。玉米都有点恨自己了，什么事她都狠得下心，为什么在一件衣裳面前她反而软了？玉米想，那就放在那儿，绝对不可以上身。

　　彭国梁被彭支书领着，来到了玉米家的大门口。施桂芳正站在门框旁边，看见彭支书领着一个当兵的冲着自己的大门走来，心里有数了。她把葵花放进口袋，做出站相，微笑也预备好了。彭支书来到施桂芳的面前，喊过"嫂子"，彭国梁跨上来一步，立正，"啪"，一个军礼。施桂芳的胳膊一阵乱动，把客人请进了堂屋。施桂芳很欢喜，只是毛脚女婿的军礼让她觉得事态过于重大了，光会陪笑，不会说话了。好在施桂芳是支书的娘子，处惊不乱。她打开广播，对着话筒说："王连方，

431

请你立即回到家里来，家里来了解放军！请你立即回到家里来，家里来了解放军！"

广播也就是通知。只是一会儿工夫，玉米家的大门口立即挤满了人，男男女女老老少少高高矮矮胖胖瘦瘦的。"解放军"是什么意思，不用多说了。后来王连方过来了，大步流星，一边走一边系下巴底下的风纪扣。人们让开了一条道。王连方来到彭支书的面前，握过手。彭国梁起立，立正，"啪"，再一个军礼。王连方掏出香烟，给了彭支书一根，也给了彭国梁一根。彭国梁再一次起立，立正，"啪"，又一个军礼。彭国梁说："报告首长，彭国梁不吸烟。"王连方笑起来，说："好。好。"气氛相当客气，但是有点肃穆，甚至紧张。王连方大声说："你回来了！"这句话其实是废话。彭国梁说："是。"门外围观的人们似乎也得到了感染，他们不说话。他们相当崇拜彭国梁的军礼，他的军礼很帅，行云流水，却又斩钉截铁。

玉米的到来把故事推向了高潮。玉米被人们拖回来了。王红兵早就被女人们抢了去抱走了。人们同样给玉米让开了一道缝隙。这一幕人们盼望已久了。只有这一幕看到了，大伙儿才能够放心。玉米被人拥着，两条腿一左一右地在地上走，其实是别人的力量，她的身子几乎后仰了。到了家门口，玉米胆怯了，不走。两个胆子大的闺女把玉米一直推到彭国梁的面前，人们以为彭国梁又要给玉米敬军礼了，没有。四周静悄悄的。彭国梁不仅没有敬礼，甚至没有立正，差不多也没了站相，只是不停地咧嘴，又不停地吃力地抿上。玉米迅速地瞥了一眼彭国梁，看到了他的神情，玉米放心了，但是人已经羞得不成样子。腰那一动像蛇。玉米的脸庞红彤彤的，把眼珠子衬得更黑，亮闪闪地到处躲。可怜极了。门外的人再也没有想到玉米会这样扭捏，一点都不像玉米。他们想，到底还是个姑娘家。门外的人一起哄了几声，高潮过去了，气氛轻松下来了。他们为彭国梁高兴，但主要的还是为了玉米。

王连方来到门口敬烟，是男人都有份儿。王连方最后给张如俊的儿子也敬了一根，如俊的儿子被如俊家的抱在怀里，傻头傻脑的。王连方把香烟夹到他的耳朵上，说："带回去给你老子抽。"人们没有想到王支书这样客气，都说笑话了。门口响起了一阵大笑。气氛相当的好。王连方对着门外掸了掸手，人们散去了。王连方关上门，深深地吸了一口气。

施桂芳安排彭国梁和玉米烧水去了。作为一个过来人，施桂芳知道厨房对于年轻男女的重要意义。初次见面的男女都这样，生疏得很，拘谨得很，两个人一同坐到灶台的后面，一个拉风箱，一个添柴火，炉膛里的火把两个人烤得红红的，慢慢会活络的。施桂芳带上厨房的门，把玉英玉秀她们都哄了出去。这几个丫头不能留在家里，她的七个女儿，除了玉米，别的都是人来疯。

玉米烧火的时候彭国梁给了玉米第二份见面礼。第一份是按照祖传的旧规矩预备的，无非是面料和毛线那一路的东西。彭国梁到底有不同凡俗的地方，另外又准备了一份。一支红管英雄牌铱金笔，一瓶英雄牌蓝黑墨水，一扎四十克信笺，二十五只信封，外加领袖的夜光像章一枚。这一份礼物更有了私密性，同时兼备了文化和进步的特征。彭国梁把它们放在风箱上，旁边还有他的军帽。军帽上有一颗红色五角星，鲜红鲜红的，发亮，是闪闪的红星。这几样东西组合在一起，此时无声胜有声了。彭国梁拉着风箱，他的每一个动作都要反映到炉膛里的火苗上。在他做推手的动作时，东倒西歪的火苗立即竖了起来，像一根柱子，相当有支撑力。玉米则把稻草架到那根火柱子上，这一来他们的手脚暗地里有了配合，有了默契，分外地感人。稻草被火钳架到火柱子上去，跳跃了一下，柔软了，透明了，像一堆红艳艳的面条。两个人的脸庞和胸口都被炉膛里的火苗有节奏地映红了，他们的喘息和胸部的起伏也有了节奏，需要额外地调整与控制。空气烫得很，晃动得很，就好像两个人的头顶分别挂了一颗大太阳，有点烤，但是特别地喜庆，是那种发烫的温馨，就是有点乱，还有一点催人泪下的成分，不时在胸口一进一出的。玉米知道，自己恋爱了。玉米望着火，禁不住流下了热泪。彭国梁显然看见了，还是不说什么，只是掏出了他的手帕，放在玉米的膝盖上。玉米拿起来，没有擦眼泪，却捂住了鼻子。手帕有一股香皂的气味，玉米一闻到这股气味差一点哭出了声音。好在玉米即刻忍住了。泪水却是越忍越多。他们到现在都没有说一句话，没有碰一下手指头。玉米想，这就对了，恋爱就是这样的，无声地坐在一起，有些陌生，但是默契；近在咫尺，却一心一意地向遥远的地方憧憬、缅怀。就是这样的。

玉米望着彭国梁的脚，知道了是四十二码的尺寸。这个不会错。玉米知道了彭国梁所有的尺寸。女孩子的心里一旦有了心上人，眼睛就成了卷尺，目光一拉出去就能量，量完了呼啦一下又能自动收进来。

按照旧规矩，玉米过门以前，彭国梁不能在王家庄这边住下来。但是王连方破字当头，主张移风易俗。王连方发话了，住。王连方实在是喜欢彭国梁在他的院子里进进出出的，总觉得这样一来他的院子里就有了威武之气，特别地无上光荣。施桂芳小声说："还是不妥当。"王连方瞪了施桂芳一眼，极其严肃地指出："形而上学。"

　　彭国梁在玉米的家里住下了。不过哪里也没有去。除了吃饭和睡觉，几乎都是和玉米呆在了灶台后面。灶台的背后真是一个好地方，是乡村爱情的圣地。玉米和彭国梁已经开始交谈了，玉米有些吃力，因为彭国梁的口音里头已经夹杂了一些普通话了。这是玉米很喜欢的。玉米自己说不来，可是玉米喜欢普通话。夹杂了普通话的交谈无端端地带上了远方的气息，更适合于爱情，是另一种天上人间。炉膛里的火苗一点一点暗淡下去。黑暗轻手轻脚地，笼罩了他们。玉米开始恐惧了，这种恐惧里头又多了一分难言的企盼与焦虑。当爱情第一次被黑暗包裹时，因为不知后事如何，必然会带来万事开头难这样的窘境。两个人都相当地肃穆，就生怕哪儿碰到对方的哪儿。是那种全神贯注的担忧。

　　彭国梁握住了玉米的手。玉米终于和彭国梁"手拉手"了。虽说有些害怕，玉米等待的到底还是这个。玉米的手被彭国梁"拉"着，有了大功告成的满足。玉米在内心的最深处彻底松了一口气。玉米其实也没有拉着，只是伸在那儿，或者说，被彭国梁拽在那儿。彭国梁的手指开始很僵，慢慢地活了，一活过来就显得相当地犟。它们一次又一次地往玉米的手指缝里抠，而每一次似乎又是无功而返的，因为不甘，所以再重来。切肤的举动到底不同一般，玉米的喘息相当困难了。彭国梁突然搂住玉米，把嘴唇贴在了玉米的嘴唇上。彭国梁的举动过于突然，玉米明白过来的时候已经晚了，赶紧把嘴唇紧紧地抿上。玉米想，这一下完蛋了，嘴都让他亲了。但是玉米的身上一下子通了电，人像是浮在了水面上，毫无道理地荡漾起来，失去了重量，只剩下浮力，四面不靠，却又四面包围。玉米企图挣开，但是彭国梁的胳膊把她箍得那样紧，玉米也只好死心了。玉米相当害怕，却反而特别地放心了。玉米渐渐把持不住了，抿紧的双唇失去了力量，让开了一道缝，冷冷的，禁不住地抖。这股抖动很快传遍全身了，甚至传染给了彭国梁，他们搅在一起抖动，越吻越觉得吻得不是地方，只好闷着头到处找。其实什么也没有找到。自己的嘴唇还在自己的嘴上。这个吻差不多和傍晚一样长，施桂芳突然在天井里喊："玉米，吃晚饭了哇！"玉米慌忙答应了一声，吻才算停住了。玉米愣了好大一会儿，调息过来了。抿着嘴，无声地笑，就好像他们的举动因为特别地隐蔽，已经神不知鬼不觉了。两个人从稻草堆上站起身，玉米的膝盖软了一下，差一点没站住。玉米捶了捶腿，装着像是腿麻了，心里想，恋爱也是个体力活儿呢。玉米和彭国梁挪到稍亮一点的地方，相互为对方掸草屑。玉米掸得格外仔细，一丝一毫都不肯放过，玉米不能答应彭国梁的军服上有半根草屑。掸完了，玉米从彭国梁的身后把他抱住了，整个人像是贮满了神秘的液体，在体内到处流动，四处岔。人都近乎伤感了。玉米认定自己已经是这个男人的女人了。都被他亲了嘴了，是他的人，是他的女人了。玉米想，都要死了，都已经是"国梁家的"了。

第二天的下午彭国梁突然把手伸到玉米的衣襟。玉米不知道彭国梁想干什么，彭国梁的手已经抚住玉米的乳房了。虽说隔着一层衬衫，玉米还是吓得不轻，觉得自己实在是胆大了。玉米和他僵持了一会儿，但是，彭国梁的手能把飞机开到天上去，还有什么能挡得住？彭国梁的搓揉差点要了玉米的命，玉米搂紧了彭国梁的脖子，几乎是吊在彭国梁的脖子上，透不过气来。可是彭国梁的指头又爬进玉米的衬衫，直接和玉米的乳房肌肤相亲了。玉米立即摁住彭国梁的手，央求说："不能，不能啊。"彭国梁停了一会儿，对着玉米的耳朵说："好玉米，下一次见面还不知道是哪一年呢。"这句话把玉米的心说软了，说酸了。一股悲恸涌冲进了玉米的心窝，无声地汹涌了。玉米失声痛哭。顺着那声痛哭脱口喊了一声"哥哥"。这样的称呼换了平时玉米不可能叫出口，而现在是水到渠成。玉米松开手，说："哥哥，你千万不能不要我。"彭国梁也流下了眼泪，彭国梁说："好妹子，你千万不能不要我。"虽说只是重复了玉米的一句话，但是那句话由彭国梁说出来，伤心的程度上却完全不同了，玉米听了都揪心。玉米直起身子，安静地贴了上来。给他。彭国梁撩起玉米的衬衫，玉米圆溜溜的乳房十分光洁地挺在了他的面前。彭国梁含住了玉米的左乳。咸咸的。玉米突然张大了嘴巴，反弓起身子，一把揪紧了彭国梁的头发。

最后的一个夜晚了。第二天的一早彭国梁要回到彭家庄去，而下午他就要踏上返回部队的路。玉米和彭国梁一直吻着，全心全意地抚摸，绝望得不行了。他们的身体紧紧地贴在一起，困苦地扭动。这几天里，彭国梁与玉米所做的事其实就是身体的进攻与防守。玉米算是明白了，恋爱不是由嘴巴来"谈"的，而是两个人的身体"做"出来的，先是手拉手，后是唇对唇，后来发展到胸脯，现在已经是无遮无掩的了。玉米步步为营，彭国梁得寸进尺，玉米再节节退让。说到底玉米还是心甘情愿的。这是怎样的欲罢不能，欲罢不能哪。彭国梁终于提出来了，他要和玉米"那个"。玉米早已是临近晕厥，但是，到了这个节骨眼上，玉米的清醒与坚决却表现出来了。玉米死死按住了彭国梁的手腕。他们的手双双在玉米的腹部痛苦地拉锯。"我难受啊。"彭国梁说。玉米说："我也难受啊。"

"好妹子，你知道吗?""好哥哥，我怎么能不知道。"彭国梁快崩溃了，玉米也快崩溃了。但是玉米说什么也不能答应。这一道关口她一定要守住。除了这一道关口，玉米什么都没有了。她要想拴住这个男人，一定要给他留下一个想头。玉米抱着彭国梁的脑袋，亲他的头发。玉米说："哥，你不能恨我。"彭国梁说："我没有恨你。"玉米说到第二遍的时候已经哭出声音了，玉米说："哥你千万不能恨我。"彭国梁抬起头，想说什么，最后说"玉米"。

玉米摇了摇头。

彭国梁最后给玉米行了一个军礼，走了。他的背影像远去的飞机，万里无云，却杳无踪影。直到彭国梁的身影在土圩子的那头彻底消失，玉米才犯过想来，彭国梁，他走了。刚刚见面了，刚刚认识了，又走了。玉米刚才一直都傻着，现在，胸口一点一点地活动了。动静越来越大，越闹越凶，有了抵挡不住的执拗。但是玉米没有流泪，眼眶里空得很，真的是万里无云。她只是恨自己，后悔得心碎。说什么她也应当答应国梁、给了国梁的，守着那一道关口做什么? 白白地留着身子做什么? 还能给谁? 肉烂在自家的锅里，盛在哪一只碗里还不都一样? "我怎么就那么傻?"玉米问自己，"国梁难受成那样，我为什么要对他守着?"玉米又一次回过头，庄稼是绿的，树是枯的，路是黄的。"我怎么就这么傻。"

有庆家的这两天有点不舒服，说不出来是哪儿，只是闷。只好一件一件地洗衣裳，靠搓洗衣裳来打发光阴。衣裳洗完了，又洗床单，床单洗完了，再洗枕头套。有庆家的还是想洗，连夏天的方口鞋都翻出来了，一左一右地刷。刷好了，有庆家的懒了下来，却又不想动了。这一来更加无聊了。王连方又不在家，彭国梁前脚离开，他后脚就要开会去。他要是在家或许要好一点。有庆家的以往都是这样，再无聊，再郁闷，只要和王连方睡一下，总能顺畅一点。有庆现在不碰她，都不愿意和她在一张床上睡。村里的女人没有一个愿意和她搭讪，有庆家的现在什么都没有，反而只剩下王连方了。有时候有庆家的再偷一个男人的心思都有，但是不敢。王连方的醋劲大得很。有庆家的和别人说几句笑话王连方都要摆脸色。那可是王连方的脸色。你说女人活着为什么？还有什么意思？就剩下床上那么一点乐趣。说到底床上的乐趣也不是女人的，它完全取决于男人在什么时候心血来潮。

　　有庆家的望着洗好的东西，一大堆，又发愁了。她必须汰一遍。可她实在弯不下腰了。腰酸得很。有庆家的只好打起精神，拿了几件换身的衣裳，来到了码头。刚刚汰好有庆的加裇，有庆家的发现玉米从水泥桥上走了过来。从玉米走路的样子上来看，肯定是刚刚送走了彭国梁。玉米恍惚得很，脸上也脱了色。她行走在桥面上，像墙上的影子，一点重量都没有。玉米也真是好本事，她那样过桥居然没有飘到河里去。有庆家的想，玉米这样不行，会弄出毛病来的。有庆家的爬上岸，守候在水泥桥头。玉米过来了，有庆家的堆上笑，说："走啦？"玉米望着有庆家的，目光像烟那样，风一吹都能拐弯。玉米冷得很，不过总算给了有庆家的一点面子，她对着有庆家的点一下头，过去了。有庆家的一心想宽慰玉米几句，但是玉米显然没有心思领她的这份情。有庆家的一个人侧在那儿，瞅着玉米的背影，她的背影像一个晃动的黑窟窿。有庆家的慢慢失神了，对自己说，你还想安慰人家，再怎么说，人家有飞行员做女婿——离别的伤心再咬人，说到底也是女人的一分成绩，一分运气，是女人别样的福。你有什么？你就省下这份心吧，歇歇吧，拉倒吧你。

玉米离开之后有庆家的跑到猪圈的后面，弯下身子一顿狂呕。汤汤水水的，竟比早上吃下去的还要多。有庆家的贴在猪圈的墙上，睁开眼，眼睫挂了细碎的泪。有庆家的想，看来还是病了，不该这么恶心。这么一想有庆家的反而想起来了，这两天这么不舒服，其实正是想吐。有庆家的弯下腰，又呕出一嘴的苦。有庆家的闭上眼，兀自笑了笑，心里说，个破烂货，你还弄得像怀上小支书似的。这句作践自己的话却把有庆家的说醒了，两个多月了，她的亲戚还真是没有来过，只不过没敢往那上头想罢了。转一想，有庆家的却又笑了，挖苦自己说，拉倒吧你，你还真是一个外勤内懒的货不成。

医生说，是。有庆家的说，这怎么可能。医生笑了，说你这个女的少有，这要问你们家男人。有庆家的又推算了一次日子，那个月有庆在水利工地上呢。有庆家的眼睛直了，有庆再木呐，但终究不是二憨子，这件事瞒得过天，瞒得过地，最终瞒不过有庆。要还是不要，有庆家的必须给自己拿主张。

有庆家的炒了一碗蛋炒饭，看着有庆吃下去。掩好门，顺手从门后拿起捣衣棒。有庆家的把捣衣棒放在桌面上。有庆家的说："有庆，我能怀的。"有庆还在扒饭，没有听明白。有庆家的说："有庆，我怀上了。"有庆家的说："是王连方的。"有庆听明白了。有庆家的说："我不敢再堕胎了，再堕胎我恐怕真的生不出你的骨肉了。"有庆家的说："有庆，我想生下来。"有庆家的说："有庆，你要是不答应，我死无怨言。"有庆家的看着桌面上的捣衣棒，说："你要是咽不下去，你打死我。"有庆最后一口饭还含在嘴里，他把筷子拍在了桌子上，脖子和目光一起梗了。有庆站起身，拿起了捣衣棒。有庆把捣衣棒握在掌心，胳膊比捣衣棒还要粗，还要硬。有庆家的闭上了眼睛。再睁开的时候有庆已经不在了。有庆家的慌了，出了门四处找。最后却在婆婆的茅棚里找到了。有庆家的追到茅棚的门口，看见有庆跪在婆婆的面前。有庆说："我对不起祖宗，我比不上人家有种。"有庆嘴里的那口蛋炒饭还含在嘴里，这刻儿黄灿灿的喷得一地。有庆家的身子骨都凉了，和婆婆对视了一眼，退了回来。回到家，从笆斗里翻出一条旧麻绳，打好活扣，扔到屋梁上去。有庆家的拽了拽，手里的麻绳很有筋骨。放心了。有庆家的把活扣套上脖子，一脚蹬开脚下的长凳。

　　婆婆却冲开门进来了。婆婆多亮堂的女人，一看见儿媳的眼神立即知道要出大事了。婆婆一把抱住有庆家的双腿，往上顶。婆婆喊道："有庆哪，快，快！"有庆已经被眼前的景象弄呆了，不知道前后的几分钟里他都经历了什么。木头木脑的，四处看。有庆把媳妇从屋梁上割下来，婆婆立即关上了屋门。老母亲兴奋异常，弯着腿，张开胳膊，两只胳膊像飞动的喜鹊不停地拍打屁股。她压低了嗓子，对儿媳说："怀上就好，你先孵着这个，能怀上就好了哇！"

　　春风到底是春风，野得很。老话说"春风裂石头，不戴帽子裂额头"，说的正是春风的厉害。一年四季要是说起冷，其实倒不在三九和四九，而在深秋和春后。三九四九里头，虽说天冻地冻，但总归有老棉袄老棉裤裹在身上，又不怎么下地，反而不觉得什么。深秋和春后不一样，手脚都有手脚的事，老

441

棉袄老棉裤绑在身上到底不麻利，忙起来又是一身汗，穿戴上难免要薄。深秋倒是没什么风，但是起早贪黑的时候大地上会带上露水的寒气，秋寒不动声色，却是别样的凛冽。春后又不一样了，主要是风。春风并不特别地刺骨，然而有势头，主要是有耐心，把每一个光秃秃的枝头都弄出哨声，像嚎丧，从早嚎到晚，好端端的一棵树像一大堆的新寡妇。春寒的那股子料峭，全是春风捣的乱。

麦子们都返青了。它们一望无际，显得生机勃勃。不过细看起来，每一片叶子都瑟瑟抖抖的，透出来的还是寒气。春天里最怕的还是霜。只要有了春霜，最多三天，必然会有一场春雨。所以老人们说，"春霜不隔三朝雨"。虽说春雨贵如油，那是说庄稼，人可是要遭罪。雨一下就是几天，还不好好下，雾那样，没有瓢泼的劲头，细细密密地缠着你，躲都躲不掉。天上地下都是湿漉漉的，连枕头上都带着一股水气，把你的日子弄得又脏又寒。

王家庄弥漫着水气，相当濡。风一直在吹。人们睡得早，起得迟，会过日子的人家赶上这样的光景一天只吃两顿。这也是先辈的老传统了。青黄不接的时候，多睡觉，横着比竖着抗饿。吃得少，人当然要懈怠了，这就苦了猪圈里的猪。它们要是饿了不可能躺下来好好睡觉的，它们会不停地喊。猪喊得很难听，不像鸡，叫起来喜喜庆庆的；也不像狗，狗的叫声多少有那么一点安详，远远地听上来让人很心安。猪让人烦，天下所有的猪都是饿死鬼投的胎。猪是会喊冤的庄稼，要不就是不会抽穗的肉。

天上没有太阳。没有月亮。天黑了，王家庄宁静下来了。天又黑了，王家庄又宁静下来了。

出大事了。

王连方被堵在秦红霞的床上事先没有一点预兆。王家庄静悄悄的，只有公猪母猪的饿叫声。烧晚饭的光景，家家户户的屋顶上都冒着炊烟，炊烟缠绕在傍晚的雾气里头，树巅的枝杈上都像冒着热气。其实蛮祥和的。突然来了动静，王连方和秦红霞一起被堵在了床上。怪只怪秦红霞的婆婆不懂事，事后人们都说，秦红霞的婆婆二百五，真是少一窍！你喊什么？喊就喊了，你喊"杀人"做什么？王连方要是碰上一个聪明的女人肯定过去了，偏偏碰上了这样一个二百五。一切都好好的，秦红霞的婆婆突然喊："杀人啦，杀人啦！"村子里的水气重，叫喊的声音传得格外远，分外地清晰。左邻右舍们操起了家伙，一起冲进了秦红霞的天井。秦红霞的男将张常军在河南当炮兵，去年秋天在部队上解决了组织问题，到了今年秋天差不多该退伍了。张常军不在，邻居们平时对红霞一家还是相当照顾的，她的婆婆喊"杀人"，这样重大的事，不能不出面。秦红霞的婆婆站在天井的中央，上气不接下气，光会用手指头指窗户。窗户已经被秦红霞的婆婆拉开了，半开着，门却捂得极死。天井里站的全是人。拿着扁担的小心翼翼地来到了窗户跟前，而扛着钉耙的急不可耐，一脚把门踹开了。王连方和秦红霞正在穿戴，手上忙得很，却是徒劳，没有一个纽扣扣得是地方。王连方虽说还能故作镇静，到底断了箍，散了板了。他掏出飞马香烟，说："抽烟，大家抽。"

这怎么抽。

形势很严峻。平时人家给王连方敬烟，王连方还要看看牌子。现在王连方给别人敬的是飞马，他们都不抽。形势很严峻了。

　　当天晚上王家庄像乱葬岗一样寂静，真的像杀了人了，杀光了那样。而王连方已经来到了镇上，站在公社书记的办公桌前。公社的王书记很生气。王书记平时和王连方的关系相当不一般，但是现在，他对着王连方拍起了桌子："怎么搞的！弄成这样嘛！幼稚嘛！"王连方很软了，双眼皮耷拉下来，从头到脚都不景气。王连方很小心地说："要不，就察看吧。"王书记正在气头上，又拍桌子："你呕屎！军婚，现役嘛！高压线嘛！要法办的！"形势更严峻了。王连方不是不知道，这件事弄不好就"要法办的"，但是第一次没有事，第二次也没有事，最终到底出事了。现在王书记亲自说出"要法办的"，性质已经变了。王书记解开了中山装，双手叉腰，两只胳膊弯把中山装的后襟撑得老高。这是当领导的到了危急关头极其严峻的模样，连电影上都是这样。王连方望着王书记的背影，王书记一推窗户，对着窗外摊开了胳膊："都被人看见了，你说说，怎么办？怎么办嘛！"

　　事情来得快，处理得也快。王连方双开除，张卫军担任新支书。这个决定相当英明，姓王的没有说什么，姓张的也不好再说什么。

　　日子并不是按部就班地过，它该慢的时候才慢，该快的时候却飞快。这才几天，王连方的家就这么倒了。表面上当然看不出什么，一砖一瓦都在房上，一针一线都在床上，但是玉米知道，她的家倒了。好在施桂芳从头到尾对王连方的事都没有说过什么。施桂芳什么都没有说，只是不停地打嗝。作为一个女人，施桂芳这一回丢了两层的脸面。她睡了好几天，起床之后人都散了。这一回的散和刚刚出了月子的那种散到底不同，那种散毕竟有炫耀的成分，是自己把自己弄散的，顺水而去的，现在则有了逆水行舟的味道，反而需要强打起精神头，只不过吃力得很，勉强得很，像她开口说话嘴里多出来的那股子馊味。

玉米现在最怕的就是和母亲说话。她说出来的话像打出来的嗝，一定是沤得太久了。让玉米心寒的还有玉穗，小婊子太贱，都这个岁数了，还有脸和张卫军的女儿在一起踢毽子了，每一回都输给人家。张卫军的女儿小小的一个人，小小的一张脸，小鼻子小眼的，小嘴唇又薄又小。姓张的的确没一个好货。她踢的毽子那还能算毽子？草鸡毛罢了。玉穗肯输给她，看来天生就是吃里扒外的坏子。玉米算是看透她了。

玉米把一切都看在眼里，反而比往常更沉得住。就算彭国梁没有在天上开着解放军的飞机，她玉米也长不出玉穗那样的贱骨头。被人瞧不起都是自找的。玉米走得正，行得正，连彭国梁的面前她都能守得住那道关，还怕别人不成？玉米照样抱着王红兵，整天在村子里转。王连方当支书的时候别人怎么过，她玉米就能怎么过。王玉米的"王"摆到哪儿都是三横加一竖，过去不出头，现在也不掉尾巴。

最让玉米瞧不起的还是那几个臭婆娘，过去父亲睡她们的时候，她们全像臭豆腐，筷子一戳一个洞。现在倒好，一个个格格正正的，都拿了自己当红烧肉了。秦红霞回来了，小骚货出事之后带着孩子回娘家去了，一去就是十来天。返村的时候秦红霞的脸上要红有红，要白有白，弄得跟回娘家做月子似的。她还有脸回来！河面上又没有盖子，她硬是没那个血性往下跳，做做样子都不敢。秦红霞走在桥上，还弄出不好意思的样子，好像全村的男人一起娶了她。秦红霞快下桥口的时候不少妇女都在暗地里看玉米，玉米知道，她们在看她。她们想看看玉米怎么面对这件事，怎么面对那个人。秦红霞过来了，玉米抱着王红兵，站起来，换了一下手，主动迎了上去。玉米笑着，大声说："红霞姨，回来啦！"所有的人都听到了。过去玉米一直喊秦红霞"红霞姐"，现在喊她"姨"，意味格外地深长了，有了难以启齿的暗示性。妇女们开始还不明白，但是，只看了一眼秦红霞的脸色，领略了玉米的促狭和老到。又是滴水不漏的。秦红霞对着玉米笑得十分别扭，相当地难看。一个不缺心眼的女人永远不会那样笑的。

王连方打算学一门手艺。一家子老老少少，十来张嘴呢。从今年的秋后开始，不会再有往年那样的分红了。和社员们一起做农活儿，王连方没有那个身板了，主要还是丢不下那个脸面。王连方对自己有一个基本的认识，虽说支书不当了，但他这一辈子睡过那么多的女人，够本了，值得。回过头来再和自己的老部下一起挑大粪、挖墒沟、插秧割麦，很不成体统。妥当的办法是赶紧学一门手艺。王连方做过很周密的思考，他时常一手执烟，一手叉腰，站到"世界地图"和"中华人民共和国地图"的面前，把箍桶匠、杀猪匠、鞋匠、篾匠、铁匠、铜匠、锡匠、木匠、瓦匠放在一起，进行综合、比较、分析、研究，经过去粗取精、去伪存真、由里而外、由现象到本质，再联系上自己的身体、年纪、精力、威望等实际，决定做漆匠。漆匠有这样几个好处，一、不太费力气，自己还吃得消；二、技术上不算太难，只要大红大绿地涂抹上去，别露出木头，终究难不到哪里；三、成本低，就一把刷子，不像木匠，锯、刨、斧、凿、锤，一套一套的，办齐全了有几十件；四、学会

了手艺，整天在外面讨生活，不用呆在王家庄，眼不见为净，
心情上好对付一些；五、漆匠总归还算体面，像他这样的身
份，做杀猪那样的脏事，老百姓看了也会寒心，漆匠到底不
同，一刷子红，一刷子绿，远远地看上去很像从事宣传工作。
主意定下来，王连方觉得自己的方针还是比较接近唯物主义
的。

　　有庆家的这边王连方有些日子不来了。时间虽说不长，毕
竟是风云变幻了。王连方中午喝了一顿闷酒，一直喝到下午两
三点钟。王连方站起来，决定在离家之前再到有庆家的身上疏
通一回。别的女人现在还肯不肯，王连方心里没底。不过有庆
家的是王连方的自留地，他至少还可以享一享有庆的呆福。王
连方推开有庆家的门，有庆家的正在偷嘴，嚼萝卜干。有庆家
的背过身，已经闻到了一身的酒气。王连方大声说："粉香啊，
我现在只有你啦。"话说得虽然凄凉，但在有庆家的这边还是
有几分的感动人心的，反而有了几分温暖了。王连方说："粉
香啊，下次回来的时候你就喊我王漆匠吧。"有庆家的转过脸，
王连方的脸上有了七分醉了，特别地颓唐，有庆家的想安慰他
几句，却不知从哪里说起。虽说秦红霞的事伤了她的心，到底
还是不忍看见王连方这副落魄的样子。有庆家的当然知道他来
做什么。如果不是有了身孕，有庆家的肯定会陪他上床散散心
的。但现在不行。绝对不行。有庆家的正色说："连方，我们不
要那样了——你还是出去吧。"王连方却没有听见，直接走进
西厢房，一个人解，一个人脱，一个人钻进了被窝。等了半
天，王连方说："喂！"又等了半天，王连方说："——喂！"王
连方一直听不到动静，只好提着裤子，到堂屋里找。有庆家的
早已经不在了。王连方再也没有料到这样的结果，两只手拎着

裤带，酒也消了，心里滚过的却是世态炎凉。王连方想，好，你还在我这里立牌坊，早不立，晚不立，偏偏在这个时候立。王连方一阵冷笑，自语说："妈个巴子的！"回到西厢房，再一次扒光了，王连方重新爬进被窝，突然扯开了嗓子。王连方吼起了样板戏。是《沙家浜》。王连方睡在床上，一个人扮演起阿庆嫂、胡传魁和刁德一。他的嗓门那么大，那么粗，而他在扮演阿庆嫂的时候嗓子居然捏得那么尖，那么细，直到很高的高音，实在爬不上去了，又恢复到胡传魁的嗓音。王连方的演唱响遍了全村，所有的人都听到了，但是没有一个人过来，好像谁都没有听见。王连方把《智斗》这场戏原封不动地搬到了有庆的床上，一字不差，一句不漏。唱完了，王连方用嘴巴敲了一阵锣鼓，穿好衣裳，走人。

其实有庆家的哪里也没有去。她进了厨房，站在厨房的门后面。有庆家的再也想不到王连方会来这一手，吓得魂都掉了。稍稍镇定下来，有庆家的涌上了一股彻骨的悲伤，只觉得自己这半年的好光景还是让狗咬了。有庆家的手脚一起凉了。她摸着自己的腹部，恨不得用指头把肚子里的东西挖出来。可又不忍。有庆家的颤抖了，她低下头，看着自己的肚子，对自己的肚子说："狗杂种，狗杂种，狗杂种，个狗杂种啊！"

王连方四十二岁出门远行，出去学手艺去了。一个家其实就交到了玉米的手上。家长不好做。不做当家人，不知柴米贵，玉米现在算是知道这句话的厉害了。当家难在大处，说起来却也是难在小处。小处琐碎，缠人，零打碎敲，鸡毛蒜皮，可是你没有一样能逃得过，你必须面对面，屁大的事你都不能拍拍屁股掉过脸去走人。就说玉叶，虚岁才十一岁的小东西，前几天刚刚在学校里头砸烂了一块玻璃，老师要喊家长；现在又把同学们的墨水瓶给打散了，泼得人家一脸的黑，老师又要喊家长了。玉叶看上去没什么动静，嘴巴慢，手脚却凌厉，有些嘠小子的特征。这样的事要是换了过去，老师们会本着一分为二的精神来看待玉叶的。现在有点不好办，老师毕竟也有老师的难处。玉米是作为"家长"被请到学校里去的，第一次玉米没说什么，只是不停地点头，回家抓了十个鸡蛋放在了老师的办公桌上。第二次玉米又被老师们请来了，玉米听完了，把玉叶的耳朵一直拎到办公室，当着所有老师的面给了玉叶一嘴巴。玉米的出手很重，玉叶对称的小脸即刻不对称了。玉米这一次没有把鸡蛋抱到学校，却把猪圈里的乌克兰白猪赶过来了。事情弄大了，校长只好出面。校长是王连方多年的朋友，看了看老师，又看了看玉米，手心手背都不好说什么。校长只好看着猪，笑起来，说："玉米呀，这是做什么，给猪上体育课哪？"噘着嘴让工友把乌克兰猪赶回去了。玉米看着校长和蔼可亲的样子，也客气起来，说："等杀了猪，我请叔叔吃猪肝。"校长慢腾腾地说："那怎么行呢。"玉米说："怎么不行，老师能吃鸡蛋，校长怎么不能吃猪肝？"话刚刚出口，玉叶老师的眼睛成了鸡蛋，而一张脸却早已变成猪肝了。

　　玉米一到家就摊开了四十克信笺，她要把满腔的委屈向彭国梁诉说。玉米现在所有的指望都在彭国梁那儿了。玉米没有把家里的变故告诉彭国梁，那件事玉米不会向彭国梁吐露半个字的。玉米不能让彭国梁看扁了这个家。这上头不能有半点闪失。只要国梁在部队上出息了，她的家一定能够从头再来，玉米对着信笺说："国梁，你要提干。"玉米看了看，觉得这样太露骨，不妥当。玉米把信撕了，千叮咛、万嘱咐，最后变成了这样一句话："国梁，好好听首长话，要求进步！"

公社的放映队又来了。这些天施桂芳老是喊心窝子疼，玉米不打算看电影去了。玉米其实是爱看电影的，母亲倒是从来不看。那时候玉米还在心里头嘀咕，怎么人到了岁数连电影都不想看的呢。现在玉米算是明白了，母亲不愿意往人多的地方去，再说了，电影也实在是假得很，那么多的人挤在一块白布里头过日子，就一块白布，它知道什么是暖，什么是冷。这么一想玉米也觉得自己到了岁数了，只是觉得自己的心也冷了。心冷一次岁数自然要长一次。人就是以这种方式一次又一次地长大的，心同样也是这样一次又一次地死掉的。这和年月反而没有什么关系了。

刚吃过晚饭，玉秀偷了一把葵花，想早点出去。玉米把她拦住了。玉米不让玉秀这么早出去有玉米的道理，以往放电影，玉秀都要去抢位置。大白布还没有扯上去，玉秀扛着板凳已经把放映机前最好的位置抢下来了。玉秀每次能抢到地盘，当然不是玉秀的能耐，说到底还是人家让着她。现在玉秀再指望有人让她显然就太不知趣了，弄不好又是一番口舌。玉米不怕口舌，可是以现在的光景，多一事当然不如少一事。玉米得拦着，不要找不自在。玉秀没有听玉米的，却撂过来一句话，说："你烦不烦，你看看我有没有带板凳？"玉秀是个聪明人，这丫头还是知道深浅的。玉米说："那你也得把玉叶带上。"玉秀说："我不带，她自己又不是没长腿。"玉米说："你带不带？要不哪里也别想去。"玉米现在绝对是家长了，声音一大肯定是说一不二。玉秀这一回没有顶嘴，顺手又多抓了两把葵花。老三玉秀带着老五玉叶，老二玉穗带着老六玉苗，老四玉英自顾自，老七玉秧留在家里睡觉。这样安顿完了，玉米点上煤油灯，抱着王红兵来到了母亲的床前。母亲瘦了，然而，这种瘦倒没有体现在脸盘的大小上，而是反映在面部的皱纹上。施桂芳脸上的皱纹一条一条地都挂了下来，呈现出水往低处流的格局。一句话，一副哭丧相。玉米把新炒的葵花端到母亲的面前，施桂芳说："玉米，往后别炒了。"玉米说："为什么？"施桂芳说："别丢那个人了。"玉米看着自己的母亲，厉声说："妈，你不能不吃。"母亲说："这是怎么说的？"玉米说："吃给别人看。"施桂芳笑笑，想说什么，但终于没有开口，只是把手放在了玉米的手背上，拍了两下。玉米感觉出来了，母亲的拍打有劝解的意思，更多的却还是认命的意思。玉米站起来了，说："妈，为了我们，你就当药吃。"施桂芳拍了拍床沿，示意玉米坐下来。虽说天天在一个屋子里头，但是这样安心地和玉米说说话，还真是少有的光景。再怎么说，有这样一个女儿和自己说说话，打通打通心里的关节，多少能够去痰化淤。夜很静了，是那种清心寡欲的静，施桂芳听了一会儿，却听出了孤儿寡母的那种静。王红兵已经睡着了，在玉米的怀里乖巧得很。施桂芳接过来，端详了好大的工夫，他倒是睡得安稳，没心没肺的憨样。施桂芳抬起头来再看玉米。灯芯照亮了玉米的半张脸，玉米的半个面侧被油灯脱落得格外标致，只不过另外的半张脸却陷入了暗处，使玉米的神情失去了完整性，有了见首不见尾的深不可测。这时候外面吹过了一阵风，把电影里枪炮的声音吹到这边来了。玉米伸长了脖子，侧着耳朵，十分仔细地从枪炮声中分辨飞机俯冲的声音。施桂芳猜得出玉米这一刻的心思，说："去看看吧。"玉米没有动，只是望着灯芯，目光专注而又恍惚。施桂芳长长地叹了一口气，灯芯顺着施桂芳的叹息扭了一下腰肢，好像也躲着她了，心思早已经坐飞机了。房间里暗淡了一下，玉米半张明亮的脸即刻也暗淡下去了。施桂芳突然直起了上身，打了一连串的馊嗝，同时用力拍打着床面，说："还是这样好，还是这样好哇。"母亲的突发性举动没有一点由头，没有一点过渡，吓了玉米一跳。玉米看了看母亲，"呼"地一下吹灭了煤油灯，说："早点睡吧。"

玉穗带着玉苗回家的时候玉米已经偎在枕边睡了一小觉了。接下来回家的是玉英。玉米坐在床沿，关照她们几个用水。玉米要等的其实是玉叶，玉叶这丫头真是个假小子，懒得很，你要是不逼着她她就是不肯用水，钻进被窝一焐，一双脚臭得要了命，身上还臊烘烘的。玉叶由玉米带着睡，除了玉米，谁还肯和玉叶的那双臭脚裹一个被窝。电影已经散了，玉叶还不回来。一定是玉秀拉着玉叶在外头疯。玉米知道玉秀的心思，有玉叶陪着，回家之后她才好把屎盆子往别人的头上扣。等了一会儿，外面已经没什么动静了，玉秀和玉叶还没回来。玉米生气了。玉米披上棉袄，拔上两只鞋后跟，怒冲冲地出门去了。

玉米最后在打谷场的大草垛旁边找到玉秀和玉叶，电影早就散场了，大草垛的旁边围了一些人，还亮着一盏马灯。玉米大声喊："玉秀！玉叶！"没有声音回应。草垛旁边的脑袋却一起转了过来。四周黑漆漆的，只有转过来的脸被马灯的光芒自下而上照亮了，悬浮在半空，呈现出古怪的明暗关系。他们不说话，几张脸就那么毫无表情地嵌在夜色之中，鬼气森森的。玉米怔了一下，一股不祥的预感在胸口迅速地飞窜。玉米走上去，人们让开了，玉秀和玉叶的下身一丝不挂，傻乎乎地坐在稻草上。玉秀玉叶的身上到处都是草屑，草屑缀满了乱发、牙缝和嘴角。玉秀一动不动，眼睛在眨巴，但目光却已经死了。玉米已经明白发生什么了，张大了嘴巴，望着她的两个妹妹。围在旁边的人看了看玉米，丢下马灯，一个又一个离开了。他们的背影融入了夜色。夜色里空无一人，但更像站满了人。

玉米跪在地上，给她们穿上裤子。玉秀和玉叶的裆部全是血，外加许多粘稠的液汁。她们的裤子上洋溢着一股陌生而又古怪的气味。玉米用稻草帮她们擦干净，拉紧她们的手，左手一个，右手一个。玉米拽着自己的两个妹妹，在黑色的夜里往回走。马灯还放在原来的地方，漆黑的夜色中，巨大的草垛被马灯照出了一轮金色的光轮。一阵夜风吹了过来，吹乱了玉米的头发，几乎盖在了脸上。玉秀和玉叶都哆嗦了一下。她们在夜风的吹拂下像两个摇摆的稻草人。玉米突然立住，蹲在玉秀的面前，一把揪紧了玉秀的双肩。

玉米问："告诉我，谁？"玉米扳着玉秀的肩头，拼命摇晃，大声问："是谁？"玉米摇晃玉秀的时候自己的头发却纷涌澎湃，玉米吼道："——谁？！"

玉叶接过了问话，玉叶说："不知道。好多。"

玉米一屁股坐在了地上。

彭国梁远在千里之外，然而，村子里的事显然没有瞒得过彭国梁。彭国梁来信了，他的来信只有一句话，"告诉我，你是不是被人睡了？！"虽然远隔千里，玉米还是感受到了彭国梁失控的体气，空气在晃动。玉米差不多被这句话击倒了，全身透凉，没有了力气。玉米无端地恐惧了。玉米看到了一只手，这只手绕过了玉秀还有玉叶，慢慢伸向她玉米了。阳光普照，但那只手却伸手不见五指。玉米知道了，村子里的人不仅替玉

米看彭国梁的信，还在替玉米给彭国梁写信。玉米怎么回答彭
国梁呢？这样的问题玉米如何说得出口呢？玉米实在不知道怎
样回答这个问题。人都想呆了。彭国梁现在是玉米和玉米家最
后的一根支柱，他这架飞机要是飞远了，玉米的天空真是塌下
来了。玉米把四十克信笺摊在桌面上，团了好几张，又撕了好
几张。玉米发现这一刻自己只是一张纸，飘飞在空中，无论风
把她抛到哪儿，结果都是一样的，不是被撕毁，就是被踩满了
脚印。哪一只脚能放过地上的一张纸呢。脚的好奇心决定了纸
的命运。夜深人静了，玉米把红管英雄牌铱金笔捏在手上，她
其实并不想写信，只是以这种空洞的方式和彭国梁说说话。玉
米憋了很久，却发现信笺上已经写着一行话了，这句话把玉米
自己都吓了一跳。玉米自己也不知道是什么时候写的，特别地
大胆，特别地放纵。信笺上是："国梁哥，我的心上人，你是
我最爱最爱的人。"玉米只觉得自己的脸皮也已经厚了，这样
的话也有胆子说了。玉米想了想，壮起胆子，又写下了一行：
"国梁哥，我的心上人，我的亲人，你是我最爱最爱的人。"写
到第二遍，玉米的胸脯拼命地向外鼓了。她望着灯芯，拿灯芯
当彭国梁，好让彭国梁亮亮地、暖暖地在她的面前立正。玉米
又写了一行："国梁哥，我的心上人，我的亲人，你是我最
最爱的人。"玉米说不出别的什么来了，前前后后就是这一句。
这是玉米心中藏得最深的一句，需要加倍地吃力才敢说得出。
玉米从来没敢说过，玉米终于把它说出来了。别的还有什么
呢？就是从头再说，玉米还是这一句，只有这一句，就是这一
句。玉米一口气写了五页纸，因为信笺只有最后的五页了。五
页纸上写的全是同样的一句话。第二天的上午玉米把这五页纸
横着竖着又看了几遍，看到最后玉米自己都不敢再看了，一页

一页的泪。玉米告诉自己，要是心底的话国梁哥还是听不见，那只能是山太高，水太长，说什么也是白说了。玉米把信寄了出去。信件寄出去之后玉米还想找点什么事情做做，但是没有找到。那就坐下来歇歇吧。玉米坐在那儿，后来睡着了。玉米睡着了，坐在那儿。

等信的那几天玉米把王红兵交给了玉穗，她要亲自到桥头慢慢地等候。她现在对彭国梁的回信没有一点把握。要是彭国梁不要她了，说什么也不能让这封信丢到别人的手上。玉米丢不起那个人。谁要是有胆子把玉米的这封信拆开来，玉米会让他吃刀子。玉米守在桥头，等，没有等到彭国梁的来信，却等来了一个包裹。那是玉米的相片，还有玉米写给彭国梁的所有信件。全是玉米的笔迹，很难看。玉米望着自己的相片、自己的笔迹，不知道怎么弄的，并没有预想的那样难过，却特别地难为情。不知道怎么弄的，特别地难为情。太难为情了，就想一头撞死。

有庆家的偏偏在这个时候出现了。玉米想把手里的东西掖紧一些，一不小心却弄掉了一样东西，是玉米的相片。相片躺在地上，一副不知好歹的下作相，居然还有脸面笑。玉米想用脚踩住，还是迟了，有庆家的已经看在了眼里，她的脸上已经明白。玉米羞愧得连有庆家的都不敢看了。有庆家的捡起相片，一抬头便从玉米的眼里看到了危险。玉米的眼睛特别地坚决，是那种随时都可以面对生死才有的沉着和坚定。有庆家的一把抓住了玉米的胳膊，拽起来就往自己的家里跑。有庆家的把玉米一直带进自己的卧房，卧房的光线很不好，但是玉米的目光却出奇地亮，出奇地硬。然而配着一脸的痴，那种亮和硬分外地吓人了。有庆家的拉过玉米的手，央求说："玉米，你要是还拿我当人，你就哭！"

这句话把玉米的目光说松动了，玉米的目光一点一点地移过来，望着有庆家的，嘴角撇了两下，轻声说："粉香姐。"玉米的声音并不大，听上去却像是喷涌出来的，带着血又连着肉，给人以血光如注的错觉。有庆家的呆住了，她再也没有料到玉米会喊她"粉香姐"的。嫁到王家庄这么长时间了，她有庆家的算什么？一条母猪、母狗。谁拿她当过人？有庆家的被玉米的"粉香姐"打翻了五味瓶，竟比玉米还要揪心了。有庆家的没有能够憋住，一口放开了嗓子。有庆家的一把扑在了玉米的肩头，顺便把嘴巴捂在了玉米的胸前。这时候她的肚子里面却是一阵动，有庆家的感觉到了，那是小王连方在踢她的肚子了。有庆家的一想起自己的肚子气又短了，不敢再出声了——要是没有王连方，她和玉米不知道会成为多好的姊妹。可她偏偏就是王连方的大女儿。这个想法把有庆家的塞住了，说都没法说。有庆家的调息了半天，总算把自己收拢回来了。

有庆家的抬起头，抹去了眼泪，却发现玉米已经在看着她。没事的样子。又吓了有庆家的一跳。玉米的脸上虽然没有一点血色，神情恢复得近乎平常了。有庆家的有些不相信，可玉米的样子在那儿呢，这是装不出来的。有庆家的到底不放心，小心地说："玉米，"玉米的头让开了，说："我不会去死。我倒要好好看看。——你别给我说出去，就算帮过我了。"玉米说这句话的时候居然还笑了一下，虽说不太像，但是嘲讽的意思全有了。有庆家的想，玉米这是怨我多事了。玉米脱下自己的上衣，把相片与信件包裹起来，什么也没有说，开门出去了。有庆家的一个人被丢在卧房里，僵在那儿。有庆家的想，这下好了，多事有事，这件事要是传出去，玉米要恨自己一辈子。

玉米睡了一个下午，夜深人静时分，玉米来到了厨房，一个人躺在了灶台后面。她把自己解开来了，轻轻地抚摸自己的乳房。手虽然是玉米自己的，但是，那种感受和国梁给她的并无差异。就是手是自己的，这一点太遗憾了。玉米的手慢慢滑向了下身，当初国梁的手正是到了这儿被玉米挡住的，现在，玉米要替国梁哥做他最想做的事。玉米无力地瘫在了稻草上，身子慢慢地烫了，越来越烫，难以按捺，只好吃力地扭动。但是不管怎样扭，总觉得哪儿不对，特别地心愿难遂，更需要加倍地扭动了。玉米的手指再怎么努力都是无功而返，就渴望有个男人来填充自己，同时也了断自己。不管他是谁，是个男人就可以了。夜深人静，后悔再一次塞满了玉米。玉米在悔恨交加之中突然把手指头抠进了自己。玉米感到一阵疼，疼得却特别地安慰。大腿的内侧热了，在很缓慢地流淌。玉米想，没人要的×，你还想留给洞房呢！

　　不幸的女人都有一个标志，她们的婚姻都是突如其来的。正是三夏大忙的时候，农民们都在和土地争抢光阴，谁也没有料到玉米会把她的喜事办在这个节骨眼上。麦子们大片大片地黄在田里，金光灿烂的，每一颗麦粒上都立着一根麦芒，这一来每一只麦穗都光芒四射，呈现出静态的喷涌之势。这个时节的阳光都是香的，它们带着麦子的气味，照耀在大地上，笼罩在村庄上。但是农民们在这个时候顾不上喜悦，因为这个时候的大地丰乳肥臀，洋溢着排卵期的孕育热情。它们按捺不住，它们在阳光下面松软开来了，一阵又一阵地发出厚实而又圆润的体气，它们渴望着借助于铁犁翻个身，换个体位，让初夏的水弥漫自己，覆盖自己。它们在得到灌溉的刹那发出欢娱的呻吟，慢慢失去了筋骨，满足了，安宁了，在百般的疲惫中露出了回味的憨眠。土地换了一副面孔，它们是水做的新媳妇，它们闭着眼睛，脸上的红润潮起潮落，这是无声的命令，这还是无声的祈求："来，还要，还要。"农民们不敢懈怠，他们的头发、衣襟和口腔里全是新麦的气味。它们把新麦的气味放在一边，欢欣鼓舞，强打精神，手忙脚乱，他们捏住了秧苗，一棵一棵地，按照土地的意愿把秧苗插到土地最称心如意的地方。农民们弓着身子，这里面没有偷工减料，每一棵秧苗的插入都要落实到农民的每一个动作上。十亩，百亩，千亩，秧苗一大片一大片的，起先是蔫蔫的，软软的，羞答答的，在水中顾影自怜。而用不了几天大地就感受到身体的秘密了。大地这一回彻底安静了，懒散了，不声不响地打起了它的小呼噜。

在这个手忙脚乱的时候玉米办起了喜事。回过头来看看，玉米把自己嫁出去实在是太过匆忙了，就像柳粉香当初的那样。不过玉米婚礼的排场柳粉香就不能比了，玉米是被公社干部专用的小快艇接走的，驾驶舱的玻璃上贴着两个鲜红的纸剪双喜。

说起来给玉米做媒的还是她的老子王连方。清明节刚刚过去，天气慢慢返暖了，正是庄稼人浸种的时刻，王连方从外面回到王家庄，他要拿几件换身的衣裳。王连方吃过晚饭，一时想不起去处，坐在那儿点香烟。玉米站在厨房的门口把王连方叫出来了。玉米没有喊"爸爸"，而是直呼其名，喊了一声"王连方"。

王连方听见了玉米的叫喊声，他听到了"王连方"，心里头怪怪的。掐掉烟，王连方慢悠悠地走进了厨房。玉米低了眼

皮，只是看地，两只手背在背后，贴住墙。王连方找了一张小
凳子，坐下来，重新点上一根烟，说："你说说，什么形势?"
玉米静了好半天，说："给我说个男人。"王连方闷下头，知道
了玉米那边所有的变故，不说话了，一连吸了七八口香烟，每
吸一口香烟上的红色火头都要狠狠地后退一大步，烟灰翘在那
儿，越拉越长。玉米仰起脸，说："不管什么样的，只有一条，
手里要有权。要不然我宁可不嫁!"

　　玉米的相亲进行得十分保密，款式也相当新鲜，选择在县
城的电影院，一上来便有了非同一般的一面。傍晚时分玉米被
公社的小汽艇给接走了，王家庄的许多人都在石码头上看到了
这个壮丽景象。小汽艇推过来的波浪十分地疯狂，一副敢惹
事、敢生非的模样，没头没脑地拍打王家庄的河岸，把那些可
怜的小农船推搡得东倒西歪的。因为这条小汽艇，玉米走得相
当招摇，但是她出去做什么，谁也弄不清。王家庄的人只是知
道，玉米"到县里去了"。

　　玉米到县城里相亲来了。她要见的人其实不在县里工作，
而是在公社。姓郭，名家兴，是分管人武的革委会副主任，职
务相当的高了。玉米在小汽艇上想，幸亏她在父亲的面前发了
那样的毒誓，要是按照一般的常规，她玉米决不会有这样的机
会的。玉米肯定是补房，郭家兴的年纪肯定也不会小了，这一
点玉米有准备。刀子没有两面光，甘蔗没有两头甜，玉米无所
谓。为了自己，玉米舍得。过日子不能没有权。只要男人有了
权，她玉米的一家还可以从头再来，到了那个时候，王家庄的
人谁也别想把屎往玉米的脸上放。在这一点上玉米表现得比王
连方更为坚决。王连方肯定是过分考虑了年龄方面的问题，他

在玉米的面前显得吞吞吐吐的，有些欲言又止的样子。玉米把王连方想说的话拦在了嘴里。他要说什么，玉米肚子里亮堂。说什么都是放屁。

玉米第一次踏进县城，已经天黑了，马路的两侧全是路灯，尽管是晚上，还是欣欣向荣的好景象。玉米走在路上，心里相当地杂，有点像无头的苍蝇。玉米对自己没有一点信心，但是无论如何，玉米要拼打一回，争取一回，努力一回。说到底现在的玉米不是那时的玉米了，心气已经大不如过去，但是，却比以往更坚决、更犟。路过一家水果店的时候，玉米站住了，水果们一个个半悬在空中，却没有滚下来。玉米愣了半天总算弄明白了，是镜子斜放在上面，悬挂在上面的都是水果的影子。但是玉米马上从镜子中间看到了自己，玉米的穿戴土得很，在营业员的面前一比较全出来了。玉米真是后悔，说什么也应该把柳粉香的那一身演出服穿出来的。司机看了一眼玉米，以为玉米想吃水果，抢了要买。玉米一把把他拉回来。司机笑着说："你这位小社员力气大得很嘛。"

关键时刻再一次来到了。玉米来到了新华电影院的门口。电影院的高墙上挂着一幅红色的横幅，"热烈祝贺全县人武工作会议胜利召开！"玉米知道了，原来郭家兴是在县里头开会呢。司机把电影票交到玉米的手上，说："我在外面等你。"玉米想，你真是会拍领导的马屁，要你等什么？我还没嫁过来呢。不过玉米转又想，你想等那就等，有机会我会给你说几句好话的。电影已经开映了，玉米掀开布帘，放映大厅里黑咕隆咚的，彩色宽银幕却大得吓人，一个公安员正在银幕上吸烟，他的鼻孔比井口还要大。电影真是不可相信，一个人想大就大，想小就小，哪里有这样便宜的事。玉米捏着票，四处看了几眼，有点紧张了，不知道下一步要做什么。好在过来了一个女的，她拿着一把手电，把玉米送到座位上去了。

玉米的心口疯狂地跳跃了。好在玉米有过相亲的经验，很快把自己稳住，坐了下来。左边是一个男的，五十多岁；右边也是一个男的，六十多岁。两个人都在看电影。玉米不敢动，弄不清一左一右到底是哪一个。又不好乱看。玉米想，到底是做公社的领导，在女人的面前就是沉得住气。王连方要是有这样的定力，何至于落到这般田地。玉米告诉自己，郭家兴不愿在这样的地方和自己说话，肯定有他的道理。还是不要东张西望的好。

玉米的这场电影看得真是活受罪，有一搭没一搭的。好在光线很暗，她可以不停地用余光察看左右。总的说来，玉米对五十多岁的那一个印象要稍好一些。如果玉米能够选择，玉米还是希望郭家兴是年轻的这一个。但是他的那一头一直没有动静。他哪怕用脚碰一碰玉米也好哇，那样玉米也好有个数。玉米望着彩色宽银幕，心里头没有一点底，又慌又急。玉米想，你就碰一碰我又怎么样？不能算什么作风问题。但是不管怎么说，要是郭家兴是六十多岁的那个，玉米也还是会答应的。过了这个村就没了这个店了。做官的男人打光棍的可不多。不过呢，总还是五十多岁的好一些。玉米就像摸彩的时候等手气那样看完了整场电影，累得想喘。电影上说了什么，玉米一点都不知道。反正结尾也不复杂，就是那个最像坏人的人终究不是好人，被公安局拉走了。

灯亮了，电影结束了。五十多岁的向左走，六十多岁的向右走，玉米被丢在了座位上。这样的结果玉米始料未及。怎么连一声招呼都没有。玉米突然明白过来了，人家第一眼就没有看上自己，自己还在这儿挑，还在这儿东一榔头西一棒呢。玉米羞愧万分。难怪司机都要说在外面等着她，人家司机早都看出来了。

玉米一个人走出电影院，自尊心又扒光了一回。司机一直守候在柱子旁边。玉米再也不好意思看司机了。司机说："都给你安排好了。"玉米相当疲惫，只想早一点躺下来，玉米厚着脸对司机说："你还是送我回家吧。"司机没有表情，说："郭主任怎么说，我怎么做。"

玉米躺在人民旅社的 315 房间。玉米恍恍惚惚的，早就睡下了。好像睡着了，又好像一直没有睡。要不就是在做梦。大约十点钟的光景，房门响了。外面说："在吗？我姓郭。"玉米被吓得不轻，有些疑神疑鬼的。门又响了。玉米不敢迟疑，打开灯，小心翼翼地拉开一道门缝。一个陌生的男人已经推着门进来了，一脸的寒气，没有任何表情。好在玉米已经看见他胸前的会议出入证了，上面有他的名字：郭家兴。玉米一阵狂喜，既像绝处逢生，又像劫后余生，原来郭家兴没有去看电影哪。玉米低下头，这才想起来还没有穿外衣呢。玉米瞥了一眼郭家兴，刚想穿衣服，但是郭家兴的脸色立即让玉米不踏实了，郭家兴从头到脚看不出"相亲"的风吹草动，像一个路过客人。玉米的心提上来了，在嗓子那儿跳。郭家兴坐到椅子上，说："倒杯水。"玉米一时没有了主张，因为没有了主张，所以格外地听从指挥。郭家兴接过水，玉米傻站在郭家兴对面，忘了穿了。郭家兴端着杯子，目光既不看玉米，也不回避玉米。玉米注意到他的眼珠子是褐色的，对着正前方，看，十分地专注，却又十分地漠然。郭家兴一口一口地喝，喝完了，玉米说："还要不要？"郭家兴没有接玉米的话，而是把杯子放在了桌面上，这就是不要了。因为找不到合适的话，玉米只好继续站在郭家兴的跟前，反而拿不定是穿还是不穿。他怎么这么冷静？他怎么就这么镇定？什么也不说，什么也不做，脸上布置得像一个会场。玉米禁不住紧张了。玉米想，完了，人家没看上。可是也不对。郭家兴的脸上没有满意，说到底也没有不满意。或许他觉得这门亲事已经妥当了呢？这应该是领导作风，不管什么事，只要他觉得行，事情就定下来了，没有必要再咋咋呼呼。这就更不像了，玉米好歹还是个姑娘，哪里是木头？这里又没有人，他不该一点动静都没有的。玉米傻站了半天，居然也冷静下来了。玉米自己也觉得奇怪，怎么自己也这么冷静，像是参加人武会议了。但是冷静归冷静，玉米实实在在已经害怕了郭家兴了。

郭家兴说："休息吧。"

郭家兴站起身，开始解自己的衣裳。郭家兴好像是在自己的家里面，面对的只是自己的家人。郭家兴说："休息吧。"玉米明白过来了，他已经坐到床上了。玉米这一下子更慌神了，脑子却转得飞快，但是不管什么样的决定都是不妥当的。郭家兴虽说解得很慢，毕竟就是几件衣服，已经解完了。郭家兴上了床，是玉米刚才睡的那张床，是玉米刚才睡的那个地方。玉米还是站在那儿。郭家兴说："休息吧。"口气是一样的，但是玉米听得出，有了催促的意思。玉米不知道该怎么弄。玉米这一刻只盼望着郭家兴扑过来，把她撕了，就是被强奸了也比这样好哇。玉米还是个姑娘，为了嫁给这个人，总不能自己把自己扒光了，再自己爬上床——这怎么做得出来呀？

郭家兴看着玉米，最后还是玉米自己扒光了，自己爬进了被窝。玉米觉得自己扒开的不是衣裳，而是自己的皮。只能这样。柳粉香说过，女人可以心高，但女人不可以气傲。玉米赤条条的，郭家兴也赤条条的。他的身上散发出淡淡的酒精味，像是医院里的那种。玉米侧卧在郭家兴的身边，郭家兴用下巴示意她躺开。玉米躺开了，他们开始了。玉米紧张得厉害，不敢动，随他弄。起初玉米有一点疼，不过一会儿又好了，顺畅了。看来郭家兴对玉米还是满意了，他在半路上说了一句话，他说："好。"到了最后他又重复了一遍："好。"玉米这下放心了。不过事情有了一些周折，郭家兴检查床单的时候没有发现什么颜色。郭家兴说："不是了嘛。"这句话太伤人了。玉米必须有所表示。但是，表示轻了不行，表示重了也不行，弄得不好收不了场。玉米想了想，坐起来穿衣服。其实这样的举动等于没做，也只能安慰一下自己。玉米自己都知道自己的心里虚了一大块。玉米直想哭，不太敢。郭家兴闭上眼睛，说："不是那个意思。"

玉米重新躺下了，卧在郭家兴的身边。玉米眨巴着眼睛，想，这一回真的落实了。玉米应该知足了。不过玉米突然又想起彭国梁来了。要是给了国梁了，玉米好歹也甘心了，一直留到现在，这样打发了，一股说不出的自怜涌上了心房。好在玉米忍住了，到底有所收成，还是值得。郭家兴抽了两根烟，再一次翻到玉米的身上，因为是第二次，所以舒缓多了。郭家兴的身体像办公室的抽屉那样一拉一推，一边动一边说："在城里多住两天。"玉米听懂了他的意思，心里头更踏实了。她的脑袋深陷在枕头里，侧在一边，门牙把下嘴唇咬得紧紧的。玉米点了几下头。郭家兴说："医院里我还有病人呢。"玉米难得听见郭家兴说这么多话，怕他断了，随口问："谁?"郭家兴说："我老婆。"玉米一下子正过脸，看着郭家兴，突然睁大了眼睛。郭家兴说："不碍你的事。晚期了，没几个月。她一走你就过来。"玉米的身上立即弥漫了酒精的气味，就觉得自己正是垫在郭家兴身下的"晚期"老婆。玉米一阵透心的恐惧，想叫，郭家兴捂住了。玉米的身子在被窝里疯狂地颠簸。郭家兴说："好。"

（原载《人民文学》2001 年 6 期）

一个人物和隐于其后的阴影

——评《玉米》

陈骏涛

　　2000 年毕飞宇发表了一部中篇《青衣》，好评如潮。2001 年毕飞宇又发表了两部中篇《玉米》和《玉秀》，也博得了一片赞词。这三部小说的主人公都是女性。有人问毕飞宇：你的作品里为什么女性偏多？答曰：可能是我喜欢女人。又问：男人呢？你不喜欢？答曰：男人复杂，男人手里太有权（姜广平：《毕飞宇访谈录》）。看起来，毕飞宇感情的天平是向女性这个弱势群体倾斜的。从这三部中篇来看，毕飞宇写女性的确是写到家了，直逼她们的灵魂深处，可以说是到了纤毫毕现、鞭辟入里的地步！不过，比较起来，去年的两部小说中，《玉米》要更胜于《玉秀》；《玉秀》的文笔有点放纵了，收敛得不够，而《玉米》则恰到好处。

　　一向的小说理论强调写人物，这是不错的。一部（篇）小说里如果有几个或一二个人物写活了，写得鲜明、生动、独特，那么这部（篇）小说就有了七八成成功的把握。但在小说发展过程中，也出现了以故事情节见长的小说（我们姑称之为故事小说或情节小说），还有以情景意象见长的小说（我们姑称之为情景小说或意象小说），——但不管怎么说，写人物还是小说的一个最基本的要素。毕飞宇似乎深谙此道，在这几部中篇里，他倾其全力去写好人物，突出写人、特别是女人的命运和心性，以人物的命运和心性构筑成小说的故事情节链，并带动起整个小说，而不是相反。《玉米》就正是这样的小说。

与《青衣》主要是写城市（小城市）女性（青衣名角）不同，《玉米》（《玉秀》也一样）写的是农村女性——普通的农村姑娘。玉米是大队书记的女儿，但这并没有改变她做为一般农村姑娘的身份。玉米读过几年书就辍学，在家里又是长女，在母亲生了小弟弟就甩手不理家政的情况下，她理所当然又心甘情愿地扮演了一家之长的角色，因此她比一般的农村姑娘显得更明事理、更成熟老到。她似乎很早就知道了权力和等级意味着什么，于是她在家里就竭力运用她的聪明和心计，使妹妹们都心服口服，终于当上了"人上人"。她心气虽高，但由于人在农村，文化水平又低，在跟当了空军飞行员的男朋友谈恋爱的时候，不免感到有些自悲。后来由于父亲犯错误下台（在看重权势的社会，即使是一个小小的大队书记的下台，对子女的影响也是很大的），玉米的命运也发生了一个极大的转弯——在两个妹妹被人奸污，男朋友又对她产生误解并跟她分手的情况下，她有些无奈地，但又是心甘情愿地，把自己匆忙地嫁给了刚刚死了妻子、足可以当她父亲的公社副主任的门下。因为她从父亲下台后自己命运的大转弯而更加明白了一个道理："权"，太重要了！"不管什么样的，只有一条，手里要有权。要不然我宁可不嫁！"

毕飞宇就这样写出了一个活生生的农村姑娘的命运和心

467

性，而且也写出了一个隐在其后的权势和等级社会的阴影。这里写的固然是"文革"时代，但这样的阴影又岂止于"文革"时代呢？它似乎无处不在，无时不在。所以毕飞宇说，"我们身上一直有一个鬼"（毕飞宇：《我们身上的鬼》），这个"鬼"就是附着在我们身上的权势和等级的阴影。这就是这部小说比起一般的写农村女性的命运和心性的小说要高出一筹的地方。

当然，《玉米》不仅写活了玉米这样一个人物，其他几个人物给人留下的印象也是很深的。特别是有庆家也就是柳粉香这个人物，在别人的笔下很可能会被写成"破鞋"的形象，作者恰恰不这么写，而写成了一个可以理解，甚至值得同情的人物。之所以如此，在我看来，就是因为作者在创造人物形象的时候，不是去人为地褒扬或贬低也就是美化或丑化他们，而是如实地再现人物的本来面目，写出她（他）的原生态，"最朴素，'是这样'的那种"（毕飞宇：《〈青衣〉问答》）——这就是作者所信奉的那种"最朴素"的"现实主义"！

（陈骏涛，中国社会科学院文学研究所研究员）

陈应松，男，1956 年生于湖北公安县，祖籍江西余干县。1987 年毕业于武汉大学中文系，中国作协会员。出版有长篇小说《绝命追杀》、《别让我感动》、《失语的村庄》，小说集《黑艄楼》、《苍颜》、《大街上的水手》，随笔集《世纪末偷想》、《在拇指上耕田》等 10 多部，作品多次获奖。现系湖北省作家协会专业作家。

豹子最后的舞蹈

陈应松

我漫游在星星之间，我深知
即使它们都暗淡了
你的双眼仍能亲切地闪烁

——蒙塔莱

（某年某月，神农架一年轻姑娘徒手打死一只豹子，成为全国闻名的打豹英雄。当人们肢解这头豹子时，发现皮枯毛落，胃囊内无丁点食物。从此，豹子在神农架销声匿迹了。）

在我生命的最后几年里，我整日徜徉在神农架的山山岭岭。我老啦，这种衰老是无法用言词来表达的。衰老就是衰老，包括我生命中的各种欲望。我现在惟一的欲望是进食，除了水，我需要肉，带血的肉，嚼它，品尝它，伏在某一棵天师栗树下，或是一处灌木丛中，头上悬垂着紫色的"猫儿屎"和通红的老鸹枕头果。然后，我舔食那些动物们的血肉，带着满腹的胀意美美地睡上一觉，不惧寒露和星星，在沉沉的山冈

471

上，在山谷里，重温往日的旧梦。

我是一只孤独的豹子，我的同类，我的兄弟姐妹，我的父母都死了，我是看着他们死去的；有的是无声无息地消失了，像一阵又一阵的岚烟，像一片掉落进山溪的树叶——它们是不会回头的。

孤独，我们的天性。我们天生是孤独沉默的精灵，我们偶尔吼叫，那也是在没有同类的时候，用以抒发我们内心的心事，还有豪气。我们只想听听我们的回音，在山壁上的回音，在茫茫的夜空中的回音。那是我们期待的回答。也就是说，我们只喜欢听我们自己；有好几次，在我得意时，我看我喷发出去的吼声是否震落了天上的星星。我以为，我总能震落那些高傲的星星的。后来应验了，在我的一声吼叫后，我看见西南角的星星像雨点一样滑落下来，半个时辰后还稀稀落落地往下掉。可是，我们的孤独是幸福的孤独，是知道在某一处山谷里还有着我们的族群，有着我们的所爱，有着我们的血亲……而如今，我的孤独才是真正的痛苦的孤独，没有啦，没有与我相同的身影，在茫茫的大山中，我成为豹子生命的惟一，再也没有了熟悉的同类。我有一天意识到这个问题时，好像掉下了一个无底的深渊，永远地下坠下去，没有抓挠，没有救助，没有参照物——那一定是时间的空洞，是绝望，是巨大的神秘和恐慌。在那种失重感的恐惧中，有一天我定下心来，我决定活下去。决不决定无所谓，我总得活下去，吃、喝、拉、撒、睡。

我渴望食物，以及在饱食终日中的温暖，这已经是我垂死挣扎的日期了，我的游荡步履蹒跚。我渴望着温暖，然而现在是三月，是严峻的三月，山上的积雪还没有融化，到半夜的时候，偶尔会飘上一场雪花，它们轻盈地落在我皮毛上的样子过去是抒情，现在是寒冷。对于季节的转换我已经心如古井了。我听见了麂子们清长的唤叫，那是对春泉的呼唤。在低山地区，农人开始了选种，他们要上山种洋芋和苞谷了。更多的南麦在早春的寒意中抖索着，生长着，稀稀拉拉。在陡峭的山地上，这些麦子还不及大蓟长得茂盛而体面。我看见了大蓟吗，噢，它们长着坚硬的刺，面色发亮，就是在这儿，我与一头豪猪遽然相遇。只有豪猪才敢在这儿穿行，它们的刺抵御着大蓟的刺。豪猪找到了这样的乐园，也是一个讽刺；它们应该有更温暖的家，可是，哪儿比这更安全呢？在树木被砍伐过的地方，大蓟从海拔零米的地方开始了疯狂的翻山越岭，占领着那些只留下树桩和哭泣的空地，俨然成为了山岭的主人。

我看着那只豪猪，在这样多刺的山头它也变得更加怒气冲冲了。我能征服它吗？我看着它毛刺倒竖的样子，我压根儿就没征服过它。可是，我想着它一身刺下潜伏的美味皮肉。我舔着嘴唇，可这头豪猪是如此鄙夷地看着我，慢慢吞吞的，知道我没有了力量，过去没有让我战胜，现在更加休想战胜了。

豪猪钻进了大蓟深处，接着惊起了一只红腹锦鸡，是一只母鸡。这曾是我的美味佳肴，我仰头望着它飞走了，我只能望着，并且不想等候它的飞回。我还知道，在大蓟中，也许有一窝蛋，一群嗷嗷待哺的雏锦鸡，但是我不能纵身进去。面对着大片的大蓟，我是无能为力的。

这是一个叫芒垭的岭子，我要到一个沁水的水窝去，我只好喝水。我小心地绕开猎人们下的套子，钢套和绳套，还有阴险的垫枪。我一共绕过了十几个套子。有一天，我经过一个叫凉风垭的地方，见到过一百多个套子。在这样套子的丛林里穿行，对我来说已不算一回事了，不然，我不可能活到如今，我的奇异之处使我成为了最后的见证，成为所有痛苦的集大成者，焦点，成为痛苦中的痛苦，孤单中的孤单，死亡中的死亡。

我喝饱了水，看着自己的影子。在小水窝的周围，布满着更多的套子和黑洞洞的枪口，猎人们知道这种地方会引来喝水的猎物，所以野兽们总是匆匆地喝完水就匆匆地走了。而我却想在此呆上一会。我累了，我得歇歇，再说，我不再害怕死亡，面对着那些喷火的枪口，滚珠、钢筋头以及更迅猛的铜弹，我没有了惧怕，死亡是迟早的事，而我已经躲过了一千零一次。我看着自己的面容，它丑陋、荒凉，魂不守舍，因饥饿而多少有几分哀伤。我听见了一个农人的唱歌，那是农人，不是鬼鬼祟祟的猎人，猎人总是一声不吭，且心事重重，农人总是欢乐的；他在暮色中唱着一首姐儿情郎的歌。我不知道这个季节他们在山上能收割到什么，只能是猪草吧。

"我要吃猪！"对猪的渴念使我不自觉地来到了一处我过去掩埋猎物的地方，我闻着那个地方依稀可辨的腥气，岩羊、青羊和麂子的腥气，甚至还有一只鬣羚的腥气。这只是臆想吧，这已经是多年前的故事了，雨水和时间早把它们美妙的气味冲得一干二净。我又爬到一棵古松上，这儿曾经挂过我的食物，挂过一只小野猪，一只小熊的后胯。

现在，我躺在古松上，刚才上树用力使我气喘吁吁。我望着四周，渐渐沉落下去的白昼，悄悄围上来的黑夜，我直发困，肚里饥肠辘辘。这时我想念起我的兄弟来。他叫锤子。他总是喊着我的名字："斧头，斧头！……"我希望他是喊我的名字，而不是叫我"复仇！复仇"。可是，我听到的却是："复仇啊，复仇！"

老林里此刻又响起了这样的声音，我兄弟的声音。这是耳鸣吗？近来我老是梦见我的兄弟，老是听他在梦中向我授意，要我复仇。这已经有几年了。

我与我的锤子兄弟很难说我们有什么感情，只是在母亲带领我们的那两年里，我们曾经亲密无间过，自从我们长大，被母亲驱赶着分离后，我们就各自占有了一个山岭，我们并不打招呼，熟视无睹，在发情的季节，我们甚至成为了情敌，常常咬得鲜血直流。但是我的兄弟老是出现在我的梦里要我复仇，喊着我的名字。他是如此地固执，他的鬼魂是如此固执。可是他不知道，我是如此地势单力薄，就是有三十头豹子又怎样呢？复仇的愿望永远是不可能实现的。

我的兄弟惨死在我们共同的敌人老关的枪口。我说的"我们"，是指我们所有的野兽，不光只我们豹子家族。我的兄弟的一只爪子被老关砍下来，将其掏空，做成了一个烟袋。这只"烟袋"的五只指甲完好如初，那就是我兄弟的手，它们张扬着，抓得死任何猎物，铁一样的，不然我们的母亲为何将他取名为锤子呢。我看见老关在我兄弟的爪子里掏出一撮烟丝来，放进他的烟斗中。那是一支很长的铜箍竹节的烟斗。在某一天黑夜的窗口，我在山头远看他吧嗒着，坐在火塘边，我的兄弟的爪子晃荡在火光里。

现在要说到老关的两条猎狗"雪山"、"草地"了。它们是人类的帮凶，助纣为虐。我兄弟的最后一口气就是雪山咬断的，草地也曾剜下我母亲的一只眼睛。这些凶恶的猎犬，它们简直像青鼬和豺，要剜掉所有猎物的眼睛，它们伸出爪子挖眼掏肛，手段极其残忍。难道雪山、草地也是青鼬和豺的杂种吗？

475

　　我的兄弟是一只凶猛的豹子，但他缺少脑筋。他对家畜的攻击是十分稀少的，主要在自己的领地与那些温顺的偶蹄动物们过不去。不过他就是不伤害一头家畜，老关和像老关一样面孔的人都将把我们斩尽杀绝。可以说，在这块地方，遍地都是我们的仇人。我们和人类的对峙已经有若干万年了，现在这种对峙愈来愈强烈，最后的结果是，我们失败了，我们的亲人，都带着仇恨闭上了他们的眼睛，他们至死也不明白，人类为什么会有这么强大，会对我们恨之入骨。我们总是躲着人类行走，这是母亲教给我们的。母亲说，不要惹他们，他们有枪。别看他们会微笑，他们的眼睛深处闪烁着嗜血的渴望。母亲说，有一年，她看见人类相食，而我们这些豹子，就是饿死，也不会去啃啮另一只豹子的肉体。

　　说到我的兄弟惹祸，是因为他太自信太忘乎所以的缘故。那时候，他决定征服一只苏门羚，在当地，它叫大羊。这只大羊是从棺材山下来的。棺材山是青羊、岩羊和大羊们的乐土，甭说是我们，猎人也上不去。可是这只大羊出现在我兄弟的眼里时，我的兄弟产生了一股虚妄的激情。征服这上千斤重的大羊，我的祖先可能有过，我没有见过。

　　我无法阻止他愚蠢的举动，我在我的山头隔着一条峡谷望着他。我甚至不给他提醒，我不敢贸然闯入他的领地，在这一点上，我像我的祖先——对自己的同类冷漠无情。我知道大羊是不好惹的。

　　我的兄弟在第二次见到大羊后，就决定对它动手了。他潜伏在一片老林和草甸的边沿，在那儿，他企图切断大羊逃跑的道路，因为大羊是在老林藏身，而又要在草甸上吃草的动物。它跟一般偶蹄动物不同，它喜欢纵深到草甸的更远处，不害怕没有逃跑和藏匿之路。在我兄弟动手之前的几天，我看到了大羊是怎样将一头觊觎它的老熊打得落落大败的。这是难以置信的，猎人不是有一猪二熊三虎豹之说吗？我的兄弟对此一无所知。

我的兄弟第一次接触大羊是在一个燠热的中午，在夏天，我的兄弟战胜猎物的欲望尤其强烈。他靠近大羊的时候，大羊十分警惕。我的兄弟是没有见过多少世面的豹子，他在打盹的时候看见了一只庞大的羊子，他打量它，因为他并不害怕这山岭上所有的生灵，除了人类。他一定在想，今日的晚餐解决了。但是他迟疑着，他一定在想怎么下口，这么粗壮的动物，我怎么才能咬断它的喉管，怎么从它粗壮的肋骨下拉出五脏六腑来吃掉。他可惜没有捕获这种庞然大物的经验，然而经验落后于行动，对于豹子来说，不顾一切的行动是它们生存的魅力，是它们作为一缕绚烂的光芒辉映于山岭的独特风景。就在这时，一声寒鸦的清脆的叫声打破了这儿的寂静，使大羊警惕起来，支棱起脖子四下望着，它看见了我的兄弟，那一团火，在蜷伏时也是危险的，它于是跑了，没命地向一面悬崖跑去。如此笨重的身体在它跃上悬崖的时候却又如此轻盈，简直像飞翔的石头。

但是，这片草甸是青翠欲滴的诱饵，大羊总会回来的。它吃了第一口，就会回来吃第二口。可以说，我的兄弟拥有了这山峦的一块草甸，他就拥有了丰衣足食，草食动物们都是一些要草不要命的笨蛋。

笨蛋又来了。这是第三天的下午，刚下过一场阵雨，到处的树叶和草尖上都闪亮着晶莹的水珠，空气湿润，暑热消退。我的兄弟扑向了再次光临的大羊。我的兄弟在一些几近枯黄的箭竹和开满蓝花的羊角七藤蔓间穿行时竟然没弄出一点声响，我的兄弟简直是一抹灿烂宁静的晚霞，他在接近他的敌人。因为饥饿的显示，他要咬掉素不相识者的喉咙，看它汩汩地冒血。

我以为这是一场生死追逐，疯狂地追赶与没命地逃窜。然而没有。我看到这只大羊只是在两个转弯后，在一块尖锐的巨石后面突然掉头对准了我的兄弟，出其不意地将它的犄角挑中了我兄弟的腹部。我看见大羊猛冲了！我看见了大羊的肌肉在阳光下聚积着！我看见了愤怒！看见了灰褐色的皮毛几乎要覆盖了我兄弟那淡金色的钱纹皮毛！我看见大羊向我的兄弟压过去！……如此凶猛的大羊，在这些羊类家族中，莫非还有抵抗的热血？我以为它们除了奔跑逃命就没有其它了。其实我清楚，这些大羊就是如此。我的兄弟却不明白。

我的兄弟的腹部显然是受了伤。可是他的英气和傲气不会使他退缩，这是不可能的，哪怕面临着一千只大羊，我的兄弟也会奋勇前进，以死相拼！

我看见我兄弟的血迸溅在那个山岭，这只是搏斗的开始。果然，我的兄弟迎了上去，他跃过尖锐的巨石，像一道闪电，在巨石后面，我看不见打斗，只听得见我兄弟的怒吼和大羊的嚎叫，大羊的嚎叫简直像一个生产的女人，这与它们的身躯极不相符。后来终于打出来了。我看见大羊的犄角高挑着我的兄弟，我兄弟咬着大羊的脖子。不知为什么，我看见大羊挣脱我兄弟的嘴，松开它的犄角，没命地朝老林里跑去，一下子就没有踪影了。刚才的景象像一场梦，独留下我受伤的兄弟，留下他口里正在嚼着的一块大羊的皮。

我的兄弟好像力气用尽了，他躺在草丛里，浑身发颤，他舔舐着自己的伤口，懒懒怅怅的眼神偶尔向远方望一下。他一定很疼痛，但他决不表现出来。

那一夜，我无望地望着我的兄弟锤子。我朝那个山峦望着，黑乎乎的山峦上高耸着巴山冷杉和粗榧的影子，夜雾一阵一阵地漫上来，在早晨的时候变成了云海。我和我的山岭，都在云海之上了，而我的兄弟却在云海之下，在稍微低矮的地方。就是那个早晨，我听见了枪声。

是老关的枪声。接着吹起了牡筒。云海突然消散了，在牡筒气壮山河的号声中，整个群山开始一阵一阵地发怵，打颤。这是赶仗的号声，老关和他的三个儿子已经跟踪了大羊整整七天。可是，循着血迹，雪山和草地最先发现的却是我受伤的兄弟。

雪山是一只雪白的母狗，草地是一只草狗，也是母的。雪山的叫声使老关的第三个儿子一跃而起，手拿着猎钩和开山刀向我的兄弟扑去。那是一把三爪猎钩，像锚一样，他们钩住了猎物，就用开山刀的刀背猛击它们的头颅。老关的三儿子是一个极其年轻而残忍的杀手，他才十五岁，我曾看见他敲击过一头猪獾的脑壳，两下就将那脑壳敲碎了。敲碎的脑壳还在发出凄惨的叫声。

这个十五岁的杀手用长长的绳子甩向我的兄弟，是那么准确地钩中了我兄弟的臀部。雪山和草地更是箭一样冲向我的兄弟。

后来云海湮没了它们，湮没了猎杀与被猎杀，追捕与逃亡。我的兄弟是怎么跑的我不得而知，在太阳当顶的时候，一群猎人抬下的不是我的兄弟，而是大羊。

我的兄弟逃向了更高的山巅，可是老关知道，我的兄弟是会下来的，他要下山来喝水，他流了太多的血。山巅上扎不住他，那儿没有水，在这炎热的夏季。

第五天，我的兄弟重又出现在老关的视野里。

最先出现的是大片大片的苍蝇，它们围着我的兄弟。我兄弟的伤口完全腐烂了，腹部、臀部。可他的举止依然有着豹子的尊严，多肉的掌子踏着地下时富有弹性和自信，但是那么多的苍蝇正在凌辱他，那些肮脏的小虫，它们知道了我兄弟的死期。

老关正在一个水坑边呼呼大睡，他的三个儿子至少有两个已经喝醉了，是一种地封子酒。而他的三儿子，正在全神贯注地将一撮头发插进火铳的铳管中去——火药和子弹已被他填满了，这是最后的程序。

就在这时，垫枪响了，是老关早就安好的，我的兄弟绊上了垫枪的索子，索子上的引信拉响了，几乎在一秒钟之内，我的兄弟转过头去，那些钢筋头、滚珠就像碎痰一样向他飞来。老关的三儿子张大着嘴巴将铳举起来，老关和另外两个儿子睁开眼睛望着天空。可恨的雪山记住了我兄弟的气味，在我兄弟踉跄着倒下又准备奔逃时，它早就蹿到了他面前飞竖着尾巴，咬住了我兄弟的喉管。枪弹有几颗斜穿进腹部，我的兄弟的身子在倒地时是扭曲的，他看见苍蝇像烟雾一样散去，他的头触地，又扬起来；伸直，又转过去。他是想再看看那支阴险的垫枪吗？雪山的扑来遮住了他的眼睛。他是想先看一看，所以对扑上来的那条雪白的影子还没有认出来，他的喉咙已经堵住了，接着穿出一个大洞，从那儿流泄出血，也流泄出豹子的元气。扑哧一声，像轮胎漏气一样，我的兄弟的筋就被人抽走了。肯定是那样的！

　　我的兄弟倒在水洼边，倒在碧森森的水洼边。这时的雪山还在拼命撕扯我兄弟的脖子，草地也在一旁咬着他的后腿。我最后看到我的兄弟就是这样一副样子，无数的狗嘴和苍蝇正在啃啮着他。我的兄弟是渴死的，枪弹的痛感似乎都不算什么，我看见他的眼睛里映着水波的倒影，是那么碧绿，那么清澈。从此以后，我就拼命地喝水，那干渴的知觉传导给了我，我的兄弟告诉我的就是这些。我对水保持了特殊的爱好，在我以后的生活中，我找到了十几处水源，明的，暗的，高山的，低谷的。我想我一定是在替我的兄弟喝水。

　　除了那个烟袋爪子，我的兄弟的另三只爪子，一只老关送给了大队书记，两只送给了公社的武装部长。那个部长给了他一大把子弹。

　　我这么回忆我的兄弟的时候，"复仇"的嚣声小了，我的耳畔隐隐传来了麂子的叫声。现在，无论怎么听，这麂子的叫声都像在哭。虽然我明知道它们是在召唤同伴下山喝水。

　　我想去见一见我这些昔日的佳肴，逮住它们现在是很难了，我的步履不再轻灵、矫健，走路会发出响声，有时候会喘气，还会咳嗽。它们知道我是一只老豹，除了怜悯我，决不会害怕我。有几次，我跟它们坐在连香树下，周围是浓郁的、散发着怪味的牛蒡子气息。它们望着我，我望着它们，相安无事。今天我下去了，我除了想喝水外，还隐隐约约地闻到了一点腐肉的香味。我的嗅觉还在。于是我下了山，在一个流淌着巨大山泉的峡谷里，我终于看到了半只正在腐烂的麂子。这可能是失足摔下悬崖，也可能是中了垫枪，也可能是被野物咬死的。我无法拒绝这一堆难吃的肉，它至少可以填饱肚子。在我吃它的时候，我终于看清它是摔下悬崖的，它的后腿都断了。

山顶上的积雪还很厚，它一定是受到了惊吓，才从有雪的悬崖上滑落深谷。

味道的确不好。通过这只麂子使我想起多年以前我曾追逐一只鬣羚，也是在冰天雪地里。它黑色的尖角和棕红的嘴唇对我充满了诱惑。我并不饿，我记得那一天我吃了太多的食物，是岩羊？是角雉还是一只兔子？我记不清了，我只想戏弄它一下，我不想花那么大的气力去逮它，因为鬣羚的步伐也是众人皆知的。可是，勇猛的鬣羚，知耻负气的鬣羚，大义凛然的鬣羚，它竟跳崖了，舍身成仁了。我追到悬崖边，看到底下那雪地上正在痉挛的鬣羚，鲜血染红了白雪。我对它久久地致意，这样刚烈的鬣羚却并不是少见的。在所有的野兽中，连最弱小的兽类也从来没有束手就擒过，面对死亡，它们一个比一个刚烈。

我实在难以咽下那样的腐肉，在它的后胯那儿我扯下了两块，囫囵囵图图地吞了进去，这只能使我更加饥饿，更加唤醒了胃囊的渴望。可是我不能吃下这样的东西，我是一只豹子，不是獾，不是兀鹫或者一只苍蝇。

我趟上一个山脊的时候见到了一只竹鼠。在洞口，我守着它，我想如果我不能迅速抓住它的咽喉，我的皮肉就会被它的两颗门齿深深地扎进去。我放弃了这种危险的打算。我还是饿吧，饿吧，我已经习惯了饥饿。我头昏眼花地盲目乱窜，眼前甚至出现了幻觉。我不知道我何时走进了一个洞口，在两棵粗大的铁桦背后，我睁开眼睛时仿佛看见了我的母亲向我走来，嘴里叼着一只黄鼠狼。我看见了我的母亲，在淡蓝色的光线那儿走了进来，她的轮廓透着山林和草莽的气息，是那么新鲜。而那只黄鼠狼柔软耷拉的样子突然使我的眼睛湿润起来。

　　我站起来，像儿时那样迎向她，我心里欢叫着："母亲……"我会像可爱的童年那样上去咬她的尾巴、耳朵，或者接过她的猎物，兄弟姊妹一起撕扯咀嚼起来，然后听着我们母亲的喝斥。我的母亲总是面目狰狞地喝斥我们，可它的心肠是最好的。有一次，她为我们抓捕一只岩羊，花了三天的时间，越过了几道大垭，还摔断了一条后腿，她瘸着腿将岩羊叼回来。五天以后，因为不能远行捕食，她用尚好的两只前爪，为抓一只竹鼠，竟刨出一米多深的洞，终于抓住了那个肥胖的家伙。

　　我本想去咬它的尾巴让她喝斥的，我还想吃那只黄鼠狼，可是我定眼看时，我的母亲消失了，洞外冰凉的风雾朝里灌着，发出怪啸。"母亲，你在哪儿？母亲！……"

　　啊，我的母亲已经死了。在洞口，连她的魂影也不见了。

　　我重又软下腿来，蜷在石头上，枕着自己的前爪。一只老鹰飞进洞来，搅起一阵凉雾。洞顶有它的暖巢。

　　我想念母亲。这是自然的。

　　我的母亲是一只美丽的母豹。那时候，我们住在白岩对面的山上。白岩离我们有几十里远，可是白岩就在我们对面，它壁立万仞，像一组巨大的远古的城堡，在傍晚，西天的太阳直射在它的壁上，蔚然壮观。我的母亲说，白岩给我们以激励，它的灿烂，是我们明天更振奋有力地活着的理由。白岩就在我们面前，四野是漫山的红叶，我们的童年在那样的环境中锻造着灿烂张扬的气质。有时候，我母亲呆呆地看着白岩，她支起前腿，尾巴铺成一个圆形，围着腰脊。这样的姿势让我赞赏不已。我母亲对我们说："你只有咬住猎物的时候你才是祖先。"那是在我们问起我们祖先的样子时。另外，我们的母亲还说："你只有咬住猎物的时候你才是豹子。其它什么时候都不是，

483

是行尸走肉。"然而我认为我的母亲在遥望白岩的夕阳时她也是豹子，而且是最优秀最伟大的豹子。因为那时候，她充满着神秘和尊严。

在白岩的下面，峡谷的里叉河蜿蜒地流着，当它与黑河交汇，生出了一个奇怪的野种，它就叫野猫河，发出惊心动魄的吼叫声。在这样的吼声中入梦，不可能不让我们生出一股豪气。连一片树叶掉落下去的声音也像虎啸龙吟。这儿，人们惧怕老虎，总是叫它们猫，如大猫，就是大虎，猫儿岭，就是虎岭，野猫河其实就是野虎川。虎，早就是一个传说了，我曾见过虎，但是某一天早晨醒来，虎就无影无踪了。我的母亲和她的家族成了这一带的霸主。不过，我们的成员也十分厉害，那些呼啸生风的影子总是不明不白地消失了。等我们再期盼着他们重现时，才知道是梦境。伐木的队伍，正在飞快地卷上山来，各种套子和枪口都在搜寻着我们，还有与我们共同逃难的熊、野猪、豪猪、九节狸、麂子、大羊和羚羊（就是当地说的明鬃羊）。豺和狼那些阴险的野兽也基本绝迹了，有一天，我看见一群修简易运木公路的人打死了一只豹子，它当然是我的远亲。我闻见了从野猫河的峡谷里升腾起的我的远亲肉汤的气味。那是痛苦的香味。我还闻见了酒，闻见了一些脏歌的臭气，一伙男人的梦呓和他们伐木、炸石的声音。

我的母亲的死真是一场悲剧。就在我兄弟死后不久，我有一次踅到野猫河的峡谷里去看我的母亲。我的母亲对我兄弟的死总是保持着沉默和镇定。对我的到来，她并不欢迎，并像过去无数次驱赶我那样；自从我们长大，她就不允许我们再亲近她，视她的孩子为仇敌，冷漠、躲避和怒吼。是谁让我们变得这样呢？孤独，像一种吞噬我们的病菌，我们的祖先就是这样吗？谁不希望帮助与交流呢？可是我们不需要，除了我们自己。是孤独使我们灭绝的？

我的母亲拒绝了我。我原本只想去站在那一个山口，像过去一样，在白岩的金碧辉煌中重温我们的欢悦、激情和童年。可是，这已经不可能了。我们被远远地逐出了我们的故地——不是别人，是我们的母亲。当然还有其它的，比如炸山的炮声，树木倒下的哀鸣。不过，我怨恨的是我母亲，对她的恨已经远远超过了那些山林的破坏者。我知道，我们一代又一代在这些怨恨中生活，隔绝了亲情，使我们更加孤独和寂寞，孤立无援，像一个又一个分散的游魂，而这正好让那些捕杀者将我们分而击之。

大火是在我沮丧地离开我的母亲之后的若干天里烧起来的，那时候，干旱袭击着整个神农山区。两个伐木的工人爬上工棚的顶层——也就是楼上，去强奸一个因病未上山的女工，被那个女工打翻煤油灯。

大火就这样燃起来了。大火燃烧了整整两天两夜，那两个夜晚，整个天空都是通红的，好像涂满了鲜血，烈焰腾空而起，烧得星星砰砰地下坠，野猫河的河水咕噜咕噜地冒着沸腾的气泡。到处是动物们烧焦的气味。在白岩，有几百只野兽跳了崖。那不是因为壮烈，而是因为疼痛。

我疯狂地奔逃是因为我年轻还加上我大约有一点感知未来的灵性。我跑上一座山头背向大火的时候发现我的嘴里还叼着一只半熟的青鹿。我嘴上的青鹿是从哪儿来的呢？我浑身地簌簌，已经失去了记忆，在这种旷世的惊恐中我用咀嚼青鹿的肋骨来平息自己。当然，我无法啃动肋骨，我不是狗，不是老关的雪山和草地，我却必须不停地啃，啃。那时候，我只有一个信念，或者说只有一个意识：啃肋骨，啃它！我什么都不会做了，傻了，我想起我母亲告诉我们的：只有咬住猎物的时候你才是一只豹子，否则，什么都不是，是一堆行尸走肉。我现在咬着猎物（捡的？），却感觉不出我是一只豹子，而是一堆可怜的肉，喘息的肉，死里逃生的肉。

这时候我看见了我的母亲！我的母亲也在拼命地逃命！她在大火中腾跃，她就是一团火！可这团火在漫山遍野的大山里太微不足道了，这火将被那火吞噬。

我的母亲突然生下了我的一个妹妹！我看见她生下来那个鲜红的幼体，那是我的妹妹！但是我的母亲朝后看了一眼——是在大火之上调头看的，我那妹妹就被大火烧着了，被缩成一团。我的母亲再跑，她跑下了山坡，于是，我听见在野猫河谷里喊起了此起彼伏的芜杂惊呼："豹子！豹子！"于是，有一百多个人开始追赶我的母亲，他们手拿着火把和棍子，有的还端着救火的木盆，用煮沸的河水向我的母亲猛泼。"豹子！豹子！豹子！"

悲惨的野猫河谷，疯狂地逃窜着我孤独的母亲！我看见她又生下一只幼豹——那是我又一个早产的妹妹！我那妹妹一落地就被狂呼乱跑的人们抓住了。我的母亲尾部淌着飞溅的血水，没命地跳入野猫河，在冒着团团热气的河中，越过一块又一块溜滑的巨石。

如果她能顺流直下野猫河，她就有可能逃出人们的围歼，在那儿河谷愈见空旷，火势弱小。然而救火的人们放弃了救火，擒拿一只豹子正能刺激他们莫名其妙的激情。他们围了上去，站在河边用石头砸，用棍子打。雨点般的石头和棍子就这样落在我母亲的身上。那些人喊："打死它！打死它！"我的母亲在水中沉浮着，在石缝里腾挪着。我虚弱的母亲终于被他们逮住了。

谁都没有上去，人们只是用棍棒卡住她的头，又击打她的头。他们不敢上去，整个河谷黑压压的人。我听见松鸦开始了鸣唱，它们闻见了血腥。我的母亲被人们制服了，像一张纸那样趴伏在河滩上，石头和棍棒依然投向她。有几个人拿着一捆绳子来了，另外几个人用粗大的树干压住我母亲的头，使她不能动弹。可我的母亲，只要能呼吸，她就会咆哮，呼吸就是咆哮，微弱的呼吸就是轰天的咆哮。她的后肢在不屈地掘地，尾巴像鞭子一样左右地抽打，刨出的沙石打在周围的人脸上。忽然，一个干部模样的人来了，戴着大草帽，高卷着裤腿，手上拿着一根扑火的松枝。所有的人给他让开了一条路。促使我母亲逃脱的还不是这位干部。在人们传诵着××书记来了的时候，两个压杠子的人手突然软了，松了。人类总有着无缘无故恐惧的时候，他们害怕了？他们压不住那个龇牙咧嘴的豹子头，那猩红的舌头，凸起的眼珠和锐利的牙齿使他们视久了胆寒？人类就是这样的一群东西，他们坚持什么都不能持久，他们总有惧怕的时候。我的已经一只脚踏入地狱的母亲——我相信她的肉体已经死亡了，未死的是意识和精神，就这样，未死的精神拖着已死的肉体，一跃而起，人们像软泥一样地给她让路，不是让路，是闪开。我听见那个尚未走近的领导大声说："好啊好啊，好啊好啊！"

对于那一次大火的记忆我一回想起来就是那种噼噼剥剥狂烈燃烧的声音。我甚至记不起那是哪一年，哪一个季节。在大火和人声渐渐平息之后我见到了我的母亲。那时我还在啃青麂的肋骨。那还是一种机械的啃，干燥的啮啮声并不是其它野兽的噩梦。我看见了我的母亲，她死亡的肉体和她清醒的精神出现在我的眼前。她身上的毛已经全部烧焦了，伤痕累累，头皮开裂了，牙齿也打掉了两颗，尾巴短了一截，两个后爪血肉模糊……她完全是一团被大火和人们重新搓揉过一遍的苦荞面！我说："你是我的母亲吗？你不是我的母亲！不是的！！"

这不是我的母亲，不是那个望着白岩的灿烂辉煌的母亲，她没有了神秘，没有了尊严，甚至没有了那一种温情脉脉的伤感——当她舔舐着我们，让我们扯着她的尾巴时，那壮怀激烈的母性。

我在内心里大声喊着。我的母亲却十分平静，我看见她流出了眼泪，泪水全是血。我们在远远的地方默默地注视着。我的母亲眼里的血流尽了，她没有过来分食我的残羹，她艰难地站起来，向另一片没有燃烧的高山丛林走去。我记得，那片丛林里盛开着比烈火冰凉得多的杜鹃花。

在若干天之后，许是我母亲伤好了些，她开始想念她两个早产的女儿，于是她冒着再一次的生命危险，走进了烧焦的野猫河谷。虽然一场大雨使另一些植物又从焦土里钻了出来，展示着新的超越疼痛的希望，但依然是满目疮痍。

我的母亲在那儿失魂落魄地寻找自己的孩子，在过火林中，在无遮无蔽的河谷，她完全忘记了保护自己。她已经神思恍惚。有时候，她呆呆地望着某一处，望着几根还顽强站着的烧成木炭的树干，漆树、锐齿栎和山毛榉。这样的时候任何侵犯都会使她陷入死亡的绝境，可她全然不顾。她不知道，我的第二个被活捉的妹妹，早就被卖到了城里，在铁笼中，在遥想自己的山林故乡中，供人观赏。神农架最老的猎手出现了。那一天，老关在他八十五岁生日的喜庆日子即将到来时，带着仅剩的两个儿子最后上一次山，猎获到更多野兽，圆毛（兽）扁毛（禽）。他的二儿子在扑灭山火的战斗中死亡了，他们家因此成为了光荣烈属。

发现豹子的踪迹对老关来说无异于是一剂强心针，我们看到这位优秀的老猎人——我们的死敌是如此雄赳赳气昂昂。他的胡子迎风摇摆着，突然因亢奋而变得发硬；他用牛卵子皮制作的火药囊里装满了黑色的火硝，小布袋里装着的是滚珠、钢筋头和头发。他的大儿子拿的是一条半自动步枪，他的小儿子依然拿着那个猎钩。总之，我们看到老关在劫后的山冈上没有减少丝毫的威仪，身板硬朗，除了脸色有些发灰以外，失子的悲痛没有一点残留在他的脸上。我还记得他穿着"干部兜"，那是他儿子的服装，因此，穿在他日渐枯干的身上犹如一面旗帜，空荡荡的。可以这样说，老关只不过是一个猎人的符号了，他跟我的母亲一样，肉体已经死亡了，而精神与意识还在。他的肉体是被岁月，是被无数的爬山、射击、下套子、剐皮、硝皮和肢解肋骨而消磨掉的。现在，它们已经遗失在风中，吹着牤筒的老关是他儿子们心中的幻影，也许他早就不存在了，突然出现的一只豹子唤醒了这个幽灵。

我的母亲被那牤筒叩击崖壁的嗡嗡回声拉回了现实。那是死亡追赶我们的声音，万山皆栗。悲惨呀，这样的声音总是轮番蹂躏我们的美梦，每响彻一次，就会使山上少了一些生灵。啊，这是我们的丧钟，它是如此无情而漫长地在我们心灵的黑夜里不息敲响，使我们夜不能寐。我的母亲像无数次地亡命一样，惊惶使我们获得了速度，而无边无际的仇恨使我们获得了冷静。瞧瞧吧，我的母亲，她才是一只真正的豹子，她伤痕累累，她面目全非，缺齿断尾，可她依然是一道黑色的闪电，在

489

雪山草地的夹击中，在猎钩霰弹中，在牡筒无孔不入的恫吓中，她向白岩跑去！在我的记忆中，白岩是无人能上去的地方，是远古的童话，是一片永远挂在那儿的天堂的风景。我的母亲要逃向那儿吗？她要跃上去？一级又一级的石头砌成的城堡，被岁月和风雨雕刻的城堡。她知道自己的死期已经来临了吗？因此，她要投向白岩的怀抱？

我看见老关的脸胖了起来，那支没有准星的老铳以强大的后座力撞击着他衰老的面颊，可是我看见老关的脸通红了，头上的白发一下子变得猩红，连胡子也是。英武的老关，他不愧是一个好猎手，身手矫健，在山岩上如履平地，这是八十五岁的老关吗？我看见在他的怀里跑出了一只豹爪——那是他的烟袋，是我兄弟的爪子。他因为扣子跑落了，那干部服的胸前已经敞开，这使他看上去更像一个杀手。我兄弟的爪子击打在他的左胸，右胸。

我的母亲被钩到了，逃脱了。

我的母亲中弹了，逃脱了。

我只能说，我看得惊心动魄。更加惊心动魄的是在后面，在我的母亲跃上一个又一个悬崖。大约在白岩半山中的一块野生芍药地里，那时候，那儿摇曳着一片让人眼酸的芍药的白花，仿佛是悼亡的花圈。我的母亲站在那儿，头顶是无法可上的千丈悬崖，脚下也是陡峭异常的峭岩。她是怎么出现在那儿，她是怎么跃上的，现在想来都是不可思议的事情，可是，面对着死亡的猛扑，什么奇迹都可能发生。

已经没有路了。我的母亲知道，那几个欺凌手无寸铁的弱者的猎人也知道，没有路了，无路可逃了。

我的母亲站在那个岩上，这时所有芍药的花都开始翻飞起

490

来，是风，风把它们翻飞的。风吹着我母亲身上的皮毛，它们虽然变色，残损了，可还是那么高贵，有着不可侵犯的威严，隔绝了任何下贱的企图与阴谋。那三个猎人和他们的猎狗望着她，立住了脚步，端着枪，像几块石头站在那里，高高地仰视着我的母亲。连那两条总是因狐假虎威而躁动不安的狗也没有了狂吠和喘气，他们在我的母亲那儿发现了什么？他们打量的是一个什么东西？是一头豹子？一个人？还是一棵树？或者是一尊从未见过的山神的雕像？

猎人永远是猎人，他们的枪是不会吃素的。我的母亲在他们开枪的一刹那，飞身下岩——我看见我的母亲跃下来啦！我的母亲扑向老关，她一定看见了她孩子的爪子，那是她的骨肉，她认识，她熟悉她孩子的气味，复仇的烈焰将临死前的抗争搅成一团。她落下的冲力将老关结结实实地压倒在地，而这时，枪响了，一股血液冲天而起，那是我母亲的血！我母亲的两只前爪下地时，一只抓到了老关的脸，一只抓到了雪山。

雪山的嗥叫真是一只癞皮狗哀哀的嗥叫，但是草地成了这次杀戮我母亲的帮凶，它在两次狂咬过后，嘴上就衔着了我母亲的一颗眼珠，那时，我的母亲已经再也无力反抗了，她受了重伤。草地把那颗眼珠吞下肚里去了，草地嚼着我母亲的眼珠，在那只眼珠里，该映着多少美丽的愿望和仇恨！是的，她的仇恨是美丽的，只有正义的仇恨才美丽。

在沉落的太阳里，在万山的寂静中，他们背起我死去的母亲走了，空气中还时时拂来一股树木和山石焦糊的苦味，整个山峦都在那种巨大的隐痛里迎来了又一个山里的黑夜，它们不知道，我失去了母亲。

如今，我思念母亲，依然万山寂静，太阳沉落。烧焦的树木又长起来了，发出了新芽，但这并不能掩盖群山和我的疼痛。

昨夜，一场绵绵的细雨突然带来了温润，戟叶星蕨和石韦都开始大片生出了鲜嫩的叶子，在草丛中，蒿白粉菌和一些盘菌伸展出来了，针芽岛地衣和大叶藓使我行走时出现了沁凉的溜滑。我清楚地记得我听到一些兽类们求偶的呼唤。这表明，春天开始从低山向高山浸润了，它将不可抗拒地感染世上的万物，感染一切生灵，提醒它们，复苏和交配的季节到了。可是，这对我又有什么用呢？

我见到的最后一个我的同类，说来也巧，是我的情敌石头。那是一个十分可人的季节，是在流泉淙淙的夏季，溪水边到处开放着金黄色的龙爪花和蓝色的沙参花。我在那里喝水时像幻觉一样看到了水中未来的一个倒影。我以为这世上只剩下我一只豹子了，可是我抬起头来看到了石头。我看见的他是浑身沾满了灰土和草棍的一只脏豹，一只从头到尾都丧失了豹子威仪的流浪豹子。只是，我看见他还算健壮，步子并不难看，也有着玩世不恭的机警。他不停地舔着嘴唇和牙齿，打着哈欠。他的身上，有与我肉搏时留下的伤口，另外一些不知出处的伤口，有的好了，有的正在好。他一见到我，告诉我的信息是，在后山的那片山林里，三只猴已经吊在了猎人的套子里。

"我好歹吃了一只。"他说。

这是一个快活的精灵。我问他："你还看见谁了吗？"

"我谁都没有看见，我在心里念着斧头的名字时，我还以为撞上了鬼呢。"

我说："你才是鬼！"

"你才是鬼！"

492

　　"别争了，我们两人都是鬼好吗。"

　　我的情敌，快乐的石头，我们靠在一起，我们内心的话是通过眼神说出的。我们的交流靠的是眼神和心灵。我问起他，"红果呢？""她早就被人射杀了。"他说。红果，我曾经追求过她，那是我们共同深爱的母豹，可是她被射杀了。红果跟我生过一只豹儿，这是我在以后听说的，她在哪儿生产并抚养我们的后代，我一概不知，这不是我所关心的事了。我爱过她，短暂的爱，疯狂持久的搏杀，当然是与那些同样和我有着强烈欲求的成年公豹们。有一年，我打赢了石头，第二年，石头打赢了我。我看见，在我们用眼睛叙述红果时，我们流下了眼泪，我和石头，两个过去的冤家对头。

　　他告诉我他是怎样活到如今的，他向我讲述怎样躲过了猎人和套子，垫枪和陷阱，怎样从一个被砍伐干净的山头迁徙到另一座山上，然后再迁徙，迁徙，迁徙。他滔滔不绝，眉飞色舞，殊不知，活到如今是一个悲剧。因为活着的人比死者更痛苦。

　　"你想红果吗？"

　　"我想老虎。"

　　"你想斧头？"

　　"我想复仇。"

　　"你不是斧头，你是斧头的弟弟锤子。"

　　"我不是锤子，锤子早死了。"

　　"你想老婆。"

　　"我只想老虎……"

　　那时候，我们在野猫河谷里一个劲地说话。即使这个世界上只剩下我和石头，我们也不会团结在一起，只呆了一天，友好、善良而开朗的石头给我叼来了一只林鸮，就离开了我。为了抓到这只林鸮，我知道他钻过恐怖的大蓟丛。我记得我还讥笑过他，说他是去找红果的。

"对，我找红果去啦。"

那是他留给我的最后一句话。在一个漆黑的夜晚，我走进一个无名峡谷，我意外地看见了石头的尸体。我分辨了许久，终于看清了他身边还有一些没有吃完的死鱼，我又看见了河边上漂着无数的死鱼，一种比藤黄更毒烈的气味从水里散发出来。石头是吃了剧毒的鱼中毒死去的。他是一只经验丰富的豹，可是最后却死在毒鱼人的手里，还是不明不白地作为间接的受害者丢了他的性命。

他是一只强壮的豹，他可以捕到更好的食物，他不应该吃这种死鱼，他难道没有闻到鱼身上的毒气吗？可是，如今捕食愈来愈难了，就像人们捕捉我们一样。捕到一只麂子就是一顿最美的牙祭。他说他是去找红果的，他留给我一只林鸮，可他却饿着肚子。我的朋友，石头，你的死与我有关，是为了我能吃上一顿晚餐。

我把他用牙齿拖到干爽的高坡上，在卵石累累的河滩，我守着他，石头，我的朋友，在满天星斗下，我独坐无言。

有一忽，我突然明白只剩下我一个了，巨大的孤独感就向我疯狂地袭来。我向哪儿走呢？我坚持下去吗？无边的星空正在诱惑着我，可它在我的头顶上不远的地方。从此，我将孤云独去，谁是我活着和死亡的见证？我想喊叫，我想狂奔，我想把山掀翻。我坐在那儿，一动不动。

我恋恋不舍地离开了我的朋友和情敌。从此，我再也没有交流了，没有任何目光的注视，没有关怀，没有牵挂和向往，什么都没有了，我一个人。我哑了，我变成了聋子，我的表情已经僵硬，在茫茫的星空下面，我在想我活着的意义。

"我要复仇！"

我的兄弟姊妹，我的母亲就是这样暗示我的，他们在丛林的背后，在树丫上，在山壁上，在阴森恐怖的河谷里，在星空之上，不停地向我暗示，他们挤压我，敲打我，所有的影子都是他们的影子，所有的声响都是他们的声响。树、云彩、鸟的啁啾、水声和风声，统统是他们的。我不孤独。只要我复仇，我就不会孤独，他们就会跟随着我，出现在我的眼际，抓住我的意识，将我从绝望的深渊里拖出来。我先是花了整整一年的时间，去了我该去和能去的地方，我抱着不存希望的侥幸，企图能寻到被遗漏的，被上帝遗忘的更孤僻的同类，我在半夜的呼唤只能坠入更深的星空，整个山野都麻木了。真的没有谁了。这就是现实。

我走的时候是风雪弥漫，我重返野猫河谷还是风雪弥漫，这是来年或是第三年的风雪了，我记不清了，时间对我已无任何意义。

我的复仇计划很简单：咬死他！咬死他们！

山里的冬天是极其美丽的，阔叶植物都落尽了它们的叶子，而油亮的针叶树在隘口上，任凭寒风的摧折也始终挺立着它们的姿势，头上盖着雍容华贵的积雪。野柿子一树一树的，真是像点燃的灯笼，给这残酷的季节增添着让人无比激动的暖意。暖意是从心头开始的，如果你望着那些冬日的野柿树。

我走在雪野之上，可是我的心里却充盈着齐天的仇恨。我在问这是真的吗，这的确是真的。我那天站在我童年和我母亲及兄姊曾生活过的山崖，那些熟悉的身影都成为了无边的往

495

事，而垫枪还在，套子还在，新的套子与老的套子。下套人因为下了太多的套子而将其遗忘在某一处树缝里，山罅中。它们套着的是一具小小的骨骸，是一个多年腐烂后的小动物，钢丝已经生锈了，扎进了树皮中，但它们依然暗藏杀机，露着狞笑。当你看到这些，仇恨不会直撞胸怀吗？

我在山上仔细搜索着老关下的套子，没有。老关的套子是极其残忍的，他总是把树扳弯了将套子下在那儿，所有的野兽只要触到套子，就会被吊在空中，除非你挣断了脚爪，否则死路一条。当然了，就算不是老关的套子，任何人下的套子，简简单单的一个结，要想解开，所有的野兽都没有这个智慧，因此，所有的野兽都无法逃脱人类的暗算。人类如此凶恶。而野兽又毫不设防，是不是上帝让我们注定了要灭绝在他们手上？

没有老关的套子，老关去了哪儿呢？

老关死了。

大约在我游历远山的某一天，年近九旬的老猎人老关，早晨从他的床上爬起来，借着强烈的窗外的光线掐着身上和衣领上的虱子。那些虱子们一个个都饱累累的，肚子里装满了从老关身上抽出的血。老关征服了整个神农架，征服了老虎、豹子、熊和野猪，却无法征服小小的虱子，虱子是惟一敢短兵相接与他作对的野兽——如果它也叫野兽的话。难道它就不可以叫野兽吗！老关吸着我们的血，虱子吸着老关的血，这真是卤水点豆腐，一物降一物。多年来，老关和他的儿子、媳妇、孙子以及那两条忠实的雪山草地，都在经受着虱子的折磨。这大约是每天早晨的功课，他掐着虱子，对他的大儿子说：

"给我弄一碗熊油炒饭？"

他的大儿子说："爹，我们早就没有熊油了。"

"明明有一坛子。我埋在屋后的石洞里的。"老关说。

他大儿子笑了起来:"爹,那是三年前的事了,你不早挖出来吃了吗?"

"放屁!"老关骂了起来,硬着脖子。他的身上,只有脖子是硬的,九十岁,他还是一个犟人。可在一旁锯木头的孙子却说:"老糊涂了。"

"放屁!"老关又骂,"你以为我的耳朵不中听了,你这个小杂种!"

老关在厨房的大媳妇擤着鼻涕出来了,搭上话说:"爹,您在骂哪个哪?"

"我想骂哪个就骂哪个。"

他们给老关端来了一碗猪油饭,还是大儿子亲自炒的。可是老关把碗摔掉了。"我要的是熊油炒饭。"

"这难道不是熊油炒饭?"

"猪油熊油我还分不清白?"

白天清醒的老关一入夜便犯起了迷糊,有一天他在自己的枕头边掐死了一只老鼠,对家人说:看,这是从我手里跑掉的那只大猫。他说的是虎。有一天晚上他爬起来用斧头剁掉了自己的一只手,送到大儿子床前,说:"书记,把它掏空了做烟袋。"

那天晚上,他的大儿子、三儿子和孙子把他抬到了大队的医疗室,走了三十多里山路,天亮时才赶到。医生给他包扎之后天就亮了,他也清醒过来,到处寻找自己的一只手,他的后辈们说:"您不是送给书记做了烟袋吗?"醒过来的老关疼痛不已,嚎啕大哭,死活咬着说是他孙子给他剁掉的。因为他的孙子恨他,他的孙子与他同睡一床,他的孙子做梦都想让这个老

497

家伙死掉，好独霸一张床一床被子，想怎么睡便怎么睡。

"莫非你成了人精？"他的孙子有一阵子用木头雕了个木人，正是九十岁的老关，他的孙子每天向木人扎一针，还用祖父的那杆土铳向木人射击。这事让老关发现了，唆使自己的大儿子把孙子揍了一顿，孙子老实了一段日子。

现在，他找他的孙子要他的那只手，他的孙子没有办法，只好逃到深山里去了。三天以后才回来，回来先喝了两瓢凉水，就宣布了一个惊人的消息：他发现了一头老熊。

于是，孝顺的三儿子一个人背着浙江产的双管猎枪和从小他就使用的猎钩，独自上了山。他的三儿子长得五大三粗了，是一个十分不错的小伙子，头发硬黑，鼻梁端正得像烟囱，脖子上的肉简直就是些鹅卵石，把山都扛得动。

这大约是农历九月，山里的冬天已经来了，苞谷全部归仓了，老熊因为再也找不到吃的，只好过早地冬眠。落下的树叶遮蔽了老熊敞开的洞口，老关的三儿子跳下一个石坎时，刚好落到老熊的洞中。老熊刚刚进入冬眠，在微茫中见有人跳到他身上，怒火中烧，一巴掌打过来，就将老关的三儿子打出了洞。三儿子的腰遭到猛击，衣裳也全扯烂了，于是对着洞子打了一枪，又打了一枪，再打了一枪。

三四百斤的老熊，老关的三儿子一个人把它给背回来了。老关说："快下它的四个掌子给我！"他的三儿子就下了熊的四个掌子交给了卧床不起的老关。老关的大儿子赶忙割了一块熊肉来炼了给老父亲炒熊油饭吃。

当他们把一大碗热气腾腾的熊油饭端到老关床前，发现老关已经死了，一只熊掌给绑在老关的那只残手上。

老关的坟上还有几片没有落尽的纸幡，在风雪中飘扬着，当我端坐在老关的坟顶，我望着山下老关家的房子，在雪夜里好像坍陷了一般。我知道老关已经去了。他这一辈子，嗜杀了无数美丽的生灵。使山林变得单一、沉寂、安全。可他的死竟是如此平淡。特别是当我看到搁置在他家门外一个蜂箱边的土铳时，我记得我当时心里不知是什么滋味，说不出的感觉。那把铳因无法使用丢弃在门外，任风霜雨雪和地气的侵蚀，沉重的铁管锈穿了，枪托腐烂了。那不就是一块简陋的木头和一根破铁管吗？它并不威风也不珍贵，它搁在蜂箱上什么作用也没有了。难道就是它，一次又一次在亡筒的激励下发出使群山震撼的声音，喷吐出辛辣的火药，一次又一次钻进那些无忧无虑、自由自在的生灵的身体中去，将它们击倒，让它们鲜血四溅，让山林笼罩在暗无天日的恐怖之中？就是这样的一个东西，就是这样的一坨东西，让人不敢相信。

我嗅了嗅枪管，依然还有着丝丝火药味，背绳断成了两截，带着老关身上的咸味。这就是全部，让山林中、山峦上美丽的皮毛和行走奔突的姿势消失的全部答案。在它前面，多少勇猛的不再勇猛，矫健的不再矫健，欢笑变成了杀戮，春天变成了陷阱，阳光变成了黑夜，生命变成了怀念。

那个晚上，我在愈来愈肆虐的风雪中平静地哀伤着。我坐在老关的坟头，想着整个山林往日的欢乐，这个老杀手已经死了，就埋在这样冷冷落落的黄土山石之中，就这么冷冷清清地睡下了，无数的血债仿佛因这黄土的掩埋就不存在了，掩盖了，山林似乎本来如此，世道就是这样，没有罪恶和正义，没有仇恨和复仇。不可一世的猛士如此草草收场，一痕不留。可是，不，我复仇的烈焰突然在风雪中吱吱燃烧，不行，不是这样！老关没死！老关正向我走来！老关戴着平绒的瓜皮帽子，垂着双手，背着沾满血腥的背篓，腰间吊着牛卵子火药袋和镶着铜边的啄火的香筒，老关麻木着脸，颧骨像悬崖一样冰冷突出，牙齿咀嚼着对山中所有生灵的不信任；老关多疑、神经质、野蛮、狡诈、小聪明、大愚蠢，老关通红的眼睛好像吃过了他的同类一样。老关向我走过来了。老关突然两眼射出绿莹莹的光线，老关匍匐下来，雪白的绒毛像苍耳果毛一样竖起，老关摇着他肥茸茸的尾巴……

那是雪山！

雪山蹲上了老关的坟头，而我已经悄悄地退到一棵野核桃树后。雪山用鼻子嗅了嗅，它似乎嗅到了什么气味，不过它发现不了我，我在下风头。

雪山老了，它的主人已经死去，它是每晚来坟上为老关守灵的，它与草地轮换。

这条忠实的狗现在对着风中的野猫河谷呜呜地哭起来。每晚如此。它的哭诉是如此的真诚，跟狼的叫声没有两样。它老了，才这样无比深情地表达对主人的尽忠。它哭着，瘪瘪的肚腹看得见清晰的肋骨。它浑身发抖，四肢打瘸，牙齿脱落。我一阵又一阵地惊悚，不是因为害怕，而是，被它的哭诉唤醒了什么。

我不再那么柔情，我坚信，仇恨在风雪中会越煽越旺。我没有想什么，甚至连仇恨都来不及想，我就迅猛地扑了过去，一口咬住了雪山的脖子。

它不能再喊叫了，它还有气，它望着我，像我捕猎过的许多弱小动物一样，眼里充满了哀求。我把它压在爪子下。我不去想什么，我阻止了我想什么的念头，我只是看着深夜的群山，在风雪中暗哑的群山，没有声音，我也没有往常的喘息

——因为制服它只花了我三四秒钟。我把它踏在地上。"我就这么抓住了它吗?"我朝四周东张西望着,我低低地怒吼着,我十分伤感和茫然。甚至我惶惑。

我放弃了它,雪山,我不想吃它的骨头喝它的血。我没有了食欲,我跌跌撞撞地走在荒野上,仇恨忽然被揪心的怀念取代了。我的同类,我过去恨过你们,为争抢食物和异性,我们大打出手,恨不得置对方于死地,现在你们都去了哪儿呢?你们回来吧!回来吧!

我爬上了一座山冈,在呼啸着北风和雪子儿的悬崖上拼命地吼叫着,呼唤着:"你们回来吧!回来吧!你们不能撇下我一个!"

又是一个黄昏到来的时候。

又是我们豹子觅食的时候到了。我从山上望去,老关的坟头出现了草地和老关的三儿子。大雪掩盖了我的足迹,北风吹走了我的气味,他们什么都不知道。然而他们警惕了。在老关的坟旁,又多了一道小坟,那是雪山的。

我瞄准了他们家的羊圈。

沉沉的风雪还在凌辱着这个山区,气温愈来愈低,我相信老关的三儿子和草地是抗不住这样的夜晚的。果然,在三更时分,老关的三儿子死拽着草地要它进屋去,可草地不干,高蹲在老关的坟头。这也是一条忠实的走狗!

我估摸着他们会在老关的坟周围下垫枪和套子,果不其然。四处都是套子。然后,我等着风向的变化,以便在进入羊圈时不被草地发现。我仔细观察,知道了羊圈被他们疏忽了。

一直到五更时分,风向还没有转的意思,而山里传来了沉闷如雷的声音,估计是山岩垮了。我无法再等待,我冲了下去，我跨进羊圈咬死了老关家惟一的一只母羊，叼起就走。

我跃过一个山坎就听见了狗吠声，草地发现了我，并且赶来了。

我跑。不是因为我害怕，我想把它引得远远的，引出那家人的视线，引出那周围太多的垫枪和陷阱。我虽然成为了一只灵豹，可在大雪中那些机关会让我防不胜防。

我的佯逃让草地中计了。草地是决不会放过我的，放过一只猎物。可是它不知道，它的后头没有了老关，没有了老关的儿子们，没有了枪和猎钩。老关家的人在草地追赶我时，正在爬满虱子的被窝里呼呼大睡呢。

我只好放下了羊，向有利的地形跑去，向更高的山上和更密的林子里跑去。

我有过两次闪失和趔趄，因为雪陷得太深。雪也把草地陷住了。有一次它猛跃过来，咬住了我的尾巴，我只有那条尾巴在外面，但我的尾巴一甩，就将这条狗甩到更远更深的雪地中去了。我反过来去扑它，扑了个空。积雪下面的树枝撑起的空洞里，灵巧的草地正飞快地爬到了我的前面，冲出雪面，而树枝牵扯着我的躯体，我钻出来时，我们几乎同时跃向空中，在空中我看见了草地不顾一切的牙齿和利爪。就是这些利爪，抓出过我母亲的一只眼睛。"我要杀死它！"我的利爪更有力，那里全冒着火。我的牙齿全是用仇恨磨砺的，因此它锐不可当。

我知道我出了血，而草地——这只本地山水喂出的草狗，流的血更多。好吧，就这么着，看谁的血流到最后！我想起了我母亲的话，只有你咬住猎物，你才是一只豹子。我是豹子！我是豹子！我时时提醒我，我是一只豹子。虽然这很悲伤。我明确我的身份和遗传使我更加悲伤，我是得提醒我，因为我要战胜一切——凡是落到我手上的东西。这一点上，没有正义和非正义可言。

我们翻滚着，打斗着，厮咬着。拳头大的冰雹砸下来，在这样的时刻，在白晃晃而又黑沉沉的雪夜里，鲜血和皮肉成了我们惟一看得见的东西。

我在一条一条地撕草地的皮。

它在一口一口咬我的花纹。

我从来没有见到过这样一条狗，它比老虎还凶猛，它究竟是什么做的？它与我搏斗的冲动来自于哪儿？它为什么会对我们这些山野的荒客产生如此大的夺命仇恨？谁教会的？人类，人们。

我终于咬死了它。胜利当然属于我。想到人类，胜利就会属于我。

我用牙齿啃出它的眼珠。再啃出它的眼珠。一共两颗，我数了数，只有两颗。我找遍了它的全身，再没有了。如果再有眼珠的话，有一百颗眼珠，我也要一颗一颗地啃出来把它吃掉。我宁愿撑死！我的伤口疼痛欲裂，在风中尤其如此。

我向山上爬去。

在渐渐发白的天色里，我流下了眼泪。我叼着草地，望着山野、河流和老关那低矮的坟冢。我疼痛且寒冷，草地的一腔热血没能给我御寒的力量。我走进了一个避风的岩洞，躺在冰凉的石头上，舔着自己的伤口。谁能救我，谁来安慰我？只有我自己。

我在山洞里躺了七天，我把草地吃得一点都不剩了，只留下一个狗头。我不能停下来，趁我还有着没被冰雪横扫去的激情，我要找他们，直立行走的东西——人。

我跟踪老关的三儿子一直跟踪到春天来临。

可是，我看见他的肌肉越来越发达了，胡子越来越硬，目光越来越凶鸷。

老关的三儿子叫太，老关的孙子叫毛。我听见他们这样喊的。毛喊他的叔叔叫太儿，太儿喊他的侄子叫毛儿。太和毛经常结伴而行。太的猎钩时时带在身上，我有一次看见他在河里甩钩，钩到了一条扁担长的娃娃鱼。我无法对老关的三儿子太下手了。而老关的孙子毛更是了得。这个额头高耸，长着一个大耳轮的少年，因雪山草地死后，又喂了两条更狂暴的猎狗，一条叫黄土，一条叫高坡。黄土是一条黄狗，高坡是绿狗。高坡绿色的毛简直看起来就害怕。那是最好的猎狗，总是跑在所有猎狗的前面，而且咬住猎物决不松口，且有献身精神。而黄土就差多了，比较懒惰。于是毛就总是拼命地打它，训练它，让它为一只鞋子十遍二十遍五十遍地跑进灌木丛去，寻找，叼出来，每次黄土身上不是有树枝的划伤就是有毛的鞭伤，而且浑身沾满了掰都掰不掉的牛蒡子。黄土躺都躺不下来，毛从不给它摘牛蒡子，一躺下，牛蒡子就扎着它的皮肉。因此，我看到黄土总是站着睡觉。这是毛对付黄土的办法。黄土看毛的时候，除了乞求，更多的是愤恨，可是毛看不到狗的愤恨。狗就是狗，狗愤恨他又怎样呢？再歹的狗也不会咬主人，你就是剁掉了狗的四肢，剜下它的眼睛，它还是忠于你，对你俯首帖耳，惟命是从。这是狗的本性所决定的。

太和毛上山种苞谷。

太和毛上山打猪草。

太和毛上山挖药材。

太和毛上山下套子，打野物。

春天的山上开满了如火如荼的杜鹃。毛肋杜鹃，粉背杜鹃，麻花杜鹃。高山的杜鹃是杜鹃树，是巨大的花树，不是一丛丛的，是一蓬蓬的，一蓬蓬的火，一蓬蓬的太阳和女人，一蓬蓬的跳动的心脏。

我想让他们分开，还有那两条可恨的狗。他们总会分开的，杜鹃之火不能烧退我的仇恨，我站在前沿，手握着仇恨的火器，我要战胜他们。

我看见他们吵了起来。他们总是吵架。

太说："毛儿，你不要这样驯黄土了，是什么样的狗就是什么样的狗，难道你爷爷没教你吗？"

"别提那个老不死的，"毛说，他的大耳轮在春阳里燃烧起来，像盛开的杜鹃。"我的狗肯定比他的好。"

"你骂你爷爷？"

"骂又怎样？骂了，太，你想把我怎样？"

"你这样跟你的叔叔说话？"

"我就是这样，因为我能超过你们。"

"你能有长辈的一半就不错了。"

"你算个什么东西啦，你打了几只老熊？那一只，洞里的一只，是瞎猫子碰死老鼠。"

"你跟你的娘一样，你不是我们关家的种。你现在独霸了你爷爷的床和房子，又想霸占我那套铺盖，让我无家可归。回去跟你的娘说，我不会分家的。你回去问问你的娘，问他，为何昨晚在我的酒里下了三块羊角七？"

"那是想把你毒死。"

"好哇，毛，你有种。"

老关的三儿子太背着猎钩走了，吹着口哨。而毛站在那

505

儿。他还小，可他并不小。他咬着牙齿的声音就像在嚼一头老熊。何况还有已经成形并准备随时投入战斗的高坡和黄土。

我知道我下不了口，我如果下口，虽然他们互相间争吵不断，充满敌意，可一旦我出现，他们就会团结一致来对付我。

我现在的回忆实在理不清我当时冲动的理由了。我现在记忆力衰退。我只能解释：因为那时我年轻，被仇恨烧灼的旺盛的生命，总会做出些意想不到的事。当然，还有，那就是我无法忘记的老关孙子的一双大耳朵。那活脱脱是老关的耳朵，是猎人的耳朵。所有猎人的耳朵都是这样的，他们为了攫取猎物，谛听山林的动静，长久的鬼鬼祟祟使他们的耳朵变大了，变长了，竖起来，耳轮上的每一根神经都外露，恨不得伸出爪子来。那些神经像树叶的经络，像雷达。因长久的亢奋变得紫红，更加诱惑着我们的胃口。

我就直冲下去咬毛的耳朵，直截了当地咬，心无旁骛地咬。

只有半只耳朵在我的嘴里，黄土和高坡就扑向了我。而老关的三儿子太也调转头来。

"豹子——！"

他的声音跟他的父亲老关一样，如此苍劲和肯定。"豹子"这两个字出自他们之口，不意味着惊赏和赞美，是子弹上膛的前奏。那一天，可惜他们叔侄二人都没有带枪，猎钩离我还遥远。一道白光一闪，是太的开山刀甩了过来，但没有砍着我，砍到了黄土的一条腿，黄土汪汪惨叫夹起尾巴从我的身边退却了。

这帮了我的忙，我挣脱了高坡，向早已窥测好的线路逃窜。而这时太和毛可着喉咙大喊"打豹子"，一时间，整个山梁上突然向这边涌来了几十人，都是扎在山缝里点苞谷和割猪草的人，他们手拿着锄头、镰刀，还有一些什么能下手和粗壮的东西，一起狂吼着：

"打豹子！打豹子！"

我跑啦！我快活地跑掉了，飞过一个梁子又一个梁子，一个垭口又一个垭口。我想起我嘴里含着毛的半只耳朵，等我停下来细嚼时，早就不知到哪儿去了，也许是因为紧张吞进了肚里。

我记得也就是那一年吧，我因为复仇的欣悦，心情说不清楚怎么一下就好了，至少看太阳是太阳，看山是山，看杜鹃是杜鹃。大群松鸦在树林上掠过的身影，短翅树莺清丽的鸣唱，都让我感动不已。我懒懒地睡在长满紫花的还亮草中间，我看见树冠上一对依偎着的长尾雉，在另一棵山毛榉上面，一对豹猫正在暖融融的太阳里交媾。我还以为是两只小豹子呢，这种豹猫，皮毛上的花纹极像我们。但它们的样子更像猫而不像豹子。我看呆了，我看见它们呜呜叫喊着亲昵交配的场面，我直感到自己的浑身发躁，身体的某一个部位正在悄然觉醒。

这天晚上，我梦见了红果。

我梦见了红果投向了我的怀抱，她口衔着一朵最漂亮的红晕杜鹃，她在山谷的岚烟和云海之上，她跑着，跃着，步态优雅。我说："是你吗，你是红果吗？"红果并不说话，红果只是深情地望着我，将那朵杜鹃放到我的面前。然后她后退着，支起前肢，依然深情地望着我。不回答我问话的红果跑了，在我问了十遍二十遍"你是红果吗"之后，她摇动起美丽的尾巴跑了，她逢山过山，逢水过水，我追呀追呀，总是追不到她，快抓住她，她又跑了。那么宽的峡谷她一跃就过去了，可当我

507

也跃起来时，我发现我在往下落，落，落……我醒过来，我知道这是做梦，还未落到谷底我就醒过来了，以免摔得粉身碎骨。我的胸口怦怦发疼，我大口地喘气。刚才我梦到了什么？我听见远山近水有各种野兽的呼唤。它们在寻找着爱，被爱，缱绻的时刻。它们同时也在寻找着搏斗，显示，胜利或者失败。

搏斗啊，搏斗啊！我灿烂的皮毛，强健的体魄，正当壮年，充满着憧憬和遐想，我的热血要为我的所爱而洒，肢体为我的所爱而残，我哪怕走到天涯海角，也要找到她！

我在半夜时分就启程了。说是启程，并不理智。在这样的日子里，没有什么是理智的。我的皮毛就是火，眼光就是燃烧。我要烧掉我自己，让梦想融化在另一个身影之中。

山重水复，征程漫漫。

我知道最后的结果是什么，我不过是把我的绝望重走了一遍。

我在情欲的发作中像一头瞎驴那么乱撞着，我怪叫着，怒吼着，龇着牙齿，爬上树冠，我要冲向云海，我要跃过高山，我要跨过河谷，我要跳涧，我要撞崖，我要把世界踏平。

一个又一个的晚上，一个又一个的白天，我在雨中，在雾气里不停地走着，我无法使自己停下来。为什么这世上只剩下我一只豹子了呢？为什么上苍让我如此强壮，欲火如此浓烈？为什么这样惩罚我？让我的身子不能绚烂一道山梁，而只能焚烧自己？让我的热情不能沸腾另一块红炭，而只能消损在我的自戕中？我撞头，我咬自己的爪子。我围着我自己的尾巴不停地转圈，直到把银河和星星全转入峡谷中，我倒地而睡。

这个春天我整整咬死了二十多头山羊和绵羊，还有一些小猪。我只是咬死它们，我并不吃它们。因为我的心头撞着火，它们的血只会把它烧得更旺。

对我的围猎是空前绝后的，我是一只害兽。这一年，大约出动了上千人，守在野兽必经的道口，人们谈豹变色，他们说，至少有十几豹子涌向了神农山区。有的人并且欢呼，豹的现身是一种吉兆，山林将重又充满活力，人们的枪声将更加清脆，光芒四射。

我能躲过所有的围猎，可我躲不过情欲。那些空守着我出现的围猎者并不知道，我一个人在更远僻无人的老林里，经受着多么痛苦的煎熬。

最后与其说是我战胜了情欲，不如说是世界战胜了我，还有季节。

在瓦蓝发亮的充斥着马桑里醉意和鸦椿臭气的夏季里，我已经被我无处发泄的欲望折磨得形销骨立。我遽然之间衰老了，我弱不禁风，呆傻了，双眼麻木，嘴角流着老涎。我多肉的爪子也已经凹陷，走路失去了弹力，视物不清，老是生着眵糊，讨厌的苍蝇围聚在我的眼前，赶也赶不走。

到了这年的秋天，我的精神和身体又开始恢复了。我补充了许多营养，特别是我抓到了一只青鼬，我尝试着追击它，虽然我的肛门被它划开了一道口子，但我还是把它降服了，让它成为了我金秋的祭品。

秋天洋溢着金黄色的激情，可是山里的秋天非常短暂，一晃而过。

树叶全都开始疼起来，它们全都憋红了脸。我要趁这个季节踏上白岩！

来日对我不多了，我清楚。关于我将怎样死亡我来不及想它，这也不是我想的事，死亡到来的时候，你怎么想都是无益的；我看见过太多的死亡，我知道死亡是怎么回事。

我要踏上白岩，这个愿望并不急迫。虽然它成了我此生最大的愿望。时间还有，总之，死亡不会太早到来，这一点我有了足够的自信和预感。

我要一级一级的从台地跃上白岩之巅，我要弄清楚一个多年的谜：白岩究竟为何吸引了我的母亲。她的一生，她并没有去过那里，那个每天让她痴痴地遥望的、梦幻城堡似的白岩。

我在深秋的大雾中向白岩进发了。那儿当然可以躲避人们的围捕，那儿猿猴难攀。

我寻找着路径，这是一次苦旅。

说起来令人难以置信，我在一个相当陡峭的高台地上，遇见了一头老熊，熊瞎子，山林中最笨重也最凶猛的黑影。它挡住了我的去路。

这头熊瞎子！它也许正在寻找着食物，也许它此生压根儿就不认识我，认识一种叫着豹的林中之兽。这是一个什么东西呢？这可吃吗？我要吃它！可怜的熊瞎子！可恼的熊瞎子，它挡住了我上山的路，它要吃我。它红棕色的鼻子和小眉小眼一看就是未见过世面的，它只会在白岩这块地方偷苞谷，偷蜂蜜，甚至捣毁山蚂蚁的窝，这样的黑贼简直太胆大妄为了。

它站了起来。它吼。它喘着粗气。它一点都不在乎我的眼神，它反正看不到。它是个近视眼，瞎子，瞎胡闹！

可恶的老熊，它逼近我，谁都知道它的手掌的厉害，它的手掌只要挨着你，你的皮肉就会像豆腐一样掉下一大块。这就是熊的掌子。它像一阵恶风，一巴掌就扒过来了，要不是我躲得快，我的脸也会像一些猎人那样没有了。它扒到了我旁边的一棵树，一棵冷杉，把它的皮扒掉了一大块。树皮粉碎着四散飞射时，我的尾巴狠狠地抽了它一鞭子。哈，这一鞭子抽得痛快，抽得它疼，疼愣住了。"这是什么山兽，它握着铁鞭子？"它一定这么想。它愣住后转过头来，又站了起来，鼻子里气咻咻的。我已经站到了它刚才进攻前的位置，我直视着它，我在想着往它的哪个软处下口。

可恶的老熊又一次扑过来了。你别看它笨拙，那是表面的笨拙，它是无比灵活的，有时候——当它受到侵害，它的反击比风还快，没有哪个猎人不怕它的，只要它一枪没被打死，剩下的就该猎人倒霉了。这就是我们神农山区的猛兽。你要它的命时，它也会要你的命。野猪如此，熊如此，虎、豹、豺、狼也如此。

这一次它是无比恼怒地罩向我的，只要一发怒它就会没完没了，以死相拼。我当然不怕它。而它呢，它也不会怕我。我又从它的腋下钻了过去，我没抓住它，它没抓住我。它把另一棵树，抓进去几寸深的凹槽，那也是一棵冷杉，上面留下了它新鲜的夺目的爪印。我也抓到了树，在那棵被它抓掉皮的地方，重新抓了一把，抓出了树筋，我还以为抓到它了呢。

再一次，它抓到了我，我也擦伤了它。

到了第五个回合，我们才都认识了对方，我们不再贸然行动。我们站在各自的树下，中间隔着大约五米远的距离，低吼着，有时候也带着一丝儿无法忍受的呻吟。

老熊在死劲地刨地，用以吓唬我。

我也刨地，刨脚下的土石，吓唬它。

它终于明白了，对方的这只山兽是无法打败的。

我也明白我很难让这头呼呼喘气的高大老熊投降。

我们之间的肉都不好吃。

暮色慢慢垂下白岩，我还没看上白岩的夕照一眼，暮色就在我们的肉搏中来临。

山风忽然加大了，呜呜地吹着，吹得我的伤口发疼，它也疼痛吧，这头大笨熊，它会疼痛。然而这样的僵持不允许我们疼痛，我们时刻警惕着对方，以防再次向自己进攻。

再次进攻是在荒林的鸡叫头遍时。这样的僵持总会爆发的，不是你死就是我活，不是我活就是你死。我们都抱着这样的侥幸开始了第二次战斗。

这次战斗持续了一个多小时，北斗西斜，寒露深重，地上全覆上了一层白霜。树扒了更多的皮，被我们的爪子深入进去了。这一次我们都没有增添新伤。我们开始了小心翼翼地回避，但是气势依然如虹，吼声没有止息。低沉的吼声要尽量引起胸腔的共鸣。

天亮了，我们的脚下已经刨出了半米深的大坑，它一个，我一个。

苍蝇闻到了血腥，还有蚂蚁，还有更恐怖飞临的松鸦，松鸦的鸣叫是十分瘆人的，它以为又有什么死去了，它们将啄食。在这儿修简易的运木材公路时，松鸦就经常聒噪，因为在山壁上，经常有炸飞的人肉——都是哑炮和失手让炸药炸的。

松鸦的叫声让我的心乱了，它们黑色的翅膀比幽灵更可怕。我痛苦不堪。我想告诉它，我不想战胜谁，你放了我吧，让开一条路吧，我要上白岩，我只想上白岩，并不是掠食者。在这样的时刻我还称什么英雄好汉，没有必要啦。像我这样的命运我还争什么呢？我想告诉它，可它不懂，它不是我的同类，我说什么话都没有任何回应了，没有谁懂我，我的表达，我的语言，豹子的语言。无论我怎么说，那也是一个咆哮的哑巴，我就是哑巴！

又僵持了一天。

我们谁也不相让，谁也不能示弱。我想走开，绕开它。我看到它也想走开，到远处去。可是，我们谁都不敢先行一步。这是十分危险的，谁先走，就是开溜，另一个就会猛扑过去，咬住它。就是这样，我们只是不停地刨土，打过来，打过去，虚晃一枪也可以，拿树干出气，扒它的皮，抠它的筋。

又到了一个夜晚。

我们没有进一点食，喝一口水。我们也偶尔睡一会，那也是头对着头，在双方的默示下打个盹，眼皮会时常地睁开，以免对方偷袭。

我们已经达成了默契，我们如果行动，必须出声，吼着，告诉对方，我要行动了。

我们有时是佯攻，有时是真打。因为我们在这种漫长的对峙中都已经到了愤怒的边缘，它会发怒，会的，因此我们就撕咬。

"让开一条路!"我说。

"让开一条路!"它说。

我们听不懂对方的语言。我们只能不停地打斗。打一阵，歇一阵，各不相让。

我真的痛苦。那样的时刻我说不出地痛苦。何必呢，熊啊，我真的不想要你的命，你先走吧，我不会伤害你。我是想借一个道，一个便道，追猎的英气和贪婪的饕餮早就不属于我了，那样的豹子死了，死绝了，独剩下我，一道衰败的微风，一缕夕照，长着牙齿和爪子的树叶，徒有其表的枯涩皮毛，绝望的影子，流浪的尊严，渐渐消失的秘密，比天空还深的伤感。

　　我终于冲过去了！我想起我是一只豹子我才冲了过去。这已经有两天两夜。我从自己刨出的一米深的坑里冲跃过去，那头老熊也在自己的一米多深的深坑里往外探出头，但是它已经来不及对我下手了。它也轻松了，呜呜地吼着向低山走去，去掰农人的苞谷。

　　我是在这年的第一场大雪来临时爬上白岩峰顶的。我走了四四一十六天。我试图从东、南、西、北的四个方向往上爬。我爬过坡度平缓但人烟稠密的南坡，更登过荒无人烟但山势险峻的北坡。我更多的是从绝少围猎危险的北坡与西崖上山。一级一级巨大的台地是我的小憩之处。我滚落过，我又上去了；我颓丧过，我又站起来。

　　我在白岩高高的峰顶望着脚下及远处的千沟万壑，望着那深藏在岩缝里的蝼蚁似的人群、村庄和炊烟，望着一小块一小块补丁似的坡田，望着蓝色的河流和满头银发的群山。我的身边什么都没有，没有那巨大的城堡和想象中的在城堡里走来走去的人们，他们古怪的服饰，友善的面容和奇妙的音乐都不存在。我只是看到了两个鹰巢，一大群巫婆似的老鸹，一两根在厉风中独自怒吼了千百年的巴山冷杉。一些杂草，一些光滑的石头。

　　天气极坏，风雪和泪水迷茫了我的视野。可是，母亲，你站在我们童年的故居望着我吗？假如有夕阳，假如你还存在，你会凝望着我，你的儿子。你一定能望见我！你看到我踏上了只有鹰才敢筑巢的白岩，看到我高昂着头，在你的目光所能企及的地方，在最高处，孤独站着。

　　我是真正的伤感。再没有一双眼睛了，没有了，没有任何一双注视我的眼睛。除了我。

　　我摇摇晃晃地下山又花了半个月。我找不到来路，况且我差不多气血衰竭了。我是连滚带爬下山的。我滚啊滚啊，有一天竟滚到了老关的坟前。老关的坟都塌陷了，它的旁边又有了一座新坟。这是他三儿子太的。我完全知道事情的来龙去脉。我是一只豹精了，这儿发生的一切这块土地都会暗示给我。太有一天和他的嫂子去赶集，他们经过一个叫松冈的山垭时，走进一家包子铺。太的嫂子给太买了二十个腌菜包子，太的嫂子说："你若把二十个包子吃完，我的一袋烟还没抽完，你就不与我们分家。"太从来没吃过这么多包子，这么香的腌菜包子。他想，这些包子我几大口就吃完了，而嫂嫂的那袋烟至少要抽半个钟头。他咽着口水当即就点了头。

他的嫂子的那个烟袋正是他父亲老关的，是那只豹爪烟袋，铜烟锅，小酒盅那么大，太小时候经常被他父亲用烟锅敲脑袋。这烟袋没有成为老关的陪葬，让太的嫂子也就是老关的大儿媳给继承了。太吃着包子，他以为包子太好吞了，又泡又软。可是那一天他嫂子的烟丝燃得太快。他越来越嚼不动，下颌无力，两颊发酸。嫂子的烟抽完了，那二十个包子总算被太塞进了嘴里。他嫂子磕烟锅的时候，看到这个小叔子头一歪，就困在了包子铺肮脏的桌子上，死啦。他的嘴里至少还含着三个没有下咽的包子，两只眼睛鼓鼓地瞪着面前的那个空盘子。

我已不再有报仇的意念。都有了，一切都够了。过去，我的幻觉中对我的兄弟唤我"斧头斧头"，我会听成"复仇复仇"。现在，我的兄弟再在我的意识中唤我"复仇复仇"，我却听成是"斧头斧头"。是亲切地唤我的名字，与别人无关。

今夕何夕？如今，我饿坏了。我很难搞到食物，我——这地球上跑得最快的动物，却再也逮不到一只田鼠，或者一头小鹿了。我跑不动啦，我时常饥一顿，饱一顿。好歹熬过了又一年，又一次听到山里春节爆竹的响声，又一次看到春天不紧不慢地到来了。

实话说，山上的野物也越来越少了，有时走上几天，看不到一只，如果多，我说不定广种薄收，能抓到一只打打牙祭。没有了，山下有羊，有猪，可是对付它们就是与强大的人类作对，我不愿冒犯人类，我服了他们，我怕他们。

我恍恍惚惚地经过一条峡谷，是一条干涸的峡谷。我觉得有些眼熟，我努力辨认，才记起这儿是石头落难的地方。然而现在这河里没水了，更没有鱼了。

太阳很好，可它们射出来的光线令人头昏眼花。这么，我晃晃悠悠地迎着太阳走，再一睁开眼睛时，发现来到了一块平原上——我的眼前就是这样，我还站在山边，这块平地很大，被山围着。山上的树木并不多，到处是些灌木丛、马桑、海棠，还有一些不大的毛栗树，一些用来做香菌木耳棒的披头散发的栓皮栎，现在都发出了新枝，喷吐着它们的绿意。

大约是人们吃中饭的时候了吧，山下散落的房子上空飘来的炊烟和腊肉炖土豆的香味勾起了我潜伏的食欲，我有多少天没进食了？我没计算过，反正，我的牙齿已经忘记了食物，很久以来就没有咀嚼过了，它只是在半夜磨砺着回忆。我先是看见不远处一家人家的后面有一只羊。我观察了半天，没有狗，也没有炊烟。没有炊烟就没有人。我慢慢朝羊接近。可是那只羊太大了，那只羊发现了我，拔腿就跑，还发出咩咩的叫声。我只好止步，伏在草丛里，以免惊动了人们，让我遭罪。

羊跑到了屋前，那是我不能去的地方，虽然我没有发现有人。

我沿着山根走，一直没有人，这个村庄是如此寂静，甚至狗都没叫一声。这使我放松了警惕。就在这时，我看见了一个小孩。我抬起头细看周围时，看到了一处石头下，有一个坐在地上玩耍的小孩。他是谁？他在干什么？我来不及问自己。我只是看到他很小，大约也就一两岁的样子，他津津有味地玩着一块石头，还不时把石头送到流涎的胖乎乎的嘴里去啃。

我看到了什么？我看到了他的两个耳轮——我当然是先看到他柔软的头发和胖乎乎的脸，再看到那耳轮。大耳轮！老关的耳轮，猎人的耳轮。这是美味！我突然想起了一句话，我记不清是谁这么给我说过："你只有咬住猎物才是一只豹子！"我的天！谁在暗示我？我记不起是谁的声音，我却记起了我现在是谁，是豹子！豹子，两个灿烂的字！好久我都忘了我是什么，我是否还活着，我是谁。我咬住了小孩的耳朵，我的牙齿切到肉的深处，我才记起我是一只豹子！

几乎差不多在同一个时刻，在我咬、小孩叫的时刻，从旁边放土豆的地窖里冲出一个身影，像一头山兽扑向了我。我没有看清楚小孩的旁边有个地窖。我低伏住头，我放开小孩，我用牙齿迎向这个黑影，用尾巴抽它。我与那矫健灵活的黑影搏斗。那个黑影飞上了我的头顶的一块石头，然后飞身而下，我来不及躲闪，我的脊椎就被压断了。我像一张纸一样趴贴在地上，我想站起来，站不起来了，这里的人谁都知道，我们是铜头铁尾麻秆腰。接着，从地窖里又跑出来许多人，雨点似的棍棒砸向我。

我看见了我的母亲。

（原载《钟山》2001 年 3 期）

一个大自然的悲壮警告

——评《豹子最后的舞蹈》

李运抟

2001 年的中篇小说中，陈应松的《豹子的最后舞蹈》（下称《豹子》）是篇非常奇特的作品。

这种奇特首先表现在小说故事上。从主题来说，《豹子》揭示的是人与自然关系的紧张恶劣。这或许不算新颖。人类对大自然的严重破坏，人往哪里去的巨大困惑，已经是个普遍关注的话题。但当这些思索落实到一个豹子家庭里，显示在这个豹子家庭一母两子的绝望生命旅程上，体现在一个个惊心动魄的搏斗场面中，便产生了"点铁成金"的奇异艺术效果。正是在一个个惊心动魄的故事链中，我们看到了小说中的"我"——那头由活蹦乱跳的童年而走向衰老孤独的豹子，是如何失去了凶猛而又舐犊情深的母亲，失去了曾相依为命的兄弟，那是何等悲壮又绝望的死亡之旅啊！"我"和母亲、兄弟的死亡，无疑是一种大自然遭到彻底破坏的象征。而这一切都源于人类的贪婪、无情和狡猾的杀害。

叙述的奇异是《豹子》的又一特色。小说采用第一人称，作品中的"我"成为显在叙述者，而作者则成为潜在叙述人。作者所以采取这种拟人化的叙事视角，显然是为了更贴切地表达"豹子的本性与心声"。经由"我"的视角，读者不仅理解了豹子的天然生性，也看见了人类的错误和凶残。猎人老关及其后代就是这种错误与凶残的象征。老关是个出色的猎人，但也是个无情屠杀山兽的凶狠杀手。他和其同类不仅狡猾地猎杀了"我"的母亲和兄弟，而且还用"我"的锤子兄弟的豹爪做了一个狰狞的烟袋。在"我"悲切的讲述中，读者看到了人与自然的关系已十分恶劣。在老关们生活的神农山区，到处都是人类布下的阴险的散发着死亡气息的套子，使无数山兽难逃劫难。"我"虽然身经百战而屡避陷阱，但"铜头铁尾麻杆腰"的"我"，最后还是成了一张纸般的状态而走向死亡。

正是在这种拟人化视角和独特叙述中，作者还展开了一系列的细致入微的心理刻画。这些精彩的心理刻画，使我们更深切的了解到了山兽们的性情，也读到了一种来自大自然的绝望的情绪。"我"与人和兽搏斗时的激烈复杂的心态，"我"时时梦见死去的母亲和兄弟的凄凉心情，"我"对人类的感觉，都在这种心理刻画中跃然纸上。由此读者还能发现：豹子和很多山兽虽然凶猛，但它们本来是不吃人的，几乎可以和人类相安无事。"我"最后咬住小孩的耳朵，完全是处于对人类的仇恨和报复。

应松的小说语言一直为人称道，充满了灵气。但在《豹子》中，由于采取拟人化的叙述，作者明显注意了语言的节制和适宜，遣词用句都尽可能朴素自然，因此读起来给人以非常到位的感觉。《豹子》的语言确实出色完成了"辞能达意"的任务。

可以这样说，奇异的故事，独特的视角，精彩的叙述，到位的语言，构成了《豹子》的主要艺术特色。也将一个普遍的社会话题注入了艺术的生命活力。人与大自然的关系，人与动物的关系，由此而来也得以令人耳目一新的揭示。

艺术源于生活虽是老生常谈，但《豹子》的产生却就是如此。应松曾到鄂西神农架挂职一年，那里的高山野林无疑给了他巨大的震撼和深切的感受。我也于去年去了一趟神农架。虽然现在已建立了神农架原始森林保护区，但以往人类对自然的破坏痕迹却还是处处可见。只看那满山片片枯黄的已彻底死亡的箭竹就令人触目惊心。无食可觅，这是大熊猫迁移四川的主要原因。大自然的破坏已直接威胁到人类自身的生存。单从这种意义说，《豹子》的出现也值得我们特别注意。

（李运抟，湖南师范大学文学院教授）

荆歌，1960 年生于苏州。当过摄影师、教师。20 世纪 80 年代初期开始文学创作，出版有诗集、散文集多种。小说创作始于 1993 年以后。迄今已发表长、中、短篇小说 200 余万字。主要作品有长篇小说《漂移》、《粉尘》、《枪毙》，中短篇小说《太平》、《再婚记》、《口供》等。小说集《八月之旅》入选"中国小说 50 强"文丛。

卫川和林老师

荆　歌

　　顾家弄的边上，是一家酒厂。酒厂有一根铁管，凌空跨过小街，把废水引向河里。废水源源不断，在河里发出哗哗的声响。每次走到这儿，我都会想小便。我和卫川每次小便之后，都要跳起来摸那铁管。我们都太矮小了些，我们再使劲跳，也都触不到铁管。但我们相信，终有一天我们会摸到它的。我们一天天在长高，同时我们的弹跳力也在一次次的跳跃中得到锻炼。

　　卫川有一天终于碰到铁管了，他做了很长距离的助跑，终于让自己的中指触到了铁管。它是热的！卫川兴奋地说。

　　看来我得好好努力了。

　　接下来，卫川每次跳之前，都在手指上沾些石灰，为了证明他确实碰到了铁管，他把石灰抹在了高高的铁管上。我无话可说。

　　每次被父亲关在门外过不了夜，我都是到卫川家住。卫川有个好妈妈。我总是叫卫川的母亲林老师。我不知道为什么要叫她老师，好像也听不到别人这么叫她。事实上她也不像个老

523

师，她从不上班，据说她身患数种慢性病，她病休在家。但我叫她林老师，她总是脆脆地答应。看样子她真是个老师。每次我到卫川家过夜，林老师都表示欢迎。不仅如此，她还总是在翌日早晨下一碗面条给我吃。面条下得很好，宽汤，面条细白柔韧，其汤鲜美无比。葱花漂在面汤上，十分秀气。林老师还总是在面里卧一个鸡蛋，她把我当做儿子来疼。第一次吃林老师下的面，我的眼泪都下来了。我忘了对她说谢谢，我只是坐在面条前哭。林老师叫我别哭，自己却也抹泪了。她说，吃吧，正长身体，瞧你瘦得！还说，以后再被你爸打，再被关在门外，就来我们家住，林老师再给你下鸡蛋面。

林老师说到做到，我究竟吃了她几碗鸡蛋面，已经记不清了。

晚上我就钻进卫川的被窝里睡。卫川有狐臭，那叫我难以入眠。并且，他夜间还常常踢我，他睡得很不安稳。第二天早上我对卫川说，昨晚你踢了我三次，我三次都被你踢醒了。卫川就说对不起。我跟他说没关系，这不是他的错，他睡着了，踢人也不是他的错。

钻在卫川的被窝里，确实不是个滋味。卫川的被子一定有许多日子没洗了，它的龌龊是一望而知的。如果他的母亲林老师不是疾病缠身的话，我想她一定会替他把被子拆洗拆洗。我相信林老师一定没这个力气，她走路都是慢吞吞的，她从不轻易弯腰和转身，一切不必要的动作，哪怕再细小，林老师都不愿意去做。要洗卫川又黑又脏的被子，显然不是林老师力所能及。我好像听林老师说过，她活不了太久。她捏捏自己的鼻子对我说，说不定哪天她就死在了床上。听林老师这么说，我很伤感。我不希望林老师死，她是个好人。但我又不会说什么安

524

慰的话，我只是呆呆地看看林老师，我看到她终于笑了。林老师这样的身体，自然只能让卫川的被子脏去。对卫川的被子来说，脏似乎也算不得什么了，那气味才真正了得。我闻不得那味。如今回想起来我都有些反胃。卫川的狐臭，夜复一夜把被子熏成了这副样子。我怎么钻得进去！但我无家可归，也只得强忍着钻了。我希望自己尽快睡着，可总是睡不太着。倒是卫川很多时候倒头便睡，他小小年纪就会打很响的呼噜了，他打着打着，就踢我一脚。

也有卫川睡不着觉的时候。他翻来覆去了一阵，忽然提议说，让我给他摸一把鸡巴。你不要小气，卫川说，你也可以摸我的。我说，这东西很脏，摸它有什么乐趣？卫川说，人家都说他包头皮，他想知道我的长得怎么样，是不是也是包头皮。我告诉他，我不知道什么是包头皮。卫川就把被子掀开，先掏出他的东西给我看，他推了推他的包皮，说，你瞧，包皮这么长，当然只能是包头皮。接着他把我的裤衩脱了，他笑了起来，说，果然你也是包头皮么！他将我的东西捏了捏，说，我有本事将它捏硬起来。我不让卫川捏，他就给我猜个谜，他说，不晒太阳，黑得出奇；没有骨头，硬得出奇。那是什么？我说这个谜也太简单了，不就是你手上捏着的东西么？

卫川告诉我说，他爸的东西有问题。他说，他爸这么大了，还总尿床。因此他妈不跟他爸睡一床，他妈怕他爸把被子尿湿了没法睡觉。我不相信卫川的话，我说，我还从未听到过大人尿床的呢。

所以说我爸有问题么！卫川说。

除了狐臭，卫川是个讨人喜欢的人。他有一双巧手，他不仅会修理收音机，还能打制板凳和桌子。他透露过他长大了也

525

许会成为一名木匠。我愿意跟他在一起。在北栅头，他是我最好的朋友之一。反正我在尚未能够跳起来摸到酒厂的铁管时，我与卫川几乎形影不离。

我们家住在北栅头的最北边。从我们家小小的北窗口望去，就是整日价热闹非凡的窑港。我非常喜欢我们家这个小小的北窗。我总是依靠在窗前眺望窑港里的风景。哥似乎对那些船只不感兴趣，因此凭窗眺望就成了我的专利。我伏在窗子口，让嘈杂的声浪和带腥味的风一起吹进来。炊烟在装砖瓦的船和渔船上袅袅升起，向我送来一种怪怪的气味。我见到过他们所使用的燃料，那是一种从地下挖出的黑土。那不是煤，那只是一种黑色的泥巴。它们从农田下三五米深的地方被掘出来，摆放在船头船尾曝晒。黑土的烟特别浓，魔鬼一样从灶具中钻出来，然后升腾。它们在上升的过程中，做出许多怪模怪样的造型。这种黑烟的气味是非常特殊的，它完全不同于煤或者干柴，它有一种非常明显的腐尸的气息。但这种气味同时又是令人感到亲切的。如果风向正北的话，那么，浓烟就会成团地灌进我们的屋子里来。每当这样的时刻，我就不得不把窗子关上。我只得透过玻璃来观望热闹的窑港。在玻璃后面，窑港的景色是变形的，那都是因为我们家的玻璃质量较差。那些用来固定船只的竹篙，不再笔直地竖在水中，它们像蛇一样弯曲着。船只平添了一种动荡不安的感觉。一切景象都仿佛是水中的倒影。渔船上的女人，在变形的玻璃后面，胸更丰满了，臀部也更显肥大。她们从船的一头走到另一头，高耸的乳房像水一样波动。仿佛炊烟和黑土的气味也在波动。

卫川当然有理由认为，我迷恋自家的这个窗口，就是为了观看船女的乳房和屁股。他与我一同将头探到窗口，他说，要是他的汽枪带来的话，就可以向渔船开枪。他保证他能射中那个屁股最大的女人。他说，汽枪的铅弹最多只能穿透那个人的裤子，它不会使她受伤。但她将会受到惊吓，她会大叫起来，同时用手摸住自己的臀部。说不定，她会吓得倒进舱里去，同时让船激烈地摇晃起来——卫川说，她实在太胖了。

卫川对我这个窗口的兴趣丝毫不比我弱。他继续想象说，要是日本人从明江里开过来，那么，只要他有一架重机枪，并且把枪架在我的北窗口的话，日本人就无法从窑港上岸。一夫当关，万夫莫开，卫川不知怎么说出了这句文绉绉的话来。他嘴巴里哒哒哒哒地响了一阵，仿佛真的有一批批侵略者被机枪射中，纷纷倒入水中。我们为这样的想象而激动。

卫川在我们家北窗口观望了一会儿，便提出要小便了。卫川这家伙每次来我家，都要小便数次。你把我们家当厕所了？我这么问卫川。

卫川笑笑，尿急了总不能尿在裤子上吧？

我说，你就不能忍着么？

卫川说，憋出病来怎么办？

他说到病，我就想到了他有病的父亲。卫川的父亲不是至今还尿床么？他一定将这一毛病遗传给了卫川。

卫川喜欢拎起我们家的马桶小便。他身子站直了，将他的家伙从裤洞里掏出来，然后把我们家的马桶拎起来，一直拎到靠近他的家伙。他一手拎马桶，一手抓着他的家伙，就这么小便开了。

母亲对他这么做十分反感。有次母亲回家，正撞见卫川拎着马桶在小便。母亲显然很不高兴。卫川走了之后，母亲说，下次再也不能让他来我们家玩了。

我为难地说，可是，我经常去他家玩呀，不让他来，不太好吧？

母亲说，那你也不要去他家了。

我不能答应母亲。我说，他是我最好的同学，我为什么不能去他家玩？

母亲说，那你对他说，不能再拎着马桶小便了。

我说，不让他拎着反而不好，他会把小便洒到地板上的。

母亲说，你让他坐着撒。

我说，他有狐臭，会不会传染？

母亲不再吱声。

母亲的担心不无道理，有天卫川居然把我们家的马桶打翻了。他一松手，马桶就倒在了地板上，卫川的裤子自然都沾上了屎尿。问题是，不仅地板上一塌糊涂，而且还从楼板缝隙滴到了楼下。楼下姑妈的床上都被弄脏了。姑妈大哭大叫，她说，脏了倒是小事，晦气太重了。姑妈说，她说不定就活不过今年了。

卫川苦着脸，他怪我们家马桶的提手太滑了。他说，他忙了半天，才把我们家的地板拖干净，他清理的大部分是我们家人的屎尿，而他的尿只占极小的一部分。况且，卫川说，他的一场尿只撒了四分之一。

阿田早就说过，他要带我去一个好地方。阿田将头探进我们家，他的身体还在门外，他对我挤挤眼睛，示意我出去。

我轻轻地出了门，我对阿田说，我妈病了，躺在床上，我不能出去。如果我出去了，她要小便的话，就没人扶她起来。

阿田说，你哥呢？

我说，我哥一早就出去了。

正说着，我哥却回来了。我进屋去，对母亲说，妈，哥回来了，我出去玩一下好么？

母亲说，去吧，早点回来。

阿田把我带到了稻草场。几个稻草堆堆得有房子那么大，阿田对我说，我们早就把每个稻草堆内部打通了，钻进去很好玩的呢。

我们钻进一个大草堆去。我感觉到里面温度很高，但很舒服，不仅地上软软的，空气里满是稻草的清香，甜丝丝的。阿田说，要是冬天，外面刮大风，或者下雪，里面可暖和了。阿田还说，下雨天躲在里面也不错。我当时心想，下次父亲再把我关在门外的话，我不一定到卫川家去的，我可以到稻草堆里面来睡觉。只是，我睡在这里，就吃不到卫川母亲林老师的鸡蛋面了。

阿田说，这里是个秘密的场所，那是他和另外几个朋友亲手挖出来的。他没说出另外几个朋友都是谁，看来他并不想把秘密全部告诉我。他说，我们挖得手指都出血了，他们终于把所有的草堆都打通了。

我们顺着通道往里钻，我们拐过一个草堆，进入了第二个草堆的通道。我忽然觉得这样深入草堆之中非常危险，要是外面有人扔个烟蒂，草堆着起火来的话，那么，我们就会被烤糊了。就是没人扔烟蒂，草堆也有可能自燃，我对阿田说，我从书上看到，草堆在一定的温度条件下，是会突然自燃起来的。

阿田说，草堆都被我们打通了，通风了，它就不会自燃。

我说，那么，一旦着火，就一定是有人扔了烟蒂。

阿田责怪我说，你这个人怎么了？尽讲些触霉头的话！

我们又拐过一个草堆，进入了第三个稻草堆的通道。突然

529

我听到从通道深处传来了人声。阿田显然也听到了，他伸手将我挡住，不再前行。我们蹲下来，竖起耳朵听那边的动静。我听到一个男人含糊不清的声音夹杂在一个女子哼哼唧唧的声音中。两种声音像是两股搓绳的稻草，纠缠编织在一起。

我突然感到自己的全身热烘烘的，心跳也明显加快了。

那边女人哼哼唧唧的声音中止了。响起了男人和女人的谈话声。他们说笑着，他们当然不会知道我们在这边偷听。要是他们的目光能够拐弯，那么他们就会发现我们了。

好像是玲宝！阿田咬着我的耳朵说。

我不相信会是玲宝，玲宝是哥的女朋友，而此刻哥正在家看护母亲，他不可能和玲宝到这里来。

可是，当这对男女从稻草堆里钻出来，离开稻草场的时候，我看清了女的果然是玲宝。我们在通道内向外观望，看到了玲宝。她的上衣有点皱。她抚弄着自己的头发。她对男的说，你先走！

我们这又看清了男的，他竟是卫川的父亲。我对阿田说，卫川的爸爸这么大了还尿床，卫川说他的家伙有毛病呢。

阿田说，他肯定没毛病。

我说，卫川对我说过的，他爸从不和他妈睡一起。

阿田说，那就是他妈有毛病了。

我想起了慈蔼的林老师的脸。她的脸上总是挂着淡淡的笑。不过，她确实太像是个病人了，她走路轻轻的，步子小小的，她看上去没有一点多余的力来将步子跨得更大些。她的一举一动都让人感到她在节省力气。

这一年的冬天特别冷。虽然宽阔的明江因为水流湍急而未曾冰封，但观音桥下的市河，却结上了一层厚厚的冰。据说这在江南，是非常罕见的寒冷了。屋檐下的冰凌，像倒着的春笋那样一节节向下生长。找一根竹竿或者树枝抽打冰凌，是一件非常有趣的事。啪，啪，随着啪的一声响，冰炸开了。冰像玻璃一样破碎了。冰掉在地上，当当当地响。碎冰飞到脑袋上、脸上，有一种尖锐的疼。在某些冰凌中，琥珀一样包裹着瓦楞草。这些枯黄的瓦楞草，因为强劲的北风而落到了瓦楞的边缘，后来冰就将它们包裹了起来。我手上托着这样的冰块，多么希望它能永远不化啊。要是它像真正的琥珀一样不会融化，那么，我就可以把它摆在桌上，它不就是一块水晶纸镇么？

卫川提着几块圆圆的冰走过来，他对我说，如果你想要，我可以给你一块。

我看清了他提着的冰，每一块都很圆，每块都打了个小孔，用草绳穿起。卫川说，这像不像一面锣？说着他用一根树枝敲了敲它们果然发出了当当的声音。

你是从哪里弄来这么圆的冰的？我问。

卫川说，人家晾在门外的马桶，每只里都有一块，都很圆。

那不臭死了？

臭什么？都是洗过了的马桶么！

那么，我问，你是怎么打出这么圆的小孔来的呢？

卫川有点得意地笑了。他从口袋里掏出一包火柴，说，我用火柴烧出来的。

卫川的火柴有点特别，它比通常的火柴盒大。我向卫川请求说，能不能送两根给我？

卫川说，不要说两根，就是一根也不能给你。为什么？

卫川打开了火柴盒，里面只有一根火柴了。令我深感意外的是，这根火柴竟是绿头。我还从未见到过绿头的火柴呢。你从哪儿弄来的？

卫川说，是我爸从南京带回来的。

你爸去南京了么？

卫川说，我爸替他们店到南京去弄了十只钟山牌手表来。你见过钟山牌手表么？

我没见过。

卫川说，阿田的爸爸已经预约好了，托我爸给他买一只呢。

我说，我爸也想要一只手表，行么？

卫川说，那就不一定有了，我爸总共带了十只回来。全丰桥镇只有十只。

我问，十只也轮不到我爸么？

卫川说，要是二十只，就有可能轮到你爸了。

我有些为父亲不平。

我忽然对卫川说，你爸会买一只钟山表给玲宝吧？

卫川说，给她干什么？

我说，你不知道你爸和玲宝好么？玲宝是你的小姆妈呢！

卫川对我瞪着眼珠说，珍宝是你的小姆妈！

我说，我亲眼看到的，你爸和玲宝在稻场草的草堆里。不信，你还可以去问阿田，阿田也看到的。

我突然想到，我这么对卫川说，就是把稻草场的秘密给暴露了。

刚过了年，玲宝有喜的消息便成了北栅头的街谈巷议。连母亲也加入了议论者的行列。我听到母亲对姑妈说，她还怎么做人啊！

姑妈的老脸上泛出了红光，愁苦的表情暂时隐退了。她才十五啊！姑妈说。

母亲说，要是在旧社会，十五岁当妈妈也不是什么稀奇事。

姑妈说，可这是现在。

这时候哥哥回来了，他鼻青眼肿，他的嘴角还能看到血迹。

跟谁打架啦？打得这样！母亲说。

哥什么都不说。

母亲从筷筒里拔出一把筷子来，要打哥哥，哥却把母亲的手挡开了。哥挡得很重，他把母亲挡得向后退了一步。母亲又冲上来要打，哥又把她挡开了。母亲于是大哭起来，她叫道，我养你这么大，你都敢打我了！那就我死，看我死了谁给你饭吃！

听母亲说到死，姑妈紧张起来了，她拉住母亲说，大过年的，别说死啊活的，大魄他哪里敢打你，他是怕你打，用手护着自己呗。

姑妈一边对哥说，还不快给你妈赔罪！

哥说，妈，我没打你。你打我吧！哥的态度忽然发生了转变，一定是母亲以死相挟的结果。

母亲却不打哥哥，她把筷子扔了一地，像一地的游戏棒。她哭着说，我不要打你，我哪里要打你，我再也不管你了，你要杀人放火随你便！

姑妈对愣站着的哥说，还不快去拎水！

我和哥到了楼下，哥对我说，今天你去拎水吧，明天我来拎，我们换一天。

　　我问，哥，谁打你了，打得这么凶？

　　哥说，是汝志雄和汝志伟。他们算什么好汉，两个打一个，还抢木棒。我可什么没拿，就凭两只拳头。他们突然袭击，我这眼睛都挨了一棒，现在都不怎么看得清，不知会不会瞎了。

　　我要给哥涂红药水，哥却不涂那个。哥说，涂得脸上像猴屁股似的，被人笑的。

　　我说，他们为什么要打你？

　　汝志雄这狗操的，他说我弄大了玲宝的肚子。

　　你跟他说不是你了么？我说。

　　哥说，我说了。

　　我说，他还打？

　　哥说，他还打。他说，玲宝一直被我花得团团转，肚子一定是我弄大的。我操他妈，他妈的肚子才是我弄大的呢！

　　我说，哥，你不对他说么，玲宝的肚子是卫川的爸弄大的？

　　哥说，我不能这么说玲宝。

　　我说，可是大家都知道了呀。

　　哥说，我担心玲宝会出事呢。

　　我知道哥哥担心的是什么。因肚皮被弄大了而自寻短见的，在丰桥镇不乏先例。观音桥堍甘蔗摊魁老板的大女儿甜蕉，也就是甜蔗的姐姐，当年就是跳到观音桥下的市河里死掉的。魁老板问甜蕉肚子是谁弄大的，甜蕉就是不肯说。甜蕉已经有了四个月的身孕，魁老板才发现。甜蕉隐藏得很好，她将肚皮缚得紧紧的，如果她的那个小孩真能生下来，会不会是扁扁的呢？至少头是扁的，就像阿田的脑袋。魁老板对甜蕉说，要是你不说出来，我就打死你！甜蕉问，要是我说出来呢？魁老板说，那就打死那个弄大你肚皮的人！甜蕉问，你打得过他么？魁老板说，我打不过他咬也要咬死他！甜蕉说，那算了，还是我死吧。当年听了甜蕉的故事，不知怎么我把她和英雄刘胡兰联系了起来。

　　然而事实证明，哥哥的担心完全是多余的。玲宝并没有步甜蕉的后尘，世界上并不是人人都把杀头看做风吹帽的。玲宝不仅没死，她反而打扮得更漂亮了。她逢人便在脸上堆起甜甜的笑，仿佛她当上了学毛选积极分子似的。她给自己的头发上油（当然不是姑妈一样的菜油），在今天看来，这当然是一种非常落后的美发观念。也许她只是在脑袋上抹了些水。不过看上去的确很"新"。

　　你要让你肚子里的小孩生下来么？我问玲宝。

　　玲宝的笑顿时收敛了，她说，小赤佬，老阿姐的事情要你来管？

　　我说，要是生下来，他就是卫川的弟弟了。

　　玲宝抽了我一记，她出手挺重。她的突然出手，把一只在我们边上听我们讲话的鸡吓着了，它咯咯咯地扑翅乱飞，它令地上的沙土飞扬起来，玲宝赶紧用手护住她的口鼻。她是个爱清洁的姑娘。

　　令我不解的是，玲宝为什么要跟卫川的父亲好。卫川的父亲瘦瘦的，夏天能看到他宽大短裤里的两条腿，不会比魁老板摊头上的甘蔗粗。他的嘴还特别臭。虽然它没有卫川的狐臭厉害，但也实在难闻。玲宝跟他在一起时，一定会闻到这股难闻的味道的。她就不嫌弃么？他们肯定会亲嘴，她就不恶心么？她愿意跟这样的人，那么她一定也愿意跟哥哥。哥为什么不操她呢？我知道哥并不喜欢她。那么，汝志雄为什么不操她呢？当然，我不能肯定她有没有跟汝志雄操过。要是我要操她一次，她会答应么？

玲宝肚子里的孩子没有生下来。我们没看见她的肚子一天天大起来。她的腹部，还是跟从前一样瘪瘪的。以至于我都怀疑，她被卫川父亲弄得有了喜，这到底是不是真的。不过，人们都在这么说，看来是真的。

不久，卫川的父亲被抓起来的消息就在丰桥镇传开了。

据阿田说，卫川的父亲被抓进去之后打得不轻，他把尿都尿在身上了。他本来就有尿床的毛病，这一次，他不是尿在床上，是尿在身上了。阿田还说，卫川父亲的一条细腿都被打断了。

他们为什么要打他？我有些不解。

阿田说，他不肯承认。

他为什么不承认呢？

他要是承认了，说不定就会被枪毙。

干这事是要被枪毙的么？我问。

阿田说，这要看是干谁了。他操了玲宝，玲宝只有十五岁。

我说，我姑妈就是十五岁嫁人的。

阿田说，嫁人是两码事。再说，那时候是旧社会。

我说，那卫川爸真是不该承认的。

阿田说，要是他不承认，说不定会被打断另一条腿。

我说，要是他两条腿都被打断，他就会变成一个瘫子了。

阿田说，那总比枪毙了好。

我想象卫川的父亲日后将坐在一个草把上用两只手走路，

说，那还不如死了好呢。

阿田说，我就怕他没等打断第二条腿就承认了。

我说，他的一条腿已经被打断了，他都没有承认，他会吃不住打另一条腿么？

阿田说，正因为他已经被打断了一条腿，才会怕被打断另一条腿。开始他不知道断腿的厉害，等真的断了一条腿，他就再不敢让第二条腿去挨打了。

事实被阿田不幸而言中。消息传遍了全镇：老卫要被枪毙了，他承认了，他要被枪毙了。消息有眉有目，说老卫下个月就要被枪毙，枪毙的地点是牛舌头湾。

牛舌头湾是个枪毙人的老地方。在那个三面是水的半岛上，不用担心有什么人来劫法场。把人犯拉到那里，拦住了围观人，枪毙就可以开始了。让人犯跪在牛舌头湾松软的地上，按下他的头，对准他的脑门开上一枪，他就完了。从前丰桥镇的恶霸地主梁云龙、历史反革命刘建三、太湖女盗王青妹、美蒋特务朱宝生，都是在牛舌头湾被枪决的。阿田说，哪天枪毙卫川的爸，我们去牛舌头湾挖子弹吧！子弹从老卫的后脑勺进去，一定会从他的前额出来，然后钻进土里去。我们去把弹头挖出来。阿田说，要是我们去得巧，还能捡到弹壳，他能把手枪弹壳制成一个小刨子，用它来刨黄瓜最好。一颗子弹要二角四分钱呢，阿田说。你知道这钱谁出么？阿田问。我不知道这钱将由谁来付，反正不会是老卫付，到时老卫都死了，怎么付？阿田说，你不知道吧，枪毙人的子弹费，得由家属付。我的眼前忽然浮现了卫川母亲林老师的脸，那张善良的、愁苦的、苍白的、略带忧郁的脸。我猜想她也许会拒付这二角四分。她会说，你们打死我吧，将我打死的子弹由我来付。

你看过枪毙人么？阿田问我。

我没看到过枪毙人，我说。

阿田说，枪毙人好看，那些人知道自己快要死了，样子就是不一样。

我问，要是给你一把枪，你敢枪毙人么？

阿田说，那有什么不敢的，用枪顶着他的后脑勺，一扣扳机，砰的一声，就结束了。

我说，要是脑浆溅到你手上身上怎么办？

阿田说，什么东西用肥皂一洗都没事了。

要不要去卫川家看看？我提议。

阿田说他也正想去看看卫川的母亲是不是在哭。阿田的父亲是大前年死的，阿田说，他的父亲死了以后，他母亲有一阵天天晚上哭。他记得这一切。她母亲总是给自己泡好一杯茶，取来一条洗脸毛巾，然后坐下来安安稳稳地哭。哭哭，喝一口茶，用毛巾擦一擦脸。阿田发现，他母亲总是在哭的同时照镜子。她在镜子里欣赏自己哭泣的脸。那时候阿田不过八九岁光景，他还不懂得劝母亲别哭。他只是躲在隐秘的角落里看母亲哭。他觉得母亲哭得特别有滋味，喝一口茶，继续哭，就像是在跟谁津津有味地交谈。阿田用手指甲在板壁上轻轻划动，这声音显然让他的母亲听到了。她止住了哭，侧过脸来听。当她判断这声音不过是家里的老鼠发出的之后，又接着哭了。要哭很久很久呢，阿田说。

林老师一定在哭。阿田也管卫川的母亲叫林老师。

可是我们看到，林老师并不如我们所想象的那样在哭泣。她拖着缓慢的步子从屋子里走出来，她走到院子里，刚好见到我们。她对我微笑着。我叫她林老师。阿田也叫了她一声。我们问林老师，卫川是不是在家？林老师说，他连中饭都没吃就出去了，真是急死我了。听林老师嘴上说急，看她的样子却一点都不急，她还是那么小心翼翼地，缓慢得像是电影里的慢镜头。

找卫川有什么事么？林老师问。

当然是找他玩，阿田抢着说，既然卫川不在家，那么我们去找他吧！

林老师说，去吧，去吧，你们要是见到卫川，就让他快回来。

我对林老师回回头，说，林老师你放心，我一定对卫川说。

林老师提高了嗓音对我说，二魂，再来我下鸡蛋挂面给你吃啊！

我忽然想做林老师的儿子。要是我真是林老师的儿子，我就不跟卫川睡，我要一个人睡一张床，我要有自己的被子，让卫川被狐臭熏得令人反胃的被子离我远远的。我要给我的妈妈林老师捶捶背，帮她倒马桶。她一定拎不动一只满满的马桶。

出了卫川家的屋子，阿田说，林老师像个僵尸。

我不想阿田这么说林老师，我说，林老师人很好的。

阿田说，我看到她害怕。她直挺挺地走路，脸上的笑假假的，要是夜里看到她，我会吓出病来的。

我不得不承认，阿田说得有点道理。这时候我脑子里浮现出的林老师的形象，真像是一具僵尸。她绷紧了身子，全身各个关节都一动不动，她脸上的表情几乎是凝固着，她像是在哭，又像是在笑。她完全把我当成了个陌生人，见了我一点反应都没有。一道阴冷的光照射在她的脸上，她的脸因此看上去很白，白里透青。忽然从她的嘴角淌出一缕鲜血来，蚂蟥一样往下爬动。我必须从她的面前逃开，可她的手臂却突然伸出来，无限止地伸长，一把将我抓住了。我拉住阿田的衣袖，对他说，你见过僵尸么？

阿田说，我没见过僵尸，但我知道它们是什么样子的。他建议我说，什么时候我们来假扮一次僵尸，吓吓人怎么样？阿田似乎早已有了比较成熟的方案，他说，我们找一捆草绳来，将自己的身体一圈圈绕起来。然后用一个手电筒，从下巴往上照。当然，他特别强调说，走路不能像平常那样走，要僵直着身子，一跳一跳地前行。

我有点害怕。但想到别人会因此更害怕，确实也想试试。

我知道一个地方，卫川也许会在那里。那就是稻草场。我的猜测可以说毫无道理，卫川为什么要去稻草场呢？

我们忽然看到，一阵浓烟升起来了。烟像是一只笨熊，向空中爬着。阿田拖着我向浓烟升起的方向奔去。我们奔了没几步，就看到熊熊的火冲天而起。着火了！着火了！火呼呼地响着，像是宣传队里舞动的大红旗——不是一面，是十面，几十面，几百面，呼呼的火填满了整个天空，热浪逼使我们一步步地后退。

丰桥镇上一直在传说，被关了两年多的卫川的父亲最后一定会被枪毙。大家都在等着这么一天，到牛舌头湾去看老卫吃子弹。

可是，老卫竟然被放出来了。他被打折了一条腿，这是真的，当我见到卫川的父亲时，他走路像是一个不倒翁那么晃荡着。他就这样摇摇晃晃地去东栅水泥厂监督劳动了。在水泥厂里，老卫干最重的活，那就是扛五十斤一袋的水泥。老卫瘸着腿，要扛起它真不容易，他的腿本来就只有甘蔗粗。但老卫不能不扛，他这是去劳动改造的。

老卫觉得累是累点，比关在里面要好。我在水泥厂见到老卫，他说，干活说说笑笑的，散心。

老卫放回来的那天，林老师问，你是不是鬼啊？

老卫笑笑，我怎么会是鬼呢？

林老师说，我以为你已经被枪毙了呢。

老卫说，嘿嘿，我活着回来了。

林老师却提出来要跟老卫离婚。林老师说，我等了你两年多，就是要等到你出来后跟你离婚。

老卫说，我都出来了，你还要跟我离婚干什么？

林老师说，你叫我的脸往哪里放？

老卫说，那你为什么不早点跟我离？

林老师说，你关在里面，都说你要被枪毙，枪毙了倒好。

老卫对林老师说，我对不起你。

林老师说，那就离。

老卫说，你身体一直不好，离了就缺了个可以照顾你的人了。

林老师说，我就当你已经吃了子弹，我自己照顾自己好了。

老卫说，我以前一直对你很好的，我还买了一只钟山牌手表给你戴。

林老师说，你去外面乱搞，还说对我好？

老卫说，我的一条腿都打折了，也得了报应。

林老师说，我可不能再跟你在一起了，我一见你，就闻到一股臊气。

老卫想了想，说，那就离吧。

老卫离了婚，就住到水泥厂的一个工棚里。工棚里堆放的是水泥。我到水泥厂学工，见到他，他说，他的鼻孔里每天都能挖出一小块水泥来。他说，他的肺里也一定有许多水泥。老卫还兴致勃勃地告诉我们，他有了一项重大的发明，那就是，将水泥拌在饭里给老鼠吃，老鼠吃了这样的饭，没有不死的。老卫说，水泥这东西，一遇水就板结了。水泥到了老鼠的肚子里，把老鼠的五脏六腑都凝成了一块，它还有活的道理么？

老卫问我，你林老师身体好不好？

我说，卫叔叔，你可以去看看林老师的么。

老卫说，我已经跟她离了婚，再去就不好了，人家会说我是去轧姘头的。

我告诉老卫，林老师家里一点都没有变化，她跟老卫、卫川一起拍的照片都没有从墙上的镜框里取下来，林老师还是把你当做一家人的么！

老卫却说，不是她不想取，而是她没有力气把镜框从墙上拿下来。她的身体太不好了，一阵风也吹得倒。

我当时想，这也是老卫要跟别人乱搞的原因吧。

老卫还跟我说起卫川，老卫说，卫川因为是独子，他毕业后就不会下放，他希望卫川能到农机厂当一名钳工。老卫认为，卫川有这方面的特长。老卫最担心的是卫川分配到水泥厂来。他悄悄对我说，这里的活不是人干的。老卫说这话，要是被人听到，那对他是很不利的。但我理解他为什么这么说，他在这里干得实在太苦了。

老卫告诉我，等他劳改期满，他要带卫川到西塘去开刀。老卫说，他认识西塘一个医生，治狐臭能治断根。老卫说，卫川这个毛病重得很，每年夏天，他们家里这股气味就特别浓。要是不替他治好，将来老婆都讨不到的。老卫说，谁吃得消这种气味啊！老婆就是讨回来，也要逃跑的。

我问老卫说，卫叔叔，卫川不是已经不认你这个爸了么？你带他去开刀，他不一定肯跟你去的。

老卫说，哪有儿子不认爸的，他还姓卫，不还是跟我姓？

话虽这么说，但我看得出，老卫不太自信。据我所知，老卫被放出来后，卫川一声爸都没有叫过他，见了他也像陌生人似的。

老卫没有想到，他没有吃子弹，倒是他的儿子卫川要被枪毙了。

这个消息在北栅头像一声震雷，大家都感到了吃惊。

卫川说，他的火柴盒里只剩下最后一根火柴了，但他一划，就划着了。不过稻草堆里有人，却是他没想到的。卫川说，我只想烧了稻草场，没想把人烧死了。他们在草堆里，为什么不跑出来呢？

审讯的说，你放了那么大的火，一下子就把他们熏倒了。

卫川说，我只是烧了稻草。

审讯的说，可你烧死了两条人命！

卫川说，我不是故意的。

审讯的说，你要是故意的话，要枪毙你两次！

真的要枪毙我？

真的！

什么时候！

快了！

卫川提出请求，能不能见见我爸？

于是老卫被带来了。

老卫说，阿川啊，你为什么要放火呢？

卫川对他父亲说，烧了它你就没地方跟玲宝乱搞了。

老卫说，我只操了一次。

卫川说，要是你操第二次，就把你们烧死了。

老卫含泪说，你想把爸烧死么？

卫川说，非常想。

老卫说，我再也不乱搞了。

卫川说，可是我要被枪毙了。说完这话，卫川不再说什么了，但他的嘴巴蠕动着，他像是在偷吃什么东西。老卫说，儿子啊，你是不是想说什么？要说什么你就尽管说吧！

卫川什么都不说，嘴巴却还在动着。

老卫说，儿子啊，你是不是想哭？想哭你就哭吧！

卫川还是什么都不说。不过，他猛地将一口血水喷到了老卫的脸上。卫川咬破了他的舌头，血水红颜料一样从他的嘴里喷射出来，把他的父亲射中了。老卫差一点被他喷倒。老卫稳了稳身子，大声地叫起来，儿子！儿子！于是卫川的第二口血水又喷到了，这回吐在了老卫的头上。儿子！儿子！老卫疯也似的叫唤，结果被人拖了出去。

因此在牛舌头湾枪毙卫川的时候，大家都相信卫川已经不会讲话了。他咬断了自己的舌头。有传闻说，卫川将血水吐向老卫的同时，他把自己的半条舌头也吐了出来，它从老卫的头上滚落下来，只不过老卫没有感觉到。卫川只剩下半条舌头了，他还能说些什么呢？而人们是希望卫川说些什么的，以往的牛舌头湾上的临刑者，从来都没有让人们失望过。无论是恶霸地主梁云龙，还是历史反革命刘建三、太湖女强盗王青妹，都在死前留下一两句话。人们很重视这样的遗言，它将在相当的一段时间内成为丰桥镇人的热门谈资，并将在不断的加工润色后一代代流传于民间。而卫川却要令人们失望了，他将默默地赴死，让枪声孤零零地响起，让人们在事件之后走进漫漫长夜般的岑寂，他将使牛舌头湾的传统出现断裂。

人们的希望只剩下了最后的一点点，那就是，但愿卫川能在枪响之前嚎啕大哭一番。他至少也该发出一点声音。他不会说话，并不等于发不出声音。哑巴还能哇啦哇啦一阵乱叫呢。卫川的哭，应该尽可能地响，惊天地泣鬼神，将人们善良的心深深打动，让所有的围观者都差不多要为他流下泪来，让人们的内心再次出现久违的酸楚和怜悯，让人们的嘴里为他发出啧啧啧的声音。生活需要这样悲悯的感觉，需要为旁人流泪，需要为一切别人的重大不幸扼腕叹息。

可是卫川让人们失望了。他自始至终勾着脑袋，直到跪在了地上，都还没有一点要哭的迹象。有人甚至怀疑他是不是已经死了。但他显然没死，他要是死了，还能一步步走向刑场么？虽然他被人架着，但他毕竟是在一步步地走着，这一点是不难发现的。他像木偶一样走到了牛舌头湾的荒地中央，他跪了下来，像一件重物落地。

随着卫川的跪下，所有的声音都没有了。人们几乎敛住了呼吸，人们在一片突然出现的死寂中等待着。等待着什么呢？仅仅是一声清脆的枪响么？

北栅头的自来水姗姗来迟。

早就听闻自来水管要铺设到北栅头来了，大家在盼着这一天。有了自来水，就不用天天提着木桶到河边去拎水了，家里的大水缸也可以派别的用场了。大水缸用来腌菜最好。北栅头几乎家家都要腌一大缸菜，雪里蕻、瘦八斤、青菜苔。将新鲜的菜买回来，到河里洗净，然后一棵棵挂到绳子上晾干。腌菜常常要腌一个黄昏。铺一层菜到缸里，撒上盐，然后就是赤了脚进缸里去踩。我们家踩菜的任务总是由哥哥来承担。他力气大，又不怕吃苦。大冬天他赤足站进缸里，踩冰凉的盐和菜，踩得像跑步一样欢。他是个保持多年校纪录不败的长跑冠军，他能连续踩几个小时不休息。一缸菜腌好了，哥的脚底被盐磨去了一层皮。那时候父亲在家，他从来不吃腌菜。他提出，腌菜富含亚硝酸，吃了对身体有害。但他不反对我们吃，当我们切上一大盘又酸又咸的腌菜就着滚烫的粥稀里哗啦吃得欢时，他只是嚼一颗花生米喝一口粥。我有一天忽然醒悟，我想，父亲不吃腌菜，也许并非从维护健康计，他一定是觉得菜里踩进了哥的脚皮，实在难以下咽吧。因为那天家里腌菜，父亲提了一双雨鞋回来。他把雨鞋往地板上一扔，说，穿着它踩菜吧。我们都不太明白父亲此举是出于爱护哥的脚呢，还是为了菜不受哥哥脚的污染。反正哥穿上雨鞋踩菜，没有从前赤脚踩得欢了。他说，这双雨鞋不跟脚，他每次将脚抬起来，都担心鞋会滑脱。哥说，倒不如赤脚来得爽快。

说我们都是吃咸菜长大的，也许并不确切。但是，咸菜在我们的生活中，确实是一个什么都不能替代的主角。我们哪一顿不吃咸菜？我们不仅餐头上吃，我们还用咸菜来佐茶。抓一块咸菜吃，咸了，就喝水；水把嘴冲淡了，再抓一块咸菜吃。这叫吃菜茶，20 世纪末被泛文化论者称之为"阿婆茶"。如果你来江南名镇同里和周庄旅游，你就能吃到阿婆茶。我们甚至还把咸菜包在纸包里当零食吃。我们抬起头，让嘴巴朝天，然后把一块或者一根咸菜放进嘴里。渴是我童年和少年时代印象最为深刻的感觉。我们摄入了大量的盐，西方人一辈子盐的摄入量，我们在短暂如风的童年时已经完成了。我们的小便都是咸的，当我们在小便后舔到自己的手指时，我们确信这一点。

应该说母亲不是个腌菜的好手，虽然她腌菜年年复年年。她不是腌得太咸，就是腌得太淡。她会在餐桌上说，唔，太咸了，真的太咸了，明年一定要少放些盐；或者说哟，太淡了，真的太淡了，明年可要多加些盐。可是到了明年，她不是放少了，就是加多了，然后把后悔再带到来年。在我的记忆中，她从来都没有把盐放得恰到好处过。与母亲比起来，卫川母亲林老师就称得上是一位腌菜的大师了。她腌的菜不仅咸淡正好，而且有一股鲜味在咀嚼中透出来，仿佛长了钩子似的把人的食欲吊起来。以前每到卫川家，我们都要坐下来吃菜茶。我们的茶里并不放茶叶，只是加入些葫萝卜丁、熏豆和炒熟的芝麻。葫萝卜丁像玛瑙，熏豆像翡翠，芝麻像黑宝石。这些色彩艳丽芳香的食物，被我们欢乐地无休止地灌进肚子里去。林老师家负责踩菜的是卫川，我们曾怀疑，是卫川的狐臭才令他们家的咸菜如此鲜美无比的。这并非不是孤立的现象，臭豆腐正因其臭，才变得鲜美的。我们家的菜缺少一双狐臭者的脚来踩，当然就不会有这样的鲜美。不过，母亲的责任是不能因此而推卸的，加盐的功夫不在卫川，而在羸弱的林老师。卫川被枪毙后，林老师家的腌菜就有了问题。林老师当然不可能跳进缸里去踩菜。她弱不禁风。虽然卫川父亲劳改结束后，林老师与他复了婚，他们又成了一家子，但要老卫来挑起踩菜这副担子，显然也是不现实的。谁都知道，老卫的一条腿已经被打折了，他走路左摇右摆，在腌菜缸有限的直径内，他是不可能从容地活动的。退一步讲，即使老卫的腿不折，他也完全不适合踩

547

菜。他的腿细得像甘蔗，他不可能将一百斤菜实实地踩进一只缸里去。老卫在河码头上遇到我，他低声下气地请求我，是不是能看在我吃过许多碗林老师下的鸡蛋面的份上，帮他家一个忙，去帮林老师踩一下菜？他把腌菜说成是林老师的事，他很懂得我的心理。

我无法拒绝老卫的请求，想到林老师那张慈蔼而忧郁的脸，我觉得我应该做一次雷锋。

老卫劳改一结束，林老师就托人把老卫从水泥厂叫回来了。她对别人说，自从卫川被枪毙后，她没有睡过一天安稳觉。她没有一夜关过灯，她开着灯睡觉（那很费电，我的母亲评论说），她听不得一点点声响。苍蝇蚊子蛾子飞过林老师的面前，她都会把它们看做是子弹，长翅膀的子弹。林老师说，枪毙我吧，枪毙我的子弹钱我来出。林老师说，她只要一睡着，就会出一身虚汗冷汗，所以她白天不停地喝水，不停地嚼咸菜。林老师说，要不，她身体里的水分和盐分就耗尽了。林老师让人带口信给老卫说，让他回来吧，管他是人是鬼，都让他回来，我再不能一个人过了，我要变成神经病了。

于是老卫就回来了。他扛了一卷破棉絮，回到了林老师的身边。老卫虽然瘸着腿，但他扛着一个硕大的铺盖卷显得很轻松。这都是因为他在水泥厂得到了充分的锻炼，百来斤重的水泥他扛了这么多日子，破棉絮当然不在话下了。他扛着铺盖卷回家，胡子拉碴，林老师说他跟叫花子没什么两样。但是，林老师还是伏在老卫的肩头哭了。失声痛哭，这在林老师是从来没有的事。林老师的整个身体，都压在了老卫的肩上，老卫晃了晃，差一点倒下。但他很快就将自己不太平衡的身子稳住了，他拿出了扛水泥的劲扛住了林老师。他叉着腰，准备林老

548

师长时间地哭下去。

　　我把裤脚管高高地挽起，在林老师家的腌菜缸里小鬼一样跳着。我把一层菜踩实，就坐到林老师为我准备的凳子上，稍事休息，与此同时，林老师就在缸里再铺上一层菜，用勺子撒上一层盐。林老师由于不方便弯下腰，她的腰总是显得那么僵硬，因为她手里的盐就从高空飘落进菜缸里，她像是在制造一次次人工降雪。雪飘啊，飘啊，林老师的泪也不断地落下来，落在菜缸里。我对她说，林老师，你不要伤心，现在卫叔叔也回来了，你晚上睡觉就不会害怕了。

　　林老师说，二魂啊，要是卫川活着，这菜就不用麻烦你来踩了。

　　我说，林老师你不要客气，以后每年我都来帮你踩菜好了。

　　林老师对我说，你是一个很好的孩子，卫川活着的时候，我就非常喜欢你。我甚至一直想，要是你爸爸不要你了，你就到我家来，做我的儿子，二魂啊，我要是有你这么一个儿子就好了。

　　林老师越说越伤感了，我不想让她这么伤心，我对林老师说，我虽然不是你的儿子，但你以后有什么要我做，就把我当做儿子使唤好了。卫川活着的时候，是我最好的朋友，现在他不在了，林老师你老了，什么都干不动了，我就来服侍你。

　　林老师的泪流得更欢了，它与盐花一起纷纷地往腌菜缸里落。

　　一缸菜终于踩完了，林老师端了洗脚水来，让我洗脚。她在脚盆边上放了一个热水瓶，她说，看你的脚冻得有多红，快用热水好好泡泡，水凉了，再加点。她歉疚地说，林老师腰不好，蹲不下来，否则的话林老师来给你洗脚，把你的脚好好揉揉，看你的脚有点肿了。

我对林老师说，就让我自己来洗脚好了，哪能让你给我洗？我从小就是自己洗，要是别人替我洗，我就像大地主刘文采了。

我的脚泡在林老师端来的洗脚水里，感觉痒痒的。这种感觉很不舒服，因此我不想泡下去了，我用林老师送来的脚布把脚擦干净，套上袜子，穿进鞋子里去了。干完这些，林老师就端着一碗鸡蛋面来了。而装在一只大海碗里，腾着热气。面还没到我的跟前，我就闻到了一股芳香的蒜味。林老师这回给放了两个鸡蛋。她把碗和筷子送到我的手里，说，吃吧，你一定饿了。

我接过碗，假客气地说，不饿。

林老师说，你一定饿了，你是毛头小伙子，正当是肚子爱饿的年纪。

我吃了起来，我吃得有点不够文雅，我确实饿了。

林老师坐在一边看着我吃，她说，以前你到我家来，我总是下两碗面条，卧两个鸡蛋。现在卫川不在了，两个鸡蛋都给你吃。说着，她的泪又落下来了。

那边老卫对林老师说，你又哭什么，你伴在边上哭，二魂吃得都不香！

林老师对老卫说，我爱哭就哭，关你什么事？你在这里说什么风凉话？不如给我去拎水！

林老师说是这么说，却止住了哭，并把眼泪擦干了。

我不知道我这吃的是林老师下的第几碗面条。这确实是一碗不同于以往的面条，除了里面多了一个鸡蛋，我是第一次没把它吃光。我实在难以把它吃光，也许它的数量也一倍于以往，但是，重要的原因还在于，我的胸口堵得慌。

老卫拎了几桶水，他把水洒得厨房里都是。这不能怪他，他的身子左右摇晃得实在太厉害了。他喘着气对林老师说，就拎半缸水吧，反正明天自来水就要通了，多拎了也是浪费。

明天，自来水确实要通到北栅头来了。这是来自官方的消息。街长在酒厂门口贴出了告示，通知大家做好迎水的准备。到时将敲锣打鼓庆祝北栅头胜利通水。况且，水管都已经在家家户户的门外埋设好了，水龙头也已在各家的厨房里安装完毕。只要把水管和水龙头一接通，就可以供水了。水将自动地流到每家每户的厨房里，流进我们的水壶里，流进我们的脸盆里、锅里，流进我们的生活里。

多年以后，我家收到了一封奇怪的信，是一张平反证书：

平反证书

张德民同志：

由于受左的错误路线的干扰，你在文革中被打成现行反革命，为拨乱反正，现予以平反。

我们都不知道张德民是谁，搞不明白这封信又是怎么寄到我们家里来的。最后母亲嘱我把这张奇怪的"平反证书"送到镇政府去。

我把这张证书揣进衣袋里，没有直接去镇政府，我先去了林老师家。这么多年来，我从未忘记秋去冬来的时候，去帮林老师腌菜。

林老师接过平反证书，戴上老花镜看了起来。她突然哭

551

了，一下就有点泣不成声的样子。她手上端的一个盐钵头也打翻了。老卫心疼那白花花的盐，他将地上的盐用手捧起来，装进一只碗里。直到他打翻的盐差不多都捧起来了，他才问林老师，你为什么要哭呢？

林老师说，卫川死得真是可怜，他小小年纪就做了枪毙鬼，我也要去为卫川平反。

老卫说，卫川又不是冤假错案。

林老师对老卫说，卫川都是因为你才放火的，你还说他死得不冤？

老卫说，就怕没人为他平反。

林老师说，我就是拼掉这个老命，也要给他弄个平反。

老卫说，平反也不能让他活过来。

林老师歇斯底里地说，我就是要给他平反！我就是要给他平反！

林老师是这样说的，也是这样做的。她开始一趟趟跑镇政府。她已经要挂一根拐杖才能很稳地走路了。她用一把破雨伞的骨子做拐杖，她的拐杖笃笃笃地敲着北栅头的青石板路。自此我经常可以看到林老师在路上走来走去，她的身影轻薄得像纸，她看上去像抽去了身体的一套空衣裤，在青石板路上飘来飘去。有一次我在路上对林老师说，林老师你身体不好，就待在家里好好休息休息。她对我说，她一定要等拿到了卫川的平反证书后才能休息。

许多日子过去了，林老师还是没拿到卫川的平反证书。

我内心非常同情林老师，我很舍不得她这么吃苦。她确实是在吃苦，她一天到晚支着破伞骨在镇政府和她家之间往返，她一定很辛苦。同时，她品尝着一次次的失望，她为什么还如此执着呢？临近冬天，我们服装厂每人发一件丝绵棉毛衫，我领了一件女式的，我决定把它送给林老师。在我的内心深处，林老师一直是比我母亲还要亲的人。失眠的夜晚，我总能听到空灵的笃笃声似有若无——那是白天林老师的破伞骨敲击石板路所发出的声音。这声音一直传抵夜的深处，传到失眠的我的耳朵里。心酸的感觉在我的四围烟一样弥漫，我实在想不出有什么法子可以帮林老师解脱眼下的困境。我把丝绵棉毛衫直接拿到林老师家，林老师却不在家。只有老卫在家。老卫正将他的瘸腿高架着，在听收音机里的苏州评话。

林老师呢？我问老卫。

老卫正被收音机逗得发笑，当我再问了一遍，他才回答我说，又到镇上去了。

我把棉毛衫递给老卫，我说，这是送给林老师的。

老卫接过棉毛衫捏了捏，说，又软又暖和，林老师真没白疼你。林老师在家里一直说，要是二魂是她的儿子就好了。

我什么话也说不出来。

老卫说，你愿意做我们的儿子么？

这话要是从林老师嘴里问出来，我一定会毫不迟疑地答应的。可问话的是老卫。

说实话我对老卫一点好感都没有，卫川有老卫这么一个老子，活该卫川倒霉。我没有理睬老卫，我只是让他好好劝劝林老师，让她不要再去镇政府了。卫川的事怎么可能平反呢？我说。

老卫满不在乎地骂了一声"神经病"，继续听他的评话了。我知道，他骂的是林老师。

那天晚上，林老师到我们家来了，她把我送她的丝绵棉毛衫送回来了。她说，二魂真是个好孩子，不过林老师不能要你的棉毛衫。林老师身体虽然不好，冬天却不怕冷。她将手上的破伞骨在地上点了点，说，林老师一天到晚在外面走路，热乎着呢！

为此母亲很生气。林老师走了之后，她絮叨个不停。她觉得养了我这个儿子是白养了，她觉得我对别人比对她好，她不能接受这样的事实。她对我说，我养到你这么大，你买过什么东西给我了？你倒好，这么好的一件棉毛衫，却去送给别人。我是你的娘，十月怀胎生了你，一把屎一把尿，一口饭一口粥把你养大，却还不如一个外人！

母亲不停地说着，说着说着还有点要哭的样子。姑妈对母亲说，你不要再生气了，二魂厂里发的这件棉毛衫，不是可以给你穿了么？

母亲说，他又不是给我的，我哪能脸皮这么厚去穿它！

姑妈对我说，二魂啊，快对你娘说，你把这件衣服送给她。

我对母亲说，妈，这衣服你穿吧。

母亲把棉毛衫扔到地板上，说，我才不稀罕呢！她无情地对我说，你没有我这个娘，你就去认林老师做你的娘好了！

我从地上把棉毛衫捡起来，几乎是哀求母亲说，妈，我是你的儿子，我不做别人的儿子，你就把这件衣服拿去穿吧。

母亲这才接过棉毛衫，捏了捏，说，软倒是真软。

我一直觉得，林老师一趟趟跑镇政府，这事总得有个结果。任何事都会有个结果。我曾在镇政府院内遇到过一次林老师。我所处的那个地方，正是当年展出泥塑"收租院"的院子。一具具泥塑，不知都被弄到什么地方去了。我站在这个空空的屋子前，想象当年一具具栩栩如生的泥塑，就像是一群来此开会的人。会散了，他们都走了。吃人奶的刘文采走了，狗腿子走了，广大被压迫被侮辱的佃农也走了。它们与人眼一般无二的眼珠子，曾经有一颗不见了，如果它当初是滚落到这个昏暗的地下的话，我今天能找到它么？我低下头，真的在黑乎乎的地面上找了起来。我相信它一定会星星一样闪着微光。就在这时，笃笃笃的声音从外头响进来了。这声音对我来说是那样的熟悉，它像是砖块在冰层上掷出的一串响。我抬头一看，是林老师来了，林老师支着破伞骨，走进镇政府来了。我忽然觉得，她就是昔年"收租院"里的一个人物，一个泥塑成的人物，她以虚假的姿态走进来了。她走进来干什么呢？是要走进这个空荡荡的屋子里来么？她会走进昏暗的屋里来，选择一个固定的身体造型，永久地、一动不动地站立在这里么？

林老师，我叫了她一声。

我这一声叫，把她吓了一跳，她颤了一颤，差一点摔倒了。多谢她手中的破伞骨将她单薄的身体支撑住了。她发现了是我，竟然躲开了。她那一刻真像是一个鬼影，在破旧昏暗的旧房子边一闪，就不见了。

我绕过山墙，还是没看到林老师的影子。林老师破伞骨的笃笃声也听不到了，她像是忽然在我面前消失了。

当晚我就得到消息，说林老师这么些日子来一趟趟跑镇政府，终于得到了一个比较明确的答复，那就是，要给卫川平反，那是绝对不可能的事，但是，镇上表示，可以在计划生育上给林老师以特殊照顾，允许她再生一个孩子。

得到这个消息后不久，我路遇林老师，看到她提了一大包东西从商场里出来。她很吃力地提着这包东西。我上前对她说，林老师，让我来帮你提吧！

林老师把东西交给我，却再三叮嘱我小心，她说，你可不能松手啊，你一松手，就要把里面的奶瓶打碎了。

我问她，买奶瓶干什么？

她对我的提问感到奇怪，她说，你不知道么，我要生小宝宝了？这些东西是必须要准备好的。

说着，她在沿街的石栏上坐下，将包里的东西一件件取出来给我看。除了奶瓶，还有小碗、小调羹、小毛巾、小鞋子、小袜子、小帽子、小痰盂、小脸盆、奶粉、米粉，还有一个塑料洋娃娃。林老师说，这些东西要是不早早准备好，到时候就会手忙脚乱的。

我看了看林老师的肚皮，它完全是干瘪的，我想象不出这样的肚皮里已经有了孩子，要真有，他也最多只有豆芽那么一点点，她已经将婴儿的东西都准备齐了，是不是有点为时过早？

林老师又把东西一样样放进马夹袋里，交给我，然后她用那破伞骨将身体支起来，说，走吧！

拎着林老师的包，跟着她一路向北栅头走去，我感觉我真成了林老师的儿子。许多陌生的路人一定把我们看做是一对母子的。为此我感到有点激动。我的激动也许还另有原因，那就是，我也确实相信了在林老师的肚子里，已经有一个小生命在暗暗孕育了。不久他就会被生下来，他是男孩还是女孩？他将是我的一个弟弟或者妹妹。我一直渴望自己有个弟弟，或者妹妹。当哥哥实在是很神圣和值得骄傲的。我仿佛已经听到了婴儿的哭声从林老师的肚子里传来，我不由得转过头去，充满关爱地看了一眼林老师的肚子。

可是几个月过去了，并不见林老师的肚子隆起来。可笑的是我居然悄悄做了一个小铃鼓，送到林老师的家里去。我对林老师说，我没什么礼物送给小弟弟（其实我内心更希望她是个小妹妹），这只铃鼓是我自己做的，小弟弟一定会喜欢。

林老师沮丧地说，她到医院检查过了，她根本没有怀上孩子。老卫在一旁说，你还说三月份就要生的呢！

林老师说，我要是当初没怀上孩子，会吐么？会一味地要吃酸么？

老卫奚落说，都什么年纪了，我看你也生不出孩子了。

林老师气愤地说，你怎么知道是我不能生？你怎么不说是你不能生？说着，她上前将老卫的衣袖扯住，说，我们到医院去查查看，到底是谁生不出！

老卫说，不要查了，多丢人啊。

林老师说，我偏要查，生不出才丢人呢！

老卫说，总不见得现在就去查吧？

林老师说，现在就去查！现在就到苏州去查！

老卫说，要查也得明天了。

林老师则坚持立即就去，她说，反正到苏州已经通了汽车。

不知道他们去苏州检查结果如何。林老师和老卫回来后都不说什么，他们两个像是商定了要保守一个共同秘密似的，对能不能生，是林老师不能生还是老卫不能生，绝对的讳莫如深。

不过，不久就看到林老师的肚子高高地隆起了，它一下子就隆起得那么高，给人的感觉是，她很快就要临盆了。这当然是个奇怪的现象，许多人都表现出了不理解。姑妈认为，除非是将林老师的肚子剖开，放一个小孩子进去，否则的话，林老师的肚子一定不会大得这么快。母亲则完全排除了林老师这是

557

怀上了身孕的可能，她指出，林老师或许是得了什么可怕的病，比方说，血吸虫病，或者就是腹部肿瘤。然而在我看来，这都仅仅是一些不负责任的猜测，与事实一定有着很大的距离。如何来探求到真相呢？我不可能直接去问林老师，这与我的身份不符。况且，在林老师面前，我也实在看不出任何破绽来，她幸福地怀了孕，事情看上去就这么简单。林老师支着她的破伞骨，走路更加沉稳了，她每走一步，都像是在跨越一道门坎，她表示，她一定要为她肚子里的孩子负责，如果是她自己摔坏了，那倒没什么，而要是摔坏了她肚子里的孩子，那么，她是无论如何也不能原谅自己的。

林老师亲口对我说，她肚子里这个孩子生下来，不管是男是女，她都要将命名为林卫川。林老师说，这个孩子再不能跟着他父亲姓了，卫可不是个好姓，林老师轻蔑地说。不过，她又说，这个卫字还允许它保留在孩子的姓名中，这是为了纪念可怜的卫川。我们还是叫他卫川，林老师笑着说，不过，他不再姓卫，而是姓林了。

我向林老师提了一个很愚蠢的问题，我说，这个孩子会不会跟原来的卫川长得很像？

林老师充满自信地说，如果是儿子，一定会像我，儿子总是像娘的，卫川活着的时候，不是跟我长得很像么？他的皮肤都跟我一样黑。

那我怎么长得像我爸呢？我问林老师。

林老师说，所以你的福气不好。儿子要像娘才好，而女儿跟爹像，才会福气好。

卫川要是还活着，他是能干大事的！

二魂有什么福气不好的？老卫插嘴说，二魂在服装厂工作，还没轮到过插队，他的福气不是挺好么！

林老师拎了拎我的耳垂说，你看这孩子的耳朵，一点肉都没有，哪会有什么福气！小时候娘老子总把他当贼打，命还不苦么！

老卫还在福气不福气的问题上纠缠，他说，卫川的面貌确实像娘，但是，有什么用呢？难道可以说卫川是个有福气的孩子么？如果卫川也算是个有福气的孩子，那么，谁才是没福之人呢？卫川要是活着，他也许可以做大事，但是，他连活的福气也没有，他是个短寿命！老卫像个爱噜嗦的老太太，喋喋个不休。就是我也听烦了，我想林老师一定更是烦透了他。我估计林老师很快就会制止他这么聒噪下去，她要是提起她手上的破伞骨抢他一下才好呢。

可是林老师一点都没有说老卫，她表现出了少有的忍耐。她一动不动地坐着，她的上身尽量向后靠去，她是努力不让她的大肚子受挤压。我当时颇有些哲思似的想，也许有了身孕的女人是最善良最宽厚的，林老师的肚子里因为有了特别的内容，她变得宽容了，她不在乎老卫的噜嗦了，她为了肚子里的孩子，可以不生气了。我看到在林老师的眉心里，荡漾着一种醉人的笑容，这种笑容在林老师的脸上确实是前所未有的，它将林老师一贯的愁苦的面容彻底地改变了。

我对林老师说，等你把林卫川生下来后，我要送一些礼物给他。我表示，这几天我要到厂里去找一些最漂亮的布角头，将它们镶拼成小围兜和小枕套、小床单，我相信，用五颜六色的布角头拼出来的这些物品，一定会使小卫川感到高兴。我还想起来，我曾看到过高英用花布头制作的一个布娃娃，非常的逗人喜爱。我将请求高英为我做一个，做一个傻乎乎的丑娃，送给我这个即将出生的小弟弟。

林老师听了我的话非常高兴，她像个孩子似的笑了。我似乎看到，在她双颊上，还漾出了两个不易察觉的酒窝。我不由得想，林老师年轻的时候一定长得蛮漂亮的，那么这个小卫川一旦真是个男孩，真如林老师所说与她面貌相像的话，他一定会是个非常美丽的孩子。林老师一边笑着，一边轻轻抚摸着她的大肚子，她手掌的运动流畅而轻柔，仿佛河流中的漩涡，仿佛五月夜晚酒一样的轻风。我被她的模样打动了，我仿佛成了她腹中的那个已经成形的婴儿，被搅拌进了一团模糊的幸福之中。幸福感是模糊的，却将我通体包裹住了。像风，像雨，像水，像混沌的天地之初，我几乎要被这种幸福的感觉击倒了，在林老师忘我的抚摸下，我退回到婴儿时代，退回到混沌无知的状态中去了。

林老师的嘴里喃喃着一些什么，我却没能听清。她似乎在哄着她腹中的小宝宝，她对他说，安心地睡觉，不要害怕冷，不要害怕黑，不要害怕一切的一切，有妈妈在呢，有妈妈的肚皮包裹着小宝宝。宝宝笑一笑，宝宝睡一觉，宝宝做个梦，宝宝梦见坐船啰，摇啊摇，摇到外婆桥，外婆说我是好宝宝……

我们谁都没有想到，林老师是将一个小枕头塞在她的衣服里，造成了她怀孕的假象。她终于将枕头从她的衣襟里抽了出来，她说，她实在受不了了，她肚皮上的皮肤被焐得溃烂了。林老师说，我还是把小家伙早点生出来算了！说着，她将小枕头从她的衣服底下一把抽了出来。当然，她抱紧了这个枕头，她抱着它哭了一夜。

（原载《上海文学》2001 年 3 期）

飘渺的真实

——评《卫川和林老师》

韩石山

　　不必说是揭露，也不必说是反思，这是一段平凡得不能再平凡的生活，然而生活自有它的警策之处，就像一本古奥的书，任你去翻检，去品味，都难以有明晰的判断。小说不一定该是这样，可你能说这样就不是小说吗？

　　作品中的人物，那个叫卫川的少年，他的母亲林老师，他的父亲老卫，那个总在紧要处出现的阿田，那个接连引发了两次灾难的姑娘玲宝，在讲叙者的"我"——那个叫二魂的少年的面前一一走过，又在成年了的二魂的回忆里，借助了作家的那支委婉的笔，走到了纸上，同时也走进了读者的眼前。

　　一个江南小镇，镇上生活着这样一些人，是岁月的磨损，或许生活本身就是这样的灰暗，待到他们重现之际，一个个竟简略如同纸人，飘渺如同游魂，又狞厉如同鬼魅。就说那个林老师吧，起初我们对她的感觉是如何地好，病赢的身子，慢慢的脚步，那份温柔，那份娴雅（一个没有当过教师的女人，能被孩子自觉地叫做老师），还得加上她做的面条，"宽汤　面条

561

细白柔韧，其汤鲜美无比。葱花漂在面汤上，十分秀气"。这样的形象，让人产生了多大的期许？要么会有高风亮节，要么会有惊人之举，然而，到了最后，你会多么失望。她假装怀孕。当她把枕头从衣襟下抽出，说她实在受不了了，她肚皮上的皮肤都被焐得溃烂了，你能不长叹一声，能不难受得想哭？

不光是林老师，还有她的丈夫老卫，不说他是个什么样的人了，光那两只甘蔗一样的腿，就让人厌恶。最可爱的该是叙述者的二魂了，多么懂事，多么憨厚，可他那小心眼里，也满是淫邪。玲宝怀孕的丑闻传开后，他想到的不是别的，而是"要是我要操她一次，她会答应吗？"他给林老师踩腌菜的样子，最能看出他的性格身份，"我把裤脚管高高地挽起，在林老师的腌菜缸里小鬼一样跳着"。不光在腌菜缸里，在整个作品中，他都是这样像小鬼一样的跳着。

这样一些人，本该像夏虫秋草一样，平安地度过他们短暂一生，然而，在那个非常态的岁月里，他们却经历了一场又一场灾难，老卫因勾引少女被打折一条腿，卫川为了阻止父亲的淫行烧稻草堆误伤人命而被处死，林老师失去了儿子，变得疯疯癫癫，出尽洋相。惟一的一个有光彩的小人物，该是玲宝了，人们都以为她在怀孕后该跳河而死的，"玲宝不仅没死，她反而打扮得更漂亮了。她逢人便在脸上堆起甜甜的笑，仿佛当上了学毛选积极分子似的。"这是这篇小说中仅有的可爱人物，却是那样令人哀怜，为了爱美，她在头发上抹上油，"也许只在脑袋上抹了些水，不过看上去的确很'新'"。

这样的一些人物，这样的简单的意境，而今看来已不算新颖，作者的手段的高妙在于，无论他们当时境遇也好，还是他们遭受的灾殃也好，都是那么的必然，那么的罪有应得，奸污了少女还不该劳教吗？放火烧死人还不该处死吗？娴雅的林老师遭逢这么多的苦难，还不该变成那个样子吗？作者牢牢地把握着一点，就是，不因为自己的意念而人为地给他们加上了什么人格重负，加上什么社会的歧视与摧残。时代是在"文化大革命"后期，小镇上的生活是那样的平静。没有坏人从中作梗，没有上司的行政命令，惟一的一个带行政色彩的细节，还是一张突兀出现的平反通知书，然而，就在这样平凡的生活中，却掀起了一个又一个的波澜，遭逢了一个又一个的灾难。作者的叙述是那样的从容，那样的绵密，还时不时地有点小小的风趣，提示着你，引逗着你，让你得到你应当得到的快乐。

一个个飘渺的人物，能有这样真实的效果，你还有什么话可说？

（韩石山，《山西文学》杂志主编）

蒋志，1971 年生于湖南沅江，1995 年毕业于中国美术学院，现居深圳。活跃于录像艺术及纪录片、摄影、实验小说、装置等当代艺术领域，2000 年获"中国当代艺术奖"。

　　主要录像及纪录片：《飞吧，飞吧》、《食指》、《一根老油条》、《空笼》

　　主要摄影作品：《屉中物》1997《吸管人》、《木木》（系列摄影）

　　主要小说：《易腐烂的物品》、《情人玉女雪儿的专制》、《铁皮人的秘密情节＋关于身体》

铁皮人的秘密情节＋关于身体

蒋 志

警告　此篇小说是荒诞可笑的！

周刊发言人：他的言语、行为、情欲、隐私……有关他的一切，不值得人们效仿。连我们都认为，这次采访，如同一次离奇而危险的探险，我们吃力攀援的是由荒诞、混乱的呓语堆砌而成的不可信的险峰。

执行采访记者：他曾是最极端的孤独者、安全动物、精神病患者的伟大情人、吸管人国国王、遁世者和社交明星、懂得保持沉默的多语症者、易装癖者……总之，是一个令人目瞪口呆的、拼拼凑凑的形象。

铁皮人女友 B：一个天才。

铁皮人女友 G：一个喜剧丑角。

精神病患者：爱谁谁，谁爱谁，全体起立，向在座每一位致敬！

铁皮人：我决不看这份采访，也决没有什么需要订正。对于读者因为阅读以下文字而引起不良反应概不负责。

关于章目：本篇正文是周刊记者对铁皮人的几次访谈整理而成，为阅读方便，分成若干小节，包括：海绵体生活、简练地谈论孤独、谈以前的一次乘车经历、安全动物、对一个精神病女子的勾引、1999 年某一天下午的答问录、吸管人国王的隐匿、我参加 PARTY、现在的女友、水蛇、月台或尾声共十一章节，应说明的是，其中《对一个精神病女子的勾引》被改编成电影，片名改为《可能的爱情》，所以在铁皮人的叙述当中，适当加入了一些剧本片断。为了让读者多方面了解铁皮人，本文还节选了铁皮人的一本畅销书《关于身体》的某些有趣的章节穿插其中。

海绵体生活

铁皮人：你听，我的声音并没有人们想象中的金属味，也并不吞吃汽油，也无需接上一根二百二十伏的电线。我吃饭、喝汤和以前一样，但需打开尾骨后面的铁盖子打屁、排泄……我基本上是个平常人。

记者 J：你奇怪的外表，起码已耗去人们几吨胶卷了，还有你那荒诞不经的行为让老人们惊吓，让少年们着迷，你现在又已成为媒体关注的焦点，你以前是这样吗？在你没有成为焦点之前。

铁皮人：在这之前，我一直在企求发生点什么，但什么事都没发生，只是忙碌。赶车，打电话，接电话，谈生意，打网球，赴宴，逛商场，看电视，泡妞，争风吃醋，临变应策……一阵阵忙碌过后，一旦被搁置下来，比如陷进沙发里或横陈在床垫上，在那里，我慢慢变成一块空洞乏味、无精打采、软绵绵的海绵，就如同一块洗碗海绵一样，被一阵揉搓过后，就被扔在某个角落里让它自去往下滴水，直露出一身的空洞，千疮百孔。

J：（小心翼翼，似乎是安慰，又似乎是奉承）我……倒觉得你以前的生活挺充实嘛。

铁皮人：是海绵似的充盈。它能吸收各种东西，成为果汁海绵、葡萄酒海绵、肥皂水海绵、肉汁海绵、汗液海绵、口水海绵、鼻涕海绵、墨汁海绵、泔水海绵、污油海绵……然后，顷刻漏空，成一块空海绵。

J：那……那爱情呢？爱情海绵？（笑）

铁皮人：在一次爱情消失过后，再也不会有什么在成年的老海绵上留下那种令人迷幻的东西了，人只能失恋一次。正是因为爱情从我这躯壳离去，我才变成这么一块海绵。

J：比喻虽然饶有趣味，但令人觉得牵强，为什么你不变成卫生纸、烟灰缸、坐便器、沙发，而刚刚好变成一块海绵呢？

铁皮人（停顿几秒）：因为海的缘故……或许因为那些东西还是与爱情有关。

J：你一直一个人生活吗？

铁皮人：对，几乎是。

J：什么感觉？

铁皮人：没有外延的躯体。双眼映照着别人的影子。

J：同女人做爱吗？

铁皮人：偶尔，用海绵体交欢。

简练地谈论孤独

铁皮人：请喝茶吧，别客气，这杯茶我已为你泡了三个星期了，它墨绿发紫的颜色会让你想到青海湖边的岁月的，是的，鸟的鸣叫声把你唤到清晨之中来，但我的这只是电子鸟，它不鸣叫是因为电池耗完了，那节伪劣电池只让它叫了几声。你注意到桌子上那堆暗红色的东西吗？像一座小山峰，我从来没有去尝试过登山，不，我渴望冒险，尤其是那些确有生命危险的冒险活动，这是我生命中惟一的渴望，刺激？不，我时时想象自己奄奄一息地登上世界上最高的冰峰时的景象，眼底下一只只小尖顶飘浮在白色的云层上，上面是澄净的天空，无限的蓝，我在无人之处的绝地上获得的是无比的平静，我知道，之后更是永远的平静，哈，哈，茶味道如何？你该试一试的，生亦何欢，死亦何苦，何不一试？啪！我拍一下桌子，你看到了吗？那座暗红色的小山峰顿时崩塌了，它的碎块向四周散去，甚至爬到了桌子底下，那是一座蚁山，对了，全是蚂蚁，蚂蚁蚂蚁蚂蚁，这是我本年中惟一的客人，它们是不请自来的。现在你看到了吧，山的内核是一颗奶糖，是我两个月前为你准备的，我喜欢你！并且知道你所喜欢的食物，因为没有人不喜欢奶糖。别客气，请吃这颗奶糖吧，它用塑料纸好好地包着，蚂蚁只是嗅着它的香味，吃不到它的。是的，我这儿是有点喧闹，那是锤击水泥声、电钻声、碎石机声，搅拌机声、打钉机声……我的左边正在盖一个商厦，右边正在建立交桥，后面正在拆上半年建的已经濒危的住宅楼，前面是菜场的吵架声，并且，我这幢楼里有五家正在进行大规模的装修，他们用的材料不一样，或繁或简，但发出同样的噪音……晚上？是的，工人们 10 点 45 下班了，但声音仍会持续下，隔壁的床会有节奏地撞击我的墙壁，女人的叫声会和我那未断电之前的电子鸟的啼叫声互相对阵，此起彼伏，他们的喘气甚至要透过墙壁吹到我脸上，然后，早上 6 点 45 分，工人们又开始工作了。不，它不咬人，它是一只温顺安静的乌龟，虽然，它有一只圆桌那么大，活了起码有五百年了，但它是靠吃小鱼小虾小昆虫长大的，它平时躲在床下，或是某个角落里，捕食吸我血的蚊子，嗯，也许它生命里最近十年是靠采我的血长大的，这也说不定，那么它一定与我有某种更密切的关系了，难怪，每次当我面对它，迄今为止，再没有一双眼睛能像它那双眼睛那样令我觉得不安了。我难以想象会有一天它将从那坚硬的壳里裸身而出，站在我面前，会是什么样子？它不会比那些身材娇小的南方女子矮的，它五百岁了，真是个世纪老人是吧？当我和女人做爱时，它有时会从床底下被吱咔吱咔声闹出来，或者从品尝蚊血（不，我的血）的角落里爬出来，把脖子扬得高高的，在一旁盯着我，那时，我在想，它是不是也想试一试呢？

这个怪家伙，也许是在讽刺我，把两只对这世界凝视了五百年的眼睛长在龟头上的家伙必定是看破红尘、心如静水的，它是一个天生的隐者，索伦·克尔凯戈尔称只有"隐者"才是真正的讽刺家，因为一个真正的讽刺家完全不属于大多数人，惟小丑如此。别着急，先尝尝那颗奶糖，奶香会让你平静的什么？！这颗奶糖的塑料纸里面是空的！难怪你拿起它时显得这么沉重，连眉头都皱起来了，这对皮肤的保养没有好处。可恶的小蚂蚁！……不，我不是讽刺家，因为我属于这颗星球上所有人一样的肉体和一样的感官，连灵魂都一样的气味，所以我是不折不扣的小丑。贪欲、慵懒、脆弱是这肉体的疾病，它们像病菌一样纠缠在我灵魂的根须上，要摆脱它就需换一副全新的肉体，而哪里有另外一副肉体呢？我曾在浙南一个小寺庙抽签，签中预言我将隐居山林，当时我在盘旋而上的烟雾中确乎看到了自己的晚景，如一只老乌龟蜗居在某个山洞里，把整座山当成自己的壳。如果真是那样，你会来看望我吗？在洞口放些水果、饼干和香油？而我则会探出光头来对你说"阿弥陀佛"。

哦！你会？是的，当然现在你肯定会这么说，带着满脸毫无破绽的诚恳，因为你现在有求于我，你向我兜售这件绣有英国有女皇侧面像商标的皮衣，尽管你神神秘秘地把自己打扮成一个销赃者，急着向人奉献一份大有便宜可占的不义之财似的，说它是国贸大厦弄来的，价值两千五，而你只要我五百，并且还略降自尊半焦虑半可怜地说，如不是手头紧，你才不会急于脱手等等，尽管你把这件皮衣又揉又搓，又拉又扯，还用打火机烤，但它仍不是你所说的羊皮的，也不是什么牛皮、猪皮，甚至什么鸡皮鸭皮的，它是一件地地道道的人造皮革，我对动物毛皮和甲壳的了解有甚于你对你老婆乳头的了解，我一直都在寻找适合替换我皮肤的皮毛和甲壳哩。从阿米基螺灰蛆到非洲河马我都研究过，还有巴厘虎，可惜最后一只已在1997年9月27日灭绝了。但你不必垂头丧气，你是我久候的客人，你可不必有敲错门的懊丧。我可以推荐我的邻居作为你的猎物，只是你下的夹子要盖上更多的树叶，而且不要显出急于求成，并且，请把我的空虚和孤寂转告他，拜托他稍稍减弱一下夜间活动的强度。

你听，J记者同志，以上是我成为铁皮人之前，对一位上门兜售的家伙所说的话，我那时的孤独无聊已经十分简练地概括在里头了。

关于身体·身体的位置

她眼前是一片风景，可以说得上是美丽的，一条布满清晰可见的卵石的小溪，远处是一片森林，连绵到更远的群山之下，山的最高处是闪亮的雪峰，甚至她感觉到了一丝白雪的凉意。

她"走近"那条迷人的小溪，并仔细地盯着其中一块卵石，如绸的水纹把光线的图案静静映在这块卵石青白相间的表面上，几条暗绿的水草在水中低伏着。她发现了一尾浑身淡红透明的小鱼，在活泼地穿梭其中。"啊！"她感动地发出一声短促的叫声，又羞怯地朝四周望望。

她移动鼠标，似乎要去捕捉那条淡红的小鱼，她把鼠标停在小鱼身上，击打键盘，小鱼在屏幕上放大了，一再放大，她看到了柔软的细鳞，一再放大，一再放大，直到屏幕上出现的只剩下一些彩色的方块……她慢慢地倒向转椅之中。我们现在看到了她正坐在一间印刷厂的工作间里。她在这间工作间里众多格子里的一格里，她的工作是每天花八个钟头或更多的时间在图片印刷之前用电脑进行修补。她渴望有一天能真的看到这些风景，把身体处在真正的风景之中。因为她从未旅行过。她希望她的工资能帮助她在将来实现这个梦想。虽然，她现在工资只能够她在往农村的老家寄去一部分之后勉强度日。"那会不会是一个会消失的梦想呢？"她想："或者被自己取消？"

573

谈以前的一次乘车经历

　　铁皮人：我望着窗外，一棵树的阴影覆盖着农田里的一间东倒西歪的木板房，它的周围是连绵不绝的稻田。远处的山在缓缓移动，向后，但它与离我最近的一闪而过的铁道边的那排防护林和向后扑去的一根根令人心慌的电线杆相比，它又似乎在向前缓缓移动，像一种缠绵的送行。那位浪子骑上马飞奔而来，去通报他所策划的死亡游戏中的演员们，一位可怜的姑娘无望地请求着，她被带去了巡逻队，在那儿，她的悲惨故事并未奏效，双方都没有洒下泪水，而我却在北京到深圳的列车上安稳地坐着，对面的女孩脸上竟连一颗令我好奇的痣都没有，被电线杆频频打断的阳光直射着她的眼睛，这一切让我安稳地坐着，不动声色，专注地细细研究她脸上闪烁的阳光。她的嘴唇哆嗦着，她一进入这间将带她南下打工的飞驰车厢，就已进入了不能自我保护的状态。这位毫无阅历的旅伴，随身携带的除了一个比她身体大两倍的编织袋之外，就只有发育在田埂之间的天真无邪和对城市生活的一无所知，这对放荡的团伙来说是多么迷人的甜果。像你这样年龄的姑娘，仍是处女，到深圳去合适吗？你会缝纽扣、接袖子、制作假发、捞泔水油、卖花、陪客跳舞、做按摩女郎……你会在厨房里拾捡被主人抛撒在地上的豌豆，会恰好套上房东两个胖女儿的肥脚不能塞进去的高跟鞋，然后混进一场商贾汇集的舞会上，被一位香港老板勾引，一跃成为一个富婆。但是在天明的时候，她疲倦到了极点，所以就迷迷糊糊睡去了，棺材就在这时被四个蒙着黑纱的人抬到一间僻静的房间，它的盖子就是在那儿被钉上的，为的

574

是怕她听见锤子的声音。这是一个美丽潮湿的早晨，砰！砰！的声音，像从冒着热气的水塘中央发出来的，当红色的火舌舔光邱少云周围的野草，他的十个指头因为插进泥土里而被保留下来，当他在火中咬紧牙关时，我差点喊出声来。十个指头，它比焦炭般的躯体更令人惊撼。人类的痛苦大于个人的痛苦，兔子说你是我惟一的痛苦，所以验证了上一句。事情已过去这么久，他还是用手指吃饭，可谁也没笑他，她再三把他使劲在怀里拥抱了一阵，才满脸是泪地回到她床上去了，在她躺着想心事和悲伤的时候，她心里渐渐升起了一个念头，她觉得以后无论去做什么都只冲着一个目标：赚钱！有了钱，一切都会改观。再也不用穿有洞的内裤，粗糙得像鞋垫似的乳罩和敲进了几十颗钉子的高跟鞋，唉，她长长叹了一口气。火车已慢慢驶入深圳站。金币雨点般在眼帘飞过，我吃力地睁开眼，金币般闪光的灯光灯光灯光，中巴已飞奔在深南大道上，香蜜湖，两旁是辉煌的灯火区，无数只灯发着金灿灿的光，金币金币灯光灯光，灯光灯光金币金币，但那儿现在除了灯光什么都没有，那儿将是深圳的市中心……

关于身体·染发男子

这位被城市牢牢吸引住的农村少女，在工厂她被叫得最多的是"117"，之前在村里大概她经常被人叫"鬼妹子""小丫头""女伢子"。此刻这位"117"吃过了晚饭，正从下岗职工灯光夜市中大饱眼福后回到女工宿舍，夜市中，"一元一件"的吆喝声还在耳边嗡响着，而那些刚买回来的一元一件的小圆镜、梳子和彩色发卡被她那双已消褪了泥土味又浸染了厂房气味的手小心地放置在她的抽屉里。她住的这楼有九层，她和三百多个女工住在其中一层里，与十六个女工共住一个宿舍，又和其中一半的女工共用一张有八个抽屉的桌子，她买来的东西就在其中一个抽屉里。她拥有一片抽屉钥匙。若钥匙有知定会感到与主人一样的幸福，它锁着她的所有私人细软：仿珍珠项链、一支口红、一瓶廉价香水、一包从餐馆带回来的湿纸巾、几双丝袜、卫生巾、一枝未用的眉笔、一些信件……是以她微不足道的消费能力如燕子衔泥般积攒下来的。这是她对付物质贫困的一个策略、一件法宝，把对物质体验的回忆与象征符号密聚在她的狭窄的个人空间里，形成一个充满个人独特回忆与意义的精神慰藉结构。真不知道假如她突然间失去了这只抽屉，她的世界会怎么样？在她的私人领域里，还包括一张床，她同样充分利用了它，在她的床头、床侧的那面墙上还贴满了各种明星照、旅游纪念照片、名牌商品的标签……当然，在她自己的消费空间之外还能免费让自己的文化体验得以延伸的还有这层楼上的一台公用电视机。

因为她的年龄、她的青春、她的激素、她周围遍布的录像厅、与墙共存的各类性感的广告、和那些漫天散发的性药宣传单……她向往爱情，这种需要是朦胧的？还是尖锐逼人的？她自己也不知道，但总之是难以言传的（她惟独对这点很明确）。尽管她慢慢从外界的学习中积累了许许多多这方面的词汇知识，她属于暗暗自学的那种女子，羞怯的，还没达到勇于向人讨教、与人交流、甚至好为人师的可怕地步。她习惯性地哼着"心太软，我总是心太软"，已有一段时期了，像每个女人那样对自己的心肠的硬度抱有遗憾，总觉得它若硬点狠点会让自己获得更多一些。

　　她有两个追求者，像她一样年轻的两颗气势汹汹的、爱情奔放的心向她赤裸着。但她不习惯面对赤裸，虽好奇、有些莫明激动，但又羞怕，她采取躲避，隐身窥探着，实质上的消极操控。女人的本能。

　　但她有一个秘密，她欣赏其中那个从她邻村来的染发男子，他来深圳半年后，就花了一个月的工资把头发染成黄色，啊，这感觉很是怪怪，当然，这黄头发丝毫没有乡土气味，尽管它像家乡的玉米缨子，却在感觉上更靠近发达国家那种"品味"。她惊讶地发现这个小伙子一下子变得像个城里人一种使用电饭煲、微波炉、洗衣机、电脑、空调、吸尘器的人类的另一高级分支。她还相信：这金黄的染发像一顶魔术帽子会呼啦地把人从农村生活一下子带入到现代城市生活。

　　不久，我便看到那位染发男子的臂弯间挽着她的手臂，行走在食街上，她幸福地仰着头看着他的头发，金黄头发下有一双木然迟钝的眼睛，并且，他还随地吐痰（很可惜），可能她还没有注意到这些……

安全动物

　　铁皮人：我以前是安全动物，若以后有一日机器人把人类关进动物园里，定会把我这种人圈入兔子、绵羊、龟或益虫一类。我循规守矩，是一个随时显出可以被忽略的人。从不大声说话，连看见小孩掉进水里也只是轻声向四周哼哼：真不幸，呵，谁方便的话，救救他吧。对领导毕恭毕敬，因为我有点健忘，不得不把他们的名字和职务写在一张小字条上（为了区别其中有些长得方头肥脸大肚，模样儿难分彼此的，还要在旁贴上一张一寸小照），然后再缩小复印，藏在帽子里，远远见领导来了，先脱帽，鞠躬，迅速朝帽子里瞥上几眼，跟高考作弊一样。我一天没给领导端茶倒水，就觉得生活被蒙上了一层阴影，两天没有，就等于蒙上两层，如果半个月没有，我的生活就会是一片黑暗，我不是拍马屁，而是与人为善。1994 年艺术家邱志杰在钱塘江边用两根胶管把自己与江水相连，一根衔在嘴里吸江水，一根接在下面用于排尿，身体与钱塘江互相污染，他坚持了一天。而我每天做的事，是把自己在领导办公室中不小心放的屁大口吞吸掉，我自己污染自己，绝不连累他人。在任何需要排队的场合，我永远排在最后一个，像一个和善的句号。我总是说："你好！你真棒！"对任何动物皆如此。从来没有反对意见。大家拍手我也拍手，大家跺脚我也跺脚，甚至在梦里听到电视机里的鼓掌声，我也会一惊而醒拍掌附和。我像绵羊一样温顺，只恨自己身上毛太短，不能用于做毛衣。我从不结社，也从不乱讲话，绝不滥用宪法赋予我的权力。自觉地不去张望女人腰以下的部位和党报以外的消息。从来不问为什么，为什么会这样或这怎么会那样，从来是知足常乐，"还有没有更好的"对我来说是危险的念头。我恐惧消费，想到要去商场，我便吓得坐在马桶上不起身，如被人硬拉进商场，也会借故躲进卫生间，一个人关好门。因为我钱不多（钱多是坏事），所以不敢无故触摸商品和看售货员的眼睛，我惶恐地深知"没有免费的午餐"。在街上，我绝不敢超过前面的人，我沿着墙边慢慢走或轻轻地踩着自行车，遇人让人，遇车让车，尤其是豪华轿车，碰都不敢碰，生怕我的头会撞破它的挡风玻璃，尤其当我得知广东的一名教师因轻轻碰了一辆"奔驰"而差点被一帮家伙"做"成植物人之后，更是胆战心惊。

女人不喜欢我这样的"安全动物"，她们表面上看似很讨厌有威胁性的男人，其实，在潜意识里，她一直等待着被胆识过人的猎手进攻和驯服，对于何时被嘴唇袭击和被双臂紧抱，她们存有一种期待感。她们憧憬自己有很美好的经验。刺激的、出乎意料的、放荡的、奇遇的……她们认为"美好"的。价值判断是心理问题。

我的手在空中划了一个圈，朝向你，却最终落在自己后脑勺上。我的脚鬼鬼祟祟地蠕动，朝向你，却最终僵直在一个怪诞的姿势。我的嘴发着光，朝向你，却最终挂着自己的口水。我的鼻子向前伸去，朝向你，却最终长到两米，仍没有与你触及。安全动物。

J：你真的是那么一种动物吗？

铁皮人：当然，它也许并非真实地存在于你所目击的生活之中，但它，的确是真相。我的叙述只能严格遵循铁皮人一贯的离奇风格，在任何时候都不妥协。或者铁皮人有另一回答：讲述的事情和真实发生的事情是不一样的，它们永远都不会一样，我很早就明白了这一点，所以我从不在这个问题上虚耗身体顶端的细胞，我只遵循铁皮人一贯的离奇不经的叙述风格。比如我会说"性骚妖"，"凤凰打屁"，"一个无赖连一群从他头上飞过的天鹅都不放过，拔光它们的羽毛，让它们光着屁股飞到南方去"等等。

关于身体·玩具

有这么一种玩具
男人把它做出来

或偷过来，或抢

当然，更多的是自然地到手

像把手伸进某个丰富的抽屉

哈，这玩意原来这么让人心慌

对女人说：求求你，拿去吧！

或硬塞给她

最终，女人接受了

藏起来，又小心，又大意

藏得连自己都找不到

然后嚷嚷：喂！你的爱呢？

铁皮人曾对一个精神病女子的勾引，或曰可能的爱情

铁皮人：在我成为铁皮人之前，我曾经勾引过一个精神病女子，并与她度过了一段美好的时光，这段经历或多或少影响了我要成为铁皮人的决定，这也是我首次向外界披露这段秘密感情。

那时一个朋友告诉我，在一个边陲城市的一个广场上有一个女子，他强调说是一位漂亮的少女，几乎每天站在那个广场中央，一当有行人经过她身边望她一眼，她便会展开痴痴呆呆的甜蜜（动人）的笑容。这是一个精神病患者。

这位被我朋友所偶然讲述的漂亮少女，后来差不多已经忘了，但在相隔两个月的某一天情况发生了变化，当时我在一条林荫小道上散步，当时我的心境是如此空虚，当时是黄昏，当时那条貌似普通的小径却突然变得神秘，路面上幽幽的暗影看

起来像是树木与我的凉意袭人的孤独灵魂的投影。而且我已十分厌倦了"安全动物"的角色，来一次感情的冒险有何不可呢？这天黄昏，那位站立在广场上的少女再次闯进我空荡荡的心房，再也赶不走了，成了我生命的一部分（很显然，人生就是由一桩桩事件构成）。世界上许多事情就是这么奇怪地源于一次次偶然，正如童话中的王子要不是偶然经过一条小径，要不是偶然失控而吻了一张漂亮的脸蛋，公主至今仍然还在平静地沉睡，不会经历爱情的甜蜜和更多的痛苦。在现实中当然会比在童话中有更多凑巧的偶然。

　　这次散步后的第二天我便打点好了行装，乘上了开往那个城市的列车。我的车厢号十九，这个数字与我或者是与我今生所居住的躯壳有某种神秘的联系。

　　我在车上策划着将与她见面时要说的有关"邂逅的爱情"的开场白。要知道，什么事都与策划有关。

　　1."哦！对不起，请问现在几点了？"

　　2."谢谢！嗯，看来时间还来得及，我发现你老站在这儿。"这句话向她暗示我已经关注她很久了。

　　3."你能告诉我××公园在哪吗？这个地方我不太熟悉。"

　　4."我们一块走走吧。"

　　……

　　我将去勾引一个微笑的精神病患者，因为我认为她没有完备的精神系统来抵抗我怯懦的爱情。还有一个重要原因是我觉得将更能与她相处，我拥有许多次爱情的失败，因为双方都发觉几个月的爱情再难以维持更长。我把这种现象归结为由于理智的原因在爱情的花园里，理智结下的冷静之果是我最难以忍受的。爱情的面目一旦被放到冷静的镜子面前，往往显得荒诞无比。

我一下火车，就惊喜地观看着这个可爱的城市的一张张陌生的面孔这有点奇怪，惊喜正因为这完全的陌生。谁也不认识我，连我也可以把自己当成是"他"，这太好了！重新诞生！再也没有那个"安全动物"，而是你想是谁，就是谁。这感觉就像一个充满欲望的灵魂投胎找到一个替身。他那个我，想干什么都行，顿时发觉自己多了一万倍的自由。我将去勾引一个漂亮的女精神病患者，更重要的是，勾引者不是以前的我了，人在陌生状态最容易塑造自我和塑造新的可能生活。

我迅速租到了一间楼上的房间。这是一幢只有几户经济窘迫的家庭还在留守的老式破旧的职工宿舍楼，几乎见不到什么人出入，但阴暗的过道里堆满了各式杂物，使我时不时"咣当"地碰到或踢到什么东西。我租下的房间挺大，窗外正对着这个城市那惟一的广场。

房间里面有一些旧式家具，一面颜色发乌的圆桌、一个少了两只抽屉的书桌、几把椅子、一张很大的棕绷床和一个有镜子的大衣柜以及其它小的旧物件。那面衣柜门上的大镜子能照得到全身。我进来时曾惊讶地瞥见一个风尘仆仆的人影一闪而过，同时我感觉到一种似曾相识的神秘气氛停留在这半明半暗的空间里。我当时就决定租下来。对于房租，我出手阔绰，使得房东本想要问点什么的念头让厚利掀起来的暗喜吞没了。

现在我马上就可以站在窗前眺望下面的广场了，在其中寻找一个站着不动的目标应该是一点都没困难。但这有损事件的曲折性，于是我在想象中提供曲折性，设想自己在这事上几经周折，而我下一步便是去费力地寻找这无需寻找的广场，但这城市所有人却对这广场上的少女讳莫如深，甚至不愿告诉我广场在哪儿，似乎其中另有原因。

　　一天早晨，M 出门，发现城里到处装饰一新，大街上挂着无数大大小小的彩旗，上面写着诸如"庆祝"、"欢迎"、"精神"、"肯德基"、"英雄"、"开业"、"祖国"、"胜利"、"和平"……等等字眼的标语。

　　M 问行人："这是怎么回事？"

　　行人很吃惊："难道你不是这座城里的人吗？难道你不知道……"

　　M 如实告诉他："我是贵市的一个陌生客，对这儿的事一概不知，但您能告诉我到广场怎么走吗？"

　　这第一个遇见的行人说道：

　　"陌生人

　　这里没有广场，

　　或许有一个

　　但我不知道

　　许多事情都这样

　　最好不知道。"

　　M 很纳闷，叹了一口气，但还是礼貌地点点头与他告别，然后接着往前走，穿过一条街道，向左拐了一个街角，又向右拐了一个街角后，遇到另一个行人，M 问他："您能告诉我怎么去广场吗？"

　　第二个行人怔了一怔，用一种令 M 难以领会的眼神从头到脚看了看他，说道：

　　"这里没有广场，

　　陌生人，

或许有一个，

但我不知道，

许多事情都这样，

最好不知道。”

M 叹了一口气，心想：这到底怎么回事呢？但还是向那个行人礼貌地告别，继续往前走，向左拐了一个街角，又向右拐了一个街角后，遇到第三位行人，M 觉得这个行人样子很慈善，于是停下脚步问他：“您能告诉我广场在哪吗？”

第三位行人盯着 M 的眼睛，笑着用一种严厉的语气对他说：

“许多事情都这样，

最好不知道，

陌生人，

这里没有广场，

或许有一个，

但我不知道。”

M 只好继续往前走，他每穿过一条街道，向左拐一个街角，又向右拐一个街角后便向人询问广场在哪，但没有人告诉他，就这样这一天就这么浪费掉了，M 一共穿过了 X 条街道，拐了 X 个街角，他在拐第十九个街角时，遇到了以前的第三个行人，在拐第九十一个街角时，遇到了以前的第十八个行人……但这些 M 都不记得了，他太累了。最后，当太阳快要下山了，M 在穿过第 X 条街道时，遇到了以前最先遇到的第一个行人之后，他发现自己找到这个广场了，很宽阔，以致他以为到了世界的边缘（也可能是 M 累了神志不清的程度），但这时广场上的人都已散去了，M 只好明天再来。

真是一个离奇的梦。

第二天早晨，我又站在这十分现实的窗前观看底下的广场，在此之前我已整理了房间，旅途的劳累并没有减弱我的兴奋与幻想的强度。我已辨认出我要找的心爱的姑娘，正站在广场中央的一根灯柱下，人们从她身边经过，没有谁理睬她，她身穿蓝色竖纹的连衣裙，裙子在风中一阵阵飘动着。她的柔美的头发也一定在拂过她美丽的面庞，这一点我看不清。尽管如此，但我还是仿佛已呼吸到了她的芳泽，心中顿时充满甜美无比的预感。二百多年前的少年维特对绿蒂心怀的狂念也只不过如此。

我立即奔下楼去，像是被神差鬼使般，直到已身在宽阔的广场上时，才突然意识到我已经在"宽阔的广场上"。我朝她走去，每离她更近一步，心脏就像被什么绷紧一圈……

广场（彩色）

86.（5秒）俯视全景

主角M从画面中下进入，朝站在一个灯柱下的姑娘走去。

87.（6秒）广角

M的正面，表情紧张，走近。最后画面只剩两只眼睛。

88.（18秒）特写

从M的视点，依次拍摄姑娘的苍白的脸（姑娘的表情先是茫然、呆痴、然后对着镜头张开嘴，傻笑）、脖子、胸、往下至一双破旧肮脏的白皮鞋。随后镜头很快拉高到姑娘脖子下的衣领开口处，领口的一个纽扣没了，镜头拉近，似乎要从开口处进入，镜头渐变暗停顿五秒，同时，画外响起M紧张的声音："哦！对不起，请问现在几点了？"

　　我走近她，紧张得全身都凉了，腿在发抖，我摸了摸头发，鼓起勇气尽量装得自然地问：

　　"哦！对不起，请问现在几点了？"

　　她笑着，摸了摸头发，然后说：

　　"哦！对不起，请问现在几点了？"

　　我抬起右手，亮了亮手腕说：

　　"我没有戴表，所以才问你。"

　　她也抬起一只手，晃了晃手腕说：

　　"我没有戴表，所以才问你。"

　　我认为再对这时间问题纠缠不休是不理智的，于是又说："我发现你老站在这儿。"这句话暗示我已经关注她很久了。

　　她重复我但并非表示关切地说：

　　"我发现你老站在这儿。"

　　我悲哀地望着她那张被"痴癫"这个恶魔施了毒法的漂亮的脸，意识到这个不幸的病情还有这种"模仿"症状。只不过，恋爱中的灰背信天翁也会相互模仿对方的。

　　于是我们像男女二重唱那样先后说道："你能告诉我××公园在哪吗？这个地方我不熟悉。"

　　最后，我心怀叵测，激动地对她说："那我们一块走走吧。"她当然也这么说了。然后我柔情地望了她一眼，转身朝广场外走去。

　　走了几步，我回头看她，竟发现她正朝相反方向离去了。我遗憾地意识到这个本不应该的疏忽。

　　132. 广场·（4 秒）中景（彩色）

M 正面，遗憾的表情，画面渐暗变黑。
133. 黑底，白色字幕。

请你说一声行不行，
你若不要我，就对我挑明；
我不能老是等，
也不愿等你露笑意
或把眉头皱起。
你若要我就说一声，
我便属于你，要不便属于自己。

是白还是黑你表态；
我讨厌命运不明不白；
要我走，要我留，
你往往热一阵
尔后又冷得过头，
这是你向来如此的一种怪毛病。
Thomas Shipman（1632—1680）

翌日我再次见到她时，发现她的脸色好了许多，有点红润了。我敢肯定她一定感受到我的爱情了。虽然她是一个被认为是缺乏正常理智的患者，但我认为对爱情的感受其实与理智没多大关系，相反，事实上它和理智的丧失有着十分密切的逻辑关系。

她确实很妩媚。漂亮的眼睛像是认出了我似的闪闪发亮。我对她说："哟！你好，又见面了。"

　　我十分高兴，因为她没有再对我重复一遍。她只是笑了笑，虽然唇线的弧度在常人看起来有点夸张，这有点像吴小莉，但在我看来仍十分动人。我把一支早预备好的玫瑰递给她。

　　她先是吃了一惊，盯着我的眼睛看了半天，似乎在检阅我的诚意这种研究其实是十分有必要的，可惜一般的女孩子从来都是不假思索地一把接过去。过了一会她小心地把花接过去，放到鼻子底下嗅着，双唇微张着，脸上渐渐有了笑意。之后，值得一提的是，她做了两个让我迷惑不解的动作。

　　当她把花嗅了许久后，她把花轻轻地从领口开口处插了进去，只把花朵留在领口外。这个举动让我一阵心慌意乱，我记得当时我只能发出呓语般的声音："这……漂亮……挺不错。"

　　也许这断断续续的声音让她觉得很亲切，她惬意地揉了鼻头，然后，伸进去一个指头在鼻孔里挖着，娇嫩得几乎透明的鼻翼简直可以让人看得见在里面掏动的纤纤小指。而当她的小指从里面出来时，她手上多了一根鼻毛，她把它拈着递到我面前，很明显这是她要赠给我的礼物。我满怀迷惑地接受了。

　　幸运的是，回赠这个奇怪的礼物的意义，当时我便猜出七八分了。今天，在我读过《精神病学》之后我更肯定我当时的判断。她送一根鼻毛给我，意味着她把她最宝贵的东西交给我，这东西便是生命，而生命靠呼吸维持，很自然呼吸则要通过鼻子如此推理，鼻毛的象征意义便可想而知了。

　　以后的爱情故事也因为这个领悟而得以进一步发展，虽然之后有痛苦，也有欢乐，更多的还是因痛苦而产生的欢乐，但这二者，对于她来说一点都不在乎。至于她前一个把花插入领口里的举动，我至今仍不解其意，里面的象征意味可能太微妙了。

江南某乡村（黑白）

165．（54秒）全景

一个正在拍摄的剧组。M在导演《少年维特之烦恼》，男女主角在表演某一个情节。M一边注意着监视屏，一边与身边的另一女孩调笑。

166．（14秒）中景

M怒气冲冲地对"绿蒂"比画着说："应该这样……这样……要找到感觉……要去体会……重来重来！"

广场（彩色）

167．（6秒）近景

M在注视手中的一根鼻毛。

168．（10秒）特写

手掌中的一根鼻毛。镜头逐渐对着鼻毛拉近，直到它充满整个画面，如在显微镜下所看到的那样，这根鼻毛如一根一头尖的粗壮的黑色光滑的树干。

"我很喜欢这礼物。"我对她说："会永远珍藏它。"

永远。她说，我无法弄清她嗫动的漂亮嘴唇里吐出来的这个词是基于简单的重复还是置疑的心态？但她的笑意仍然在秀丽的脸庞上漾动着。这使我不至于紧张。其实我也不知道"永远"的含义，也许它只是在特定场合中说话时的口气。

我又心怀期望地向她建议："我们走走吧？站在这儿多累。"我注意到周围路过的人一般都用异样的眼光看了看我。而她非常快乐地笑了笑，突然身子朝我倾斜过来，把她的脸凑得离我的脸很近，眼睛瞪着我，嘟着嘴说："去！去！"

"去！去！"

她的眼睛告诉我（我认为我与她有一点儿心灵沟通）：她让我马上滚蛋。虽然，这个祈使句毫无道理，客观上，这个广场并非她一人所有但在我心目里，这个广场和我的心的主人除了她以外我不知还会是谁，于是我顺从地离开了。

这个城市的风景非常优美，纵横交错的街道向郊外伸展成为田间小道和山中曲径，还有一些一格格在晚上透出灯光的窗口和环绕城市的圆圆的山峦……都充满魅力和神秘，换句话说，如果你喜欢爱情，就会喜欢上这儿的一切。

我支起画架，又新添了一些油画颜料，画起画来，好消磨每日去广场的短暂勾引之后所剩下来的大段空闲时光。每一个笔触都是疲乏失意的诗人一次忧郁的叹息。这段日子是我的"蓝色时期"。只有蓝色才能抚慰我伤感的眼睛。

我画了不少有关广场的画。没想到若干年后竟卖了好价钱。

我每天都去送给她一枝花，而她总会把它们插在身体上或广场周围的一些令人意想不到的地方，有几次我从广场附近的一些房屋边发现被插在门窗缝隙中的残破的花朵。尽管她精心安置这些花的残骸，但我的勾引并没有什么实质上的进展，只不过，让我不至于灰心的是，她见到我便会露出日益亲密的笑容（虽然她见到别的人也会展开笑脸，但我能看出其中的差异）这种状况直到我偶然送给她一块英国巧克力后才告结束。

她嘴里含着巧克力便跟我走了，我走到哪她便跟到哪，当时我毫无贬义地想："就是用棒子打她也赶不走她了"，我带着她逛公园、动物园、商场……她一路上嘻嘻哈哈、大惊小怪、用她纯洁的痴癫（类似天真）与一切说话，喃喃自语，或对他们倾诉，对猴子与狐狸们、对营业员们与塑料模特们……又用她的美貌与甜蜜的嗓音消解人们的怒意。美丽动人，尤其在明亮豪华的商场，我在下面观看她随着电梯飘然地冉冉上升时，那身影简直就像会随地吐痰的升天仙女。

她的毫无理智的顺从，使我觉得再与她玩看手相的把戏已丝毫没必要。我（索性）最后径直把她带往我居住的小屋。我当时的兴奋与紧张是读者们可想而知的。我穿过那阴暗的楼道时，因并非久经情场而有点发抖的脚"咣当"踢倒了一个铁皮桶。

"噢！什么响？"她吃惊地问。

我随口套用了一个我小时候读过的某篇童话的情节。

"唉，是我因为爱上你而得上了相思病，非常忧郁，便叫人在我胸口上箍了三个铁箍，以防我的心因思恋和焦虑而破裂，现在我俩终于能在一起了，愿望实现了，愉快极了，铁箍也自动掉了。"

"哦！"她像明白了似的，但又莫名其妙地说了一句："一个。"

然而我没走几步，又踢倒了斜搁在墙边的火钳，又"咣当"一响。

"两个。"她又说。

一只老鼠箭般地从我们脚边窜过去。她又惊叫了一声。

"一个马！"

很难得她能联想到今天中午在动物园时我曾纠正她的一种动物的名字，当时她竟把那说成是"一匹男人"。

此时，她让我仿佛到了童话世界，也只有她，才能在我周围营造出这种气氛。

接下来的事是我给她洗澡，因为她不知道如何洗澡，比如，她会长时间泡在水里，而不知道用肥皂，但她一旦发现肥皂涂在身上滑溜溜怪好玩的，而且会冒出许多大大小小五彩缤纷的泡沫，她便开始对肥皂爱不释手，直到我强硬地把它夺走。但几分钟后，她便彻底从因失去宠爱的肥皂而低落的情绪中脱身而出，一时兴起，在浴室里大声唱歌，赤裸着身体无聊地到处追逐蚊子，看起来像是在舞蹈一样，歌词无非是"啦啦啦"的组合，但谁都会听得出音色极美，天才地抒发着独特的情绪，旋律令人吃惊的丰富而且变化多端，潮湿的浴室在整整三个小时内灌满着她嘹亮的歌声，以至使这地方散发出细雨阳光的气息，而蚊子们皆掩耳而逃。

我想，她是不能意识到这欢悦之中正悄然流逝的时间的，欢悦消耗时间，正如痛苦一样。人的时间是人的生命。我们曾多次在欢悦之潮中猛然醒悟到我们的生命也正在此时不断流逝，向着那最后的寂寂的归宿，一往而前，并不因欢悦而稍作停顿。这让我们不由得感到一丝甚或无穷的悲哀。生命发生欢悦，同时又消耗自己人的欢悦始终会有这么一个伤口，有意或无意地触及，便会感受到欢悦的隐痛。而我们很少去触及它，我们以深藏不露的刻意让自己沉浸于欢悦里，因为我们无能挽留时间，并且，对已逝和在逝的生命的哀悼又显得不适场合，尤其是对在逝的生命的哀悼只能造成无限循环的旧伤未去又添新疤的无穷痛苦。以我们的天性，我们企图攫紧到手的欢悦（但欢悦又岂能是可攫紧的？），或者，我们勇敢地堕入欢悦里，面对步步紧逼的死亡之神，力求催眠，获取迷狂，如同是一场战争，但最后始终是会以欢悦的败北而告终。

她是没有时间观念的。当然我并不能完全确认这一点，并且，我还不知道。她的欢悦是否也和时间概念一样并不存于她的意识之中但欢悦也并不是那么依赖意识的。这种单纯的欢悦真令我无比羡慕，她的欢悦由于时间意识的缺席而不在乎是否短暂是否长久……

多好啊！无知无识。

她从未对我说过："我爱你。"而我也正好十分害怕这句话从她嘴中说出来，只要我想到话语之后可能的虚伪和空洞（被确知的虚伪和空洞还比这好一些）便毛骨悚然。但这句话我常对她说，也许对自己的情感比较容易有信任感。让我庆幸的事，她的学语症却原因不明地避开了这句话，也许这三个字的发音令她不快而已？为这我还做过试验，我有几次问她：你爱我吗？但即使在温暖缱绻的被子里，在我双手的环抱之中，她也从不予回答，最多笑笑，但这有什么关系呢？她在我生活中，对我笑，对我哭，打碎杯子和暖壶，在房间里毫不顾忌地撒尿，皱眉头，打饱嗝，接受我的拥抱……这就够了，还需要什么言语吗？

"你知道我是谁吗？"有一天晚上，她突然站在床上对我说："我是千变魔女……我是白蛇娘子……和花仙子的结合……白蛇娘子受骗了，被压在雷峰塔下，窦娥也被杀了，血喷得老高，大雪纷飞，我是女娲的后代……派来补天……下雨……因为天上有个洞……洗不掉地上的血，到处都是，很难洗掉，所以到处都是而且天老是在下雨……森森树林……刀光剑影……坦克来了……轰轰轰轰……有枪……我怕……但我是千变魔女，我吹一口气，一阵花雨坦克全翻了，像翻了的乌龟一样朝天乱蹬腿，枪也被我变弯……魔女不要吃饭，饿了一千年，胃在融化，大脑也在融化……最喜吃巧克力……广场上铺满了巧克力，很香很香，腾腾香气，四处冒烟……太可怕了，下雨打滑……四处挤满了人，趴在地上不起来，舔巧克力……我是魅力无穷的千变魔女……飞机、大炮……呼！砰！砰！砰……什么都不怕……张开双臂站在蓝色的天空中舞蹈，巨大的舞台，闪闪发亮的星辰飞奔而来，……歌唱……"我无法弄明白这样疯狂的语言来自何处，我眼前出现一幅可怕的场景，最后沉沦在浪漫的光眩中。她还在滔滔不绝地胡言乱语，面色潮红，穿着白色睡衣的她站立在床上手舞足蹈，真如同一个魔鬼附体的巫女。

我有些害怕了，这种无节制的大声叫喊，我担心会损害她的身体，我跳上床，接住她飞舞的手说："好啦！好啦！"

她喘着气，停下来怔怔地望我。

"你是女娲派来的吗？"我问。

"是！"

我表情严肃地说："女娲命令你，立即卧倒，前面有敌人。"

她立即乖乖地卧倒在床上。

"要埋伏起来，闭上眼。"我说着边轻轻给她盖上被子。

不多久她便睡着了，再也没有"千变魔女"的样子。我再小心地把她翻过身来，重新掖好被子。她脸颊红润。平静地呼吸着。她睡着时完全如同正常人她原本是正常人，有温馨的家和疼爱她的父母。从她平常的言语中看得出她显然曾受过良好的教育，在诗意中、爱情中、友谊中……呵护中生活过。在梦中，她会梦到从前吗？

她突然轻轻哼了一声，眼里冒出一颗大大的泪珠，在眼角微微颤动了一下，瞬即滚落在枕巾上，一线亮晶晶的泪痕……我的眼泪也刷然而下。

我溺爱她，有时把她当成自己的孩子一样去溺爱，甚至像那些对自己未曾发挥过诗才而颇抱遗憾的父母们，热忱地希望见到这高贵的能力出现在亲生血缘的继承人身上那样，把她在某些时辰信口开河的字句记录下来多像那些被稚儿呀呀呓语所感动的父母这也许对我来说，更像娱乐。

以下提供几段她"灵感降临"时所说的某些句子，以备精神病学家考察。

1

有一天晚上她临睡前折腾了半天，她把手电筒打亮在房间胡乱地照来照去，边跑边笑，并且打碎了五个杯子，折断了一条椅子的腿，等到折腾够了快昏昏入睡之时，却又突然"诗兴"大发：

当水纹的线条穿过宇宙时发生
阴影的哑声，衡量的光束
在数目的平台上
舞蹈
色情的中药把强迫的欲望
化成一个形体
我的睡觉是浸在水中的
睡觉

2

屁眼的动词无法移动

但可以芭蕾，嘻！

伴奏的琴声垂直于边际的轮廓

世界的命运张开它悬崖的嘴巴

冷笑的时辰像阴毛一样稀少

始终，不对，对，不对，对不起……

舌头不免要拽出陌生的蓝音（难音？）

"作于"有一次我责怪她便后不用手纸

3

哀愁障碍的摇身一变

静止的心脏弥漫了山巅

我是一位好姑娘　是不是？蒋志？

尿床只是你喜欢的水流形式

恶意的见证物

在黑暗中充盈

躺……

未完，她嘀咕着睡着了我只能记录这仅有几句的短短残片

4

有次我问她现在时间几点了？

现在的时间不管它

只是一小部分

我在　我思　不思（可能她翻看了我桌上的某本书）

我在吗？

596

在吗?
喂?!

如此……等等许多,除此之外,她还用小刀在墙上刻画了一些奇怪的字眼,举一例:

☆
括　　　191　　　电

　　　　80　　卡

证:
包

佛≈≈≈

1999 年某一天下午的答问录

J：你认为这些只供精神病学家研究吗？

铁皮人：当然也供诗歌评论家与艺术评论家们参考。艺术与异常思维有关,在这里我需要重提"艺术家是疯子",当然是个半疯子,或是一个未来的疯子,如尼采。一个隐蔽的疯子,混迹于人群之中,混迹于这个国家的各个部门……他会在特殊时刻发作,在有需要的时刻。他们喝酒、吸毒,或用一种神秘的方式导入迷狂,想想李白、米苔吧,想想萨特、金斯堡、克鲁亚克吧……灵感奔放的时刻,就是感官的狂欢节,许多人明白这一点。帕维奇写出了"他吻了吻落进汤盆的自个儿的脸蛋",他大概那时像一个喝得烂醉的外科手术师,他还写了许多"每天从她酥胸上摘下一颗乳房"这样类似的句子。难以相信如果他那时如你我一般思维正常的话,会写出这么些古

597

怪的文字？会写出那本《哈扎尔辞典》？

J：那么，你的精神病女友那些胡乱的呓语，别人能理解吗？如果没人能理解，它们有意义吗？

铁皮人：我明白你的意思，你认为能被理解的才会有意义。语言学家艾耶尔说："就像在理论上任何密码都应该能被破译的一样，任何一种私人语言都能得到更广泛的理解。"比如曾在一个电视节目里，女主持人向一帮外国留学生提问，考查他们的中文水平，让他们用"打"来组词。有一个人说："打洞"，台下立即爆发出狂笑。女主持人保持庄重地夸他组词能力很强，并又过分庄重地解释"打洞"就是"在地球上打个洞"。因为她说是在"地球上"，而不是说在"纸上"、"地上"，所以显得过分庄重了。"打洞"最早是一个诙谐的密码，只是它太容易被解密，也太容易被流传。它是一个由私密语言迅速转换成大众语言的成功范例。

并且，词与词之间的私密关系的建立是混乱又轻易的。一位某电台的女播音员曾在一个私人 PARTY 里绘神绘色地向大家演绎了"句号"是如何与"性交"联系上的。她大致这么说：我望着你胸前两个逗号，引起来我的惊叹号，穿过你的句号，留下一串省略号。这里面有一个重要的词汇：胸，它把语境指向身体，词与另一个词之间如需发生关系，需要这么一个桥梁，但这像找一个借口一样方便。

有时候，这个桥梁便是逻辑。有一条定理是："任何一句胡说都能推出任何一句话。"有人要哲学家罗素从"$2+2=5$"推出"罗素是教皇"，罗素推论如下：

①假定 $2+2=5$

②等式两边各减去 2，得出 $2=3$

③易位得 3＝2

④两边各减去 1，得出 2＝1

⑤教皇与罗素是两个人，既然 2＝1，那么教皇与罗素就是一个人，所以，罗素是教皇。

我考你一下，根据这个定理，你能从"2＋2＝100"推出"我随时会完蛋吗"。

J： 证明如下：

①2＋2＝100

②等式两边各乘以零：(2＋2)×0＝0

100×0＝0

③得 0＝0

④我是一个人，不管我是 2＋2 中的 1，还是 100 中的 1，都是一样，随时完蛋。

J： 你与精神病女友的恋爱史好像是戛然而止了，是怎样结束的？

铁皮人： 上面是我的勾引史，后来，我们的确在恋爱，一段为世人难以理解的恋爱，我知道你会发问：精神病人怎么会恋爱呢？我清楚你们的认识局限，所以，我选择把这段历史保留在我私人的领域里。我始终会记得她一触即发的连串笑声，昂着头挺着胸在水房与房间的走廊上的空气中迈开大步，或同样在秦皇岛的野生动物园里，她那时正在与我赌气，但她独自绕了一圈之后，又不小心回到我的身边。我仍记得她像圣女贞德一样骑着马飞奔在太师庄的湖边，头发在马蹄掀起的厚厚灰尘中飘扬，她往远处飞奔，身影沐浴在如古战场上的迷蒙的橙色光辉之中，渐渐变成小黑点，又渐渐变成一颗灰尘，一去不返。我为此赔偿了一匹马的价钱。

J：你什么时候决定要成为铁皮人的？

铁皮人：蚊子很多的时候，我碰到难以置信的奇怪心情。如果那时不决定变成铁皮人，我或许会选择结婚或买一个我垂涎已久的榴莲。

J：是铁皮吞没了你吗？

铁皮人：是啊，我发现吞没是个有趣和性感的词，它应该是美食协会和性虐待协会的专用词。铁皮吞没了我，就如同大班椅吞没一个经理，迎宾旗袍吞没一个漂亮姑娘、学生服吞没一个小孩、官服吞没一个中年人一样……

J：你以前与女人的关系怎么样？

铁皮人：保持一定距离，我说过，我曾经在异性面前十分拘谨，当然我极想靠近她们。我总是小心地距离她们一手臂远的距离。但有时太过留意去确认这距离，我会常常把手误投到女人的肩膀上，幸亏误投的不是炸弹。太过于注意，会适得其反，你应该转告大家，生活不必太紧张。

J：你还有需转告的重要训练吗？

铁皮人：暂时想不起来了。

关于身体·十三岁的胖女孩约会记

在这个学校总有让这个十三岁的女孩觉得生气的地方，这么小，别说湖边小路了，就连一条长一些的林荫小路都没有，所以经常出现这种情况，在校门口，她与那个小男孩正巧走到一块了，还未来得及聊几句，就令人绝望地到教室里了，尽管中间还可以找一个去校园小卖店（教师轮流当营业员）买冰激凌吃的借口把呆在一起的时间拖长一点，但美味的冰激凌毕竟是那么短命。于是，就有了某一天她约男孩晚上去公园散步和看星星，她还第一次让这男孩摸了她的乳房和阴部，最关键的是，第二天还让男孩搂住了她的腰，这是最后一关，她当时紧张得闭上了眼睛，她从来没有想象过像现在这么有勇气，她认为自己像香港的肥肥。

吸管人国王的隐匿

J：听说你做过一件出格的事情，就是制作了一批吸管人。

铁皮人：不是一批，而是创建了一个吸管人国家，这在当时各种媒体曾大量报道过。这是一份当时的报道。

（1997年11月15太阳社电）当世界陷入对"吸管人"的巨大敌意和恐慌之际，我在某秘密地方采访了"吸管人"，他们的外形与常人无异，只是舌头变成了一根与饮料吸管差不多的吸管器官。也许那熟悉不过的吸管多少能抚平一些人们突兀诧异的心态。这些"吸管人"能吸食任何东西，包括有生命与无生命物质以及信息，因为他们的大脑、消化道和全身器官均做了重大调整。这样，能给他们的营养是如此丰富，以致他们对物质的需求已达到极度满足，他们也因此认为已完全具备了极端理想主义者的生理条件。

某"吸管人"对记者说："利用尖端的生物工程、基因技术、毫微技术、电脑技术把我们创造出来没有费多少事，我们是终于从原人类状况的可悲境地里率先冲杀出来的先锋。"

他们认为：任何妄图维护人之本来面目（身体与精神）的思想只是自我盲目的神化和虚伪胆怯的自慰的混浊之物。为什

601

么不把一些更有效的器官赋予自己呢？

这个"吸管人"的小小国度的国歌的歌词是："我们吸、我们吸、我们无所不吸。"

当他们被问及是否仍能把他们当人看待时，他们的"国王"回答说："这个问题本无关紧要，但当我们的数量足够多时，不承认我们是人，只能使他自己显得反常。"

这个事件，也同时开创了人类精神史的新纪元。这个小小的变化是：人类的精神已被抛入高科技的烹制之中。也许我们以后还将更明确地认识到：

人类几乎无力阻止可能之事产生，它既出现，人们的一厢情愿的拒绝就是徒劳的，因为它已经存在于随风飘扬的拒绝的贞节带之前。

新事物逼迫人类生产新态度。

人制造新事物，而新事物将重新塑造人。

被创造物改变创造主体的进程从未停下过脚步，并正步步深入。

J： 你能说说当时你为什么要创立这么一个小国家吗？

铁皮人： 在心情不好的时候，开个玩笑而已。这与那些有野心的政治家有天壤之别的。这些问题，我与联合国秘书长有过诚恳的磋商，最后，我主动取消了这个国家。我很不明白，为什么克林顿要把气撒到南斯拉夫去。但愿他不是因为我而憋了一肚子气。

J： 那次"心情不好的时候"是因为什么事？

铁皮人： 当我的精神病女友骑马在一片黄沙之中消逝之后，你该明白，我是最讨厌不明不白地独自返家的。

J：当你从"吸管人国"事件中隐身而退之后，就决定变成铁皮人吗？

铁皮人：连我自己也不能确定，也许有这个原因，南昌有支"盘古"乐队，他们唱："我会变成一疯子，要么装进某个套子，现实的一切太真实，你看我像不像面镜子。"也许那时我喜欢上了第二句，我可能对自己说过："算了吧，蒋志，你闯了一个祸，快把我自己藏起来吧。"是的，当时全球的道德主义者们正恨不得把我消灭，我快成第二个拉什迪了。

J：当时，还有其它原因吗？

铁皮人：我那时正藏身于一个蚊虫极多的南方小镇里，那儿的老鼠像猫一样在每家的屋里屋外大腹便便地任意溜达，而蚊子成群结队地光顾我，我买了小镇最畅销的电蚊拍，样子像网球拍一样，我随手一挥（这可不是什么高尚娱乐），十几只蚊子就会被粘在网上闪闪发光，噼叭直响，冒出一股烤禽味。但这种滥杀直到有一天我发觉网上竟粘有几对交尾的蚊子之后便中止了。

我在田野上见到过这种双双交尾飞翔于空中的浪漫的性爱之旅，一方被另一方用性具拖弋着随风而去，感觉是如此之好，所以，当我看到在网上冒着火星的情侣，大为伤感。尤其有时是其中一只蚊子被电焦，冒出一股烟，瞬间魂飞魄散，而另一只仍活着，尾巴无法抽出，让我直面性爱被偶然事件摧毁的悲剧。

后来，我又买了小镇上最好销的驱蚊片，但只要我一插上电蚊器，早对此有抵抗力的蚊子们就会循味而来，知道这儿已为它们准备好了血宴夜宵了。我只好对自己说："算了吧，蒋志，把自己包起来吧。"就这样，铁皮人在某一天晚上出现了。

手续并不比创造吸管人复杂，一件简简单单的事儿，你也能做到。

关于身体·新身份

铁皮。会生锈的皮肤，把锈刮下来倒进茶水里可制成墨水。不让它生锈的理论策略是：与外界隔绝。这好像在说，铁可以成为书写的材料，但不能与外界隔绝。但我一直认为，人可以隐藏到铁皮里，把本来的肉体与身份完全地包裹在外套及面具之中，获得一个夸张的、非现实的、非社会的新身份，这是经验之谈，是从我与精神病女子的失败恋情中醒悟出来的。只要你还处在一个现实社会的角色之中，无论你如何置换，你都难以得到新的体验，以及自由。怎么去突破？（精神病女友从未辜负我，而是我辜负了她。她的策马而逝让我意识到我从未走出原地一步，只有你疯了，才能在发疯的世界中生存。）只有真正隔绝，才能真正介入。

我参加 PARTY

铁皮人：此后不久，我成为这座城市夜间 PARTY 最受欢迎的贵宾，每天有无数电话和信件涌来，献上这个城市有产者们的盛情邀请。我除了拒绝没有二话，但有一次例外，因为著名活动策划人高桑把他的邀请干得比谁都酷。有一天，他派人送来一件大礼物。

送货人是一位眼神怪怪的姑娘，我一般是见怪不怪，除非怪事即将发生在我头上。她推着一个有轮的长条形木箱子走过来，"嗨！"她老远就喊："哥们，离我远点！"

这令我不由得十分生气，觉得她十分无礼。我走近她，张开铁怀，毫无情欲。但怪事发生了，当我与她越来越近时，竟然发觉自己有一种要扑过去的感觉，而且每向前走一步，这种感觉就越强烈。我咬紧牙关，攥紧拳头、勾紧脚趾，但仍要，仍想要，仍被要扑过去，真把持不住了，飞过去吧。

"嗨！停住！"她喝住已飘飘然的我："哥们！请你最好离我五步之外，嘻嘻！尽管这并不是出于本小姐的心意。"她退后两步，停下来，用双条修长的腿把屁股叉在腰旁，歇了一会，然后，把那只木箱打开，哇！是一尊非常像我的雕像。"这是你的雕像，全磁铁做成。"小姐说。现在我才明白，刚才那种感觉，并非来自心理的、生理的，而是来自物理的。我要扑上来的对象竟是自己的翻版。

最后，我只好把它用绳子捆牢塞进地下室里。上锁。不然，在五步之内，要么它准会扑向我，要么我就定会扑向它，或者我俩同时向对方飞去，在半途轰然一声合二为一。无论是哪种情状，我脱身的代价，只有被它脱光。这是一个相当危险的礼物，但十分精彩，高桑还带来一个口信：如果我不参加他的PARTY，他将在我常经过的路径上，再放上几个。

J：小姐姓什么？留下电话号码了吗？

铁皮人：哦！这些我已不关心了。如今，铁皮人已经完全彻底地迷倒所有女性，虽然铁皮如美人鱼的鳞甲一样冰凉，如刀剑一般冷漠，但我已荣登当年最性感男人之榜首，我以后的生活随此改变，可以说不幸，仅举几例如下：

①我无法再去参加夜间PARTY，因为我铁洞之下的迷人的眼睛、刚睡醒似的睫毛、身上可爱的一点锈斑、以及轻微的

金属味，脱口而出的妙语，都会令人在黑暗的场所激发出无数幻想。

②不得不经常更换住所，以免被大批年轻妇女堵住房门，要求签字或一吻。

③只能经常戴墨镜。一个女崇拜者说出了一句最典型的话："他的眼睛充满令人难以置信的真情，望着它，你会迷失好几天"。我可不愿意满街都是迷失的人。

④每天，我都要做额外一件工作，就是逐个查看阳台、床底、书桌下、沙发内、衣柜里……以确保没有女士躲藏在里面。当有一个十六岁的女孩竟在半夜从垃圾桶里跳出来时，我足足被吓怕了一个月，甚至有一段时间还神经质地把冰箱、抽屉、巧克力筒、暖壶、袜子、覆着的茶杯也挨个查寻一遍，假若再发生点意外的事，我恐怕要常把钢笔的吸水胶管给捏挤一番了。

⑤我购买东西时也需避人。因为女孩子们会疯狂地抢购一切铁皮人买过的东西。

⑥出行不便。无论在商场还是在过街人行道，发现我的女孩子们会一拥而上，拼命往我手里塞自己的电话号码，甚至抢着投进我的臂弯，以致手臂部分的铁皮经常需要维修。

⑦上楼梯时，心理负担重。当然这并非出于女性所顾虑的裙底风光乍泄，而是处于一种美誉在外的顾虑。如我前女友所说："铁皮人在登楼时最性感，他拥有一种优美的轻盈的登山风格。"

⑧见到胳膊稍为粗壮的女人就胆战心惊，因为某女子曾在电视采访中宣言："为了能给铁皮人做洗衣缝补的家务活，每个女人都愿当名铁匠。"

注：以上条例部分文字来自某杂志对"1998 最性感男人"的介绍文章的启发，甚至有些基本照抄，铁皮人只做了几处拘谨的修饰，并表示对原型的迷恋与敬意。有以上遭遇的原型人物有五十六岁的最性感男人哈里森·福特（可参见例 1），最性感的播音员卡森·戴利（可参见例 2）、最性感的 R&B 明星阿瑟（可参见略有发展的例 4）、最性感的登山家戴维·布里谢尔斯（可参见例 7）……其余如有巧合，纯非意外。

J：之后你去了高桑的 PARTY 是吗？

铁皮人：是的，我喜欢那件危险迷人的礼物，它的存在对我是一种吸引，尽管也是危险品，当然这从物理学角度来说的，它是我的弱点，不能接触的弱点，我会被它脱光的，哈哈！所有名人雕像在某些方面都存在一种危险，当然也迷人是吧？我一想到罗丹一个劲地把巴尔扎克脱光，做成一个又一个光屁股泥人时，我总会开怀大笑，甚至减弱了我对那尊睡袍中的巴尔扎克塑像的印象，它真的像一只麻袋，假如把那只疙疙瘩瘩的头颅当成一个结时，假如你从侧面看，或从背面看……我喜欢高桑的邀请手段，这磁人是他的主意。PARTY 在他的工作室开，里面虽然挺暗，但并不妨碍金属的反光吸引众人的目光，高桑很快就见到了我，便从人群中像牙膏一样费力地把自己挤出来，当然别人也跟着用力挤。是的，他很白，质感有点软，个子也小，像传统牙膏。他握住我的手，跟我连干了两杯 GIN 酒。"女主人"金丝那晚显得比平时更漂亮（平时也只不过一共见过她两次），发型设计鬼才罗利给她做的头发更使她无论在人类还是类人猿的眼里都显得无比性感，她也因此今晚骚劲十足，过分热情地把我的铁皮拍得砰砰直响，好像一个主妇在挑选一只铁桶。"铁皮大师，"她这么说，离我这么近，嗓音和气味都很立体，娇声娇气："金属时代到来了！金属旋风刮得我们这些女孩子都成了垮掉的一代了"。一个平面设计师凑过一张只有三原色的脸庞："金丝，哦！金丝，"他使劲嗅嗅："你已让我产生幻觉了"，并在身旁的女模特的屁股上顺手摸了一把。

"去你的！"金丝拍拍他的脸，他们同时发出三声怪声："唔！"

我和一个自称"慧慧"（菲菲？狒狒？）的女人跳舞，高桑抱着脑袋在人群中钻来钻去，一边咕噜着"My God! My God!"他后来发出的任何声音都来自英美，他一喝醉就如此，也许这样的发音会让他的醉意更酣畅淋漓些。我呢，抱着"慧慧"或曰"狒狒"，跳得很疯狂，铁皮磨损比较严重。作为铁皮人，不疯狂就不正常，狒狒把乳房使劲挤压在我胸前的铁皮上，磨擦，把那儿捂得温温的，铁皮所特有的导热性把她的体温有节制地（但更有刺激地）传导到我的身体。总之，我很愉快，感到：感动。她快活的眼光游弋过来，像两条追寻艳遇的小鱼，在黑暗中急速地来回，来，她偷偷地把我扯到一墙角的沙发里："来，闻闻我阴部的味道。"她喘着气说，好像下了很大的决心来干一件不寻常的事儿似的。

屋子里惟一的光线来自于正放着国外广告录像的电视屏幕，迪斯高的节奏指挥着这所房子里所有的扭动。

菲菲摸索我的下部，闭着眼，像是在玩一种闭着眼睛找玩具的儿童游戏。但我告诉她："那儿是上锁的。"钥匙到哪儿去了呢？忘在家里？

J：忘在家里？

铁皮人：当然不是，在另一个女人手上，但她至今从未出现过，要梦到她 777 次以后，所幸的是，近来她在我梦中终于一次比一次清晰，而在以前她只是一个性别的影子。

关于身体·翅膀

只要我们回到有翅膀的过去
以天空为家就不太难
也会很孤单，在大多数日子
我扇动巨翅
在一望无际的大地上寻觅你
看见你在草地的阵雨之下
看见你在无花的湖边，低飞
我紧紧跟随你
或轻轻降落到你的背上
抚摸你垂向地心的果实般的乳房
并吮吸你的双耳，它们如贝如花
而现在，我们的翅膀早已退化
成两簇小小的腋毛
而你呢，还要把它们刮得精光

现在的女友

J：你现在的女友是什么时候认识的？

铁皮人：1998 年 3 月 12 日 23 点 41 分 51 秒

J：好像是一个不平凡的晚上，你们怎么认识的呢？

铁皮人：我干吗要花心思去想哪一个晚上是否是不平凡的呢？每一个人都有属于自己的夜晚，只不过，一些人是享用自己的夜晚，另一些人是强占别人的夜晚……

很小的时候，我常常幻想从我的窗子会跳下来一个仙女，或许她会从月亮、贝壳、花园中来或由狐狸精、一座雕像、一个布娃娃变过来……她飘进窗子，轻轻立在我床边，穿着尽可能薄的（那时还不知道性感一词）轻纱罗裙。但后来，这个愿望被无情摧毁了。第一个打击是美国宇航员踏入了月球，证实那儿连一只蚂蚁都没有。我只好把希望放在地球上，但我却住在十二层楼上，这只能更增加了仙女上楼的难度，并且，左右相邻的是成千上百个一模一样的窗子，仙女保不准会迷失方向。

那天晚上，窗外照旧闯入街上繁华的噪音，都市总是塞满着各种垃圾，让人时时生厌，除非你喜欢这些垃圾。我正要把窗帘放下来，突然，听见房门被轻轻敲响，我以为是查户口的，满怀怒气地去开门，但门开了，却见站着一个花季少女，一朵怪花，花瓣儿低垂着，她说：我忘带钥匙了，能在你这歇歇吗？

当时我应该对她这么大吼：我可是铁皮人啊！但我当时忘记了自己是铁皮人，我说："请进。"

J：你不是说你的梦中情人的形象仍未出现吗？

铁皮人：但她的形象一次比一次更清晰。

J：你的女友的名字。

铁皮人：水蛇。

J：职业？

铁皮人：摄影师。

J：习性？

铁皮人：四处游走，疲倦了回到洞穴。

J：那一次可没有游回自己的洞穴。

铁皮人：我不是说她忘带钥匙了？况且，她有一种罕见的能力，能嗅觉到梦的气味，她依循这气味最后能找到梦的气味与她十分相同的另一个人的洞穴，假如她刚好经过这儿，假如她又困又累，并且又忘带自己的门匙，她会毫无顾忌地敲门请求一隅歇脚。

关于身体·乳房上的琴键

与另外一只正在做梦的乳头相比，这只却热情地醒着并亢奋地比平时膨胀了许多，一团充满欲望的玫瑰色的凸出物，如同教堂的尖顶和广场上的纪念碑，对欲望的渴求使它高高矗立，变得坚硬，在非病理的状态下，它直接宣布的是欲望。并且膨胀与坚硬也使它更适合接受外来欲望的袭击。

我摁下了一个键，声音升起来了，我不停地抚摸、点击、摁转这只温暖的琴键。突然提起手指，让它跳跃起来，发出短促的吟唱，唱下去，唱下去……

用舌尖弹拨。

急速点？/好的。

让我跟上你的节拍。

水　蛇

铁皮人：潮湿的皮肤，警觉，敏感，使用致命的毒液，但微量施放，只会让人只觉得些许沉醉。

铁皮人：她喜欢的女摄影家有美国的芭芭拉·克鲁格①和辛蒂·雪曼②，英国的裘·施本恩③。

铁皮人：喜欢吃烤面包、雪糕。喜欢随意撒小脾气和尿。

铁皮人：我至今仍记得水蛇一触即发的连串笑声，或昂头挺胸在走廊与我房间的空气中飞快地迈开大步，或匍匐在牧场的草地上吮吸露水，或在玩蹦极的时候在空中给大家唱山歌，或坐在酒吧的高椅上随着音乐扭动她的肥屁股，或她和我在北师大的夜晚手挽着手，蹦着在校园穿行，像一对连体兔子，或差点把左手的五三药丸当成右手的炒豆塞到某个人嘴里，或在做爱之前佯装羞羞，或避着我在厕所里抽烟……

铁皮人：这是在我的性史中第一次让一个女人在我的引领之下一步步冲向高潮，水蛇向上翻着白眼，像死鱼一样把嘴定固在一个黑洞，似乎在以一种极为痛苦的姿势去死，而我已忘乎所以，用仅存的惟一的知觉，同时进行着创世纪的两件工作：如上帝般施虐与施乐。

铁皮人：你见过穿铁皮的上帝吗？

注释：

①芭芭拉·克鲁格（B.Kruger），美国当代女性主义摄影家，评论家，其作品多使用标语宣言式的文字。

②辛蒂·雪曼（C.Sherman），美国当代著名摄影家，其代

表作是一组自导自演了几十年的"电影停格"式的影像作品，她扮演一个女性在社会中普通存在的各种女性角色与心理面貌。

③裘·施本恩（Jo.Spence），英国当代女性主义摄影家，代表作《关切之事》系列图片是将自己的身体/裸体置于各种生活环境和精神状态的情境或情绪之中。

关于身体·易死

我把几只青辣椒和一条鱼放在砧板上，用刀面拍碎了几瓣蒜。鱼嘴仍在一张一合，尾巴时不时摆动一下，就像突然想到了什么一样，这种动作。

突然，电话铃响了，是杂志社要我立即去追踪报道一起刚被发现的碎尸案。当我两天后返回房间时，那条鱼正在尽情的腐烂，爬满蛆虫。

我这次采访共拍了十八卷胶卷，其中十二卷是在第一天拍的，其中内容有：正在腐烂的女人下半身、一只有血迹的麻袋、新鲜的刚被挖开的泥土、围观的人群、正在取证调查的警察。

另外六卷是在第二天拍的，其中内容有：正在腐烂的女性头颅（长发）、两只乳房（严重腐烂）、胳膊、被切去乳房的胸部、一只有血迹的湿麻袋、河边全景、围观的人群、正在取证调查的警察、一轮满月、河边一只野狗、街上一只宠物狗、一对在墙边接吻的男女、地铁内一对修长的女人腿、地铁内几个打瞌睡的乘客、一张老人的脸部、笑着走向地铁电梯的乘客、一排树、我回来之后拍下的厨房场景。

　　我收拾好砧板，洗净了菜刀，打扫了厨房，把脏东西塞到一个塑料袋里扔进门外的垃圾箱，然后，困倦地爬上床，睡觉。

　　第二天下午醒来时，光线从未合严的窗帘的缝隙中透进来，像窥视者的目光。我偶尔看了一下自己的脚，发现脚背上有一小块皮肤在跳动，过了一会，我才明白这是血管的跳动。我的脚很年青，很有力，跟我一样寂寞，它带我走向生活，走向我爱慕的女人，走向爱情或仇恨，走向熟悉或未知的地方，走向希望与堕落，走向别人和自己的死亡……我望着它，觉得如鱼的尾巴。

月台·尾声

　　铁皮人：水蛇终于要离开我了，她相信离开可以当做尾声，我对她说离开是制造尾声，说到这，我俩同时笑了：我们至少掌握了主动，比那些日出之前必须得在人间消失返回另一世界的钟情女鬼的命运要好，也不怕什么雄黄酒，真好。我问她，去哪？去拍照，她说，我不能老呆在一个地方，这会让我头发生锈，并且，我会寻觅梦的味道，能在别处找到和你一样的人。我祝福你，我说，吃惊地发觉我竟然愚蠢到讲出这样的木讷的话，真正想说的还没有形成话语，但已从眼眶里流出来。你真傻，她说，我已记住你的泪流声并会回来。

　　铁皮人：水蛇上了车，我被乘警挡在车下，离开车还有半小时。对我们这对如胶似漆的恋人来说，这段时间是对身体亲密关系的候斩时间。如刑场的月台。发车的警铃还没有响起，但在每个人手腕上的钟表的长针刮过一个半圆之后，警铃会无情地尖叫，在离别的人们脸庞上轻率而过的月台空气会骤起变化，金属车轮也会重重地向前旋转，由慢到快，一公里、十公里、百公里……地远去，并带着车厢里的人迅速远去，像常见的一种消失，一种结局。

离开车还有半个钟头，隔着窗，我们听不到对方的声音。

我们用一种古怪的哑语交流。

我像野猫一样跺跺脚，像麋鹿一样向后仰头，像大雁一样伸展双臂，像蝙蝠一样蜷缩身体，像蛇一样扭动腰身，像狗一样抬起一只脚，像苍蝇一样摩搓双手，像龟一样匍匐地面，像野兔一样微笑，像绵羊一样眨眨眼，像花狸一样尖叫，像牛一样流泪，像大象一样屹然不动，像奔马一样愤怒，像猫头鹰一样凝望……

水蛇在车厢内配合着，她柔软的身体在椅上、桌上、行李架上尽情地施展，她把整个车厢当成了舞台，动作优雅、轻盈、放荡、不羁……她告诉我即使在那儿、在那时，也会无比思恋我，即使在刷牙、洗脸、上厕所时也会无比思恋我……

一个亮闪闪的铁皮人在车下，

一个绝色美人在车上。

一同舞蹈。

周围的每个人都目瞪口呆，他们以为这是一对疯子。

铁皮人：我一直在想，是疯子创造了他们的记忆。

1999 年 7 月于深圳

（原载《花城》2001 年 1 期）

文体的多层实验

——评《铁皮人的秘密情节＋关于身体》

张春生

　　小说创作中，对描述做全新甚至是颠覆性的实践，被称为"文体实验"。这实验对于现代艺术思维尤为重要，因为它建立在反传统的基础上。所以，大凡现代意识的艺术之作，总要在自己的作品里含有某种嬗变。特别在话语上，这种实验性的变化常很明显。记得上世纪 80 年代中期"寻根文学"之后，出现了"辞典体"，更早的是"意识流"、"无标点"……如今世纪之交，现代艺术对小说的影响已由局部深入进而全面发展，并达到了具有民族特征的本土化高度。于是，《铁皮人的秘密情节＋关于身体》这部中篇小说，它给读者的艺术印象，就不单单是对现代派文学的一般感知，而是了解了中国现代派小说的多层探索。

　　探索之一，对荒诞的合理而真切的表达。

　　荒诞是对生活的变形认知，其内涵为人生的异化。我所谓的异化，即人本的社会转移。例如身份证本是对这个人的社会认证，但在生活中常反过来，人要靠"卡"得到承认，并且有时这个证比人本身更有实用价值。又可以说，以证证人，是对人自身的一个"异化"。这种异化超越常规，多表现为荒诞。这部中篇揭示并描述一种很现实的荒诞：具有自由天性的一位青年成了"铁皮人"，于是他按铁皮之人生活，特别在爱情上也束缚在铁皮中。当然，感情的喷发与流露和冰冷的物化之皮有了尖锐冲突，作品就以现代派文学所出现过的各种文体去描述其间的矛盾，尽写个中的思绪，尤其是痛苦。可是作者没有沉重，而是轻松地内省，把苦恼带有调侃地倾诉出来。这样，我们从荒诞中看到一个真实的存在。即年轻人在当前生活里的人生体验：苦涩地徜徉在缺乏稳定性的市场生活环境中，命运往往被物化所左右，想回归人性而不能彻底逆转。这是我们现在的生活存在，作品表现了出来。荒诞是对真实的变异，更是真实的折光，这部小说写了这种光的多彩。

探索之二，对文体的媒体化作成功抒写。

近年来，媒体语汇已由影视的画面感觉发展为网络话语。电子传播的语汇是短捷的、互动的，也是极易衰减的。然而在移入小说后，衰减不仅得到控制，而且呈现出一种非平面的鲜活。这种新话语形成形象，一方面有了文学特质，另一方面既有画面感又有网络感。《铁皮人的秘密情节＋关于身体》融入多种文体形态，从对话到消息；从内心独白到第三只眼。尤其较多使用媒体流行的接续式短句，介乎诗与短信息的格式看似不如传统的文学描写，但饱含情感。因此这些话语刻画了铁皮人和他周围朋友的思想与言行，读起来很鲜灵。特别是引入影视剧本的镜头写法，让读者不仅能体味到，而且看到了铁皮人的活动变人形。中景的广场、白字黑底的字幕、全景镜头下的一男一女的交谈……这些组成了本篇小说的艺术语境，形成了

617

新颖的审美意趣，生活的多姿与铁皮人内心的秘密即苦恼，淋漓地揭示出来。文体不怕变，怕的是变得不合理。而这部中篇小说，尽力以多种语汇形成文学现代载体，并在全面求文体之新中合理表达中国城市青年的一种另类生活，使读者从语境的变异里能愉悦地予以接受。

探索之三，对身体写作的一种矫正。身体写作无须把自己和周围赤裸裸地展览在小说里。若只是靠细致的语言去表达欲的躁动，再炽热具体些，便进入一种自然化的暴露。而暴露的艺术，离开应有的含蓄，削弱了美。这部小说，对爱情的身体描述是重点，然而却笔锋适度。它的理性也是艺术的，运用了象征，也使用了白描，但更植入一种诗化。即使袒露梦境，也不一览无余，仅写到近来"一次比一次清晰，而在以前她只是一个性别的影子"。那两性间的抚摸触及，无外是"舌尖弹拨了琴键"。现代派的艺术描绘需要大胆，但目的在于发挥阅读的张力。《铁皮人的秘密情节＋关于身体》尽管题材并非出新了什么，但它的艺术实践给人以多处启迪。

现代派小说的文体实验，重要的是在借鉴时能有自己的主体表现。这对我们文学的向自己、向世界的沟通十分重要。现代派要汇入中国气韵，这部中篇小说，刻画了生活流程里的青春变异，文体综合了曾有过的多种实践。虽说在流畅诸方面还可推敲，但作品揭示了中国青年当代都市生活的一种存在，一种人生状态，阅读起来"不隔"，却很本土。这是它获得大家认可的主要原因，也说明这种文学创作需要坚持并拓展开去。

（张春生，天津社会科学院文学研究所研究员）

王童，又名王志刚。介于新生代和非新生代之间。毕业于北京电影学院文学系及内蒙新闻写作研究班。当过播音员、记者，自编自导自演过独白剧《美学观点》并获奖。混迹于影视界，担任过副导演、客串过小角色、编导过电视专题片。曾发表过《黑姆佛洛狄特通道》、《把耶稣逗笑的日子》、《懂事的年龄》等中短篇小说，亦著有《名人聚焦》、《梦断好莱坞》等书，尚有一些摄影作品和政论、作家专访散见于各报刊。自认为自己是个"杂家"。现供职于《北京文学》杂志社。

美国隐形眼镜

王 童

晚上我要和燕泥去约会。

在 1999 年 5 月 9 日到来之前，也可说是之后，我一直相信着诺查丹玛斯的预言是真的，因为那场歇斯底里、惊天动地的轰炸就是在他末日预言到来的前夕发生的。电视新闻里已上映了数部由布什、克林顿、萨达姆和米洛舍维奇联合执导的战争片。B－52 轰炸机划着优美的弧线侧旋着飞上了天空——B－2 隐型轰炸机黑色的身影、三角形的机翼像是一只变异的苍蝇肆虐着建筑。这段日子，我染上了一个平常不曾有的习惯——经常下意识地看天空，看云水间的蓝色或灰色中会掉下什么东西来。

1999 年 7 月，恐怖大王从天而降。

……

还是 5 月 9 日这一天早晨，我去上班，正赶上天空真的掉下来了一些东西，是雨。雨水浸淫着路面，墨色的人影恍惚交错在雨滴绽开的酒涡中。街上的行人大多都已披上了赤橙黄绿的雨衣、雨披，特别是骑在自行车上的人，弓身弯背躲在那弧

621

形的塑料色调中，如中世纪披着铠甲的武士从地穴中钻出来似的。由于这些雨披的遮盖，从旁侧很难看清人的面孔，他们萤萤群行的身影幽灵般的在四散奔逃。

我照例把自行车推进地铁口的存车处去上地铁。以往客客气气的存车人这回却拧着他褐红色渗着一些雨丝横过的脸气不打一处来地对我说："满了，没地儿啦！"

我指着一个空位道："那不是地儿吗？"

他推了推头顶上被雨披罩着的鸭舌帽指着我的车子说："你是山地车，那地方是放普通车位的。"

"别他妈的没事找事了，"我也没好气地边说边把车子愣往里推，"山地车，你他妈的还多挣一毛钱呐！"

"那也不能给你存，你就是美国山地也不给你存！"

妈的，这是哪跟哪呀，什么美国山地中国山地的。我和他吵了起来，并不管三七二十一地硬把其他车子向旁推了推，放在了那个空位上。

地铁入口处的旁侧，聚着一些从一铁皮房子里取出烤羊肉串、煎鱿鱼、炸鹌鹑，边躲雨边大嚼其美味的人，他们从木棍上用嘴横扯着肉食，同时还乜斜着眼睛瞪着我。雨水敲铁皮鼓似的敲击着香味四溢的铁皮房子。

我不怕雨，我喜欢雨。

我没戴雨具，我在他们的注视中匆匆而过。

怎么回事？怎么这么多人？

售票口排队买票的人显然比以往增加了好几倍，队伍从入口处拐了弯儿，蜿蜒到了挂着《红苹果》电影广告的甬道里。我看到了以往许多上下班时在此不期而遇的似曾相识的面孔和另一些陌生的鼻眼。他们大多都把雨帽折到脖子后面，女士们还习惯地甩甩头发，他们的表情比往日严肃了很多，特别让我不解的是，这些人的目光在凶巴巴地盯着我。我又不是克林顿、索拉纳、欧洲盟军最高司令克拉克和美国国防部长科恩。反过来说，我也不是米洛舍维奇和南联盟第三兵团司令帕夫科维奇。

我来到站台上，走到我习惯乘坐的最后一节车厢处。此车厢除了人少外，还因为每到这一处等车，溥畅而至的穿堂风就会从立柱旁侧扑面而来，让人有一种通畅的感觉——对我这号北极熊般的人来说，就更有了沁人肺腑般的凉爽。

地铁列车裹挟着一股更大的风呼啸而来，上车的人和下车的人都互不相让地在挤出挤进。列车的车门拔掉自行车气门芯般地开了又关，关了又开，被夹着衣襟、书包让人拖着、拽着，使劲往里扯。

我看见地铁列车车窗在靠墙壁的那一侧从荧光广告牌上切下来三张通红鲜艳的女人的嘴唇，嘴唇在灯光的映透下，散发着一股诱人的气息，上面的皱折也叠着让人欲要吻一下的念头。但这却不是唇膏或是某种润肤品的广告。广告词上写着"让女人更善变，善变多彩——美国隐形眼镜——自然各具特长"。给我的感觉是这广告的视点已从眼睛移到了嘴唇上。这嘴唇让我想起晚上将要约会的，有气息、有淡淡的清香或是智齿上面的异味的那张脸。现在，我转过头，我却看到了和那嘴唇触击而过的另一张女人的面孔，她在我的注视中把头发向耳朵后面拢了一拢，下巴微微扬起，然后把手臂吊在了头顶的吊环上，她被头发弯曲衬托出的侧面就从臂弯的三角形空间里勾画了出来。顶光沿着她的眼睫滑到眼眶里，形成了一个闪动，然后再从鼻翼上慢慢向下流淌，透明的雨披晶亮了起来，隐现着里面身体的裸露部分：胳臂、肩膀、手臂向上抻扯短衬衣脱开的一抹腰部。

车晃动了两下，牵引着向前开动，车灯瞬忽闪了一下，窗玻璃就从女人的嘴唇又切换到太古糖业和杉杉集团挚爱潇洒人间的领带图像间，浮光掠影地钻进了黑暗的长廊中。

车到复兴门，许多人要去换车腾出了座位，我和从隐形眼镜广告中飘落下来的女性面对面地坐了下来。我们对视着，我们没有交流。大家在默默地翻看报纸、杂志，纸页在车风扇的吹拂下窸窣地响着，还有一些人在这静谧的沉默中发呆、发愣。

她把雨披从后脑勺抽脱下来，抖了抖上面的雨珠，头发凌乱地扎煞起来，还有几丝贴到眉毛上，她左右晃晃脑袋，手掌沿脑门向上捋了捋并整理整理衣服，眼神就聚焦般地向我飘了过来。在地铁里，彼此相互端详着对方似乎并没有什么难为情的。我在她无意识地注视中会是个什么样子呢？方脸？长脸？细眉？粗眉？25 岁还是 35 岁。我迎着她的目光，也把那眼睛周围的组合部分观察了个一清二楚。我很难讲清她给我的印象究竟是个什么样儿——颧骨微突、撑起的皮肉把眼睛下侧画了个轮环，眉梢微微向太阳穴拨起，那眼睛不自然地像蒙上了一层薄膜，薄膜后面的透明体分出了几个层次的圆周，圆周把她的脸颊也向外扩张成了一个白中搀有几许血丝的椭圆形，我有意识地把那弧度按自己心理暗示的尺寸及光影遮掩的深浅任意拉动着，忽而从椭圆形变成了圆形、方形，甚至还有一个等边三角形。我晚上要约会的那张脸也有一个不甚规则的三角形和椭圆形的混合体——为什么这两张脸有这么多的共同点呢，那眼睛里隐约有一个突起的菱形，菱形的折射和我注视着的这双眼睛有一个共同的锥面。

我晚上还要去约会吗？

她比我提前一站下了车，让我不解的是，她也像其他人一样，在车门打开之前扭过头狠狠瞪了我一眼。

这怎么了，我究竟是招谁惹谁了？

谜底直到我走进位于金山城火锅城楼上的报社才揭开。

报社炸了锅。

"看昨天晚上的新闻了吗？"

"昨天中午就播了。"

"怎么回事？发生了什么？"

"发生什么了——使馆被炸了，你从火星上来的么？"

"什么使馆？谁家的使馆？"

"什么谁家的使馆，你是真糊涂还是装糊涂？瞧你这身打扮。"

"昨晚我到资料馆看电影去了，回来倒头就睡了。"面对美编田力新的质问，我这才开始打量起自己这身装束。

原来我还穿着一件肩肘上缀着星条旗的深绿色美式军便装。此时，我才幡然醒悟一路上人们对我仇视的缘由。我连忙找来一把剪刀，把那面碍眼的星条旗拆了下来。这衣服原本是我在跳蚤市场和小贩子讨价还价，用六十块钱买下来的。小贩子当时为了显示他摊位上是正宗的美国货，还专门插上了一面美国国旗。我也是因为这衣服板型好、有派才买的。昨晚我看的那场由施瓦辛格主演的影片，好像也穿着这种式样的衣服出生入死、抑恶扬善，上天入地、勇汉救美、直捣黄龙。电影中让人眼花缭乱的高科技、奇形怪状的新式武器，亦假亦真的电脑动画让你觉得自己真傻、真弱智。不救一个痴男俊女，为抢回一个机密硬盘，不惜撞碎三四辆汽车，不惜摧毁一栋大楼，不惜打掉一架飞机，过瘾、刺激、愉悦。但我马上得到了一个消息：美国大片停映了。下星期，电影资料馆将专门上映打美国鬼子的影片。

报纸也要改头换面，原有的稿子全都撤换。总编布置要迅速去采访一些演艺界名人对使馆遭轰炸后的反映。

张艺谋说：美国疯了，绝对属于有病了。

冯小宁说：这种行为是无法解释的，也是不可理喻的，简直是丧失了人性……这很容易让我联想到希特勒，那种狂妄、那种目空一切、那种独裁、那种霸权。

刘恒说：这三枚导弹就像炸在我们自己头上一样，我虽然感到很气闷，但我相信人类民主化的进程并不会由此而倒退。

谢飞说：事件发展到这个地步，令人震惊，我们必须表示强烈的抗议。

张元说：当时我正在国外，听到这个消息，大家全都懵了——美国这是怎么了。

姜文说：用这种手段对待一个国家的使馆，无论怎么说，都是件非常操蛋的事。我们拍电影的人都不会用一个旧地图，更不用说打仗了。

……

震惊、愤怒、羞辱、困惑、迷茫、憋气，咬牙切齿的愕然，莫名其妙的无名火。

我在愤怒中写了一篇激烈的评论《霸权主义就是最大的独裁》。文章写成后，正赶上我居住的校园的学生们准备去游行示威，他们敲着脸盆，从这栋楼喊到了那栋楼："化学系的——下来！""数学系的——下来！""物理系的集合了！"学生们杂乱的脚步声伴随着失去常态的骂街、标语、呼喊。

抵制美货……让肯德基麦当劳见鬼去吧！让好莱坞玩他妈的去吧！让刽子手下地狱……北约，你们不是基督徒……不要脸，小人之举——操你妈的……

人是很容易激动起来的，人的破坏欲也是很容易被煽动起来的。正准备赶去解放军报社印刷厂换稿子的我，受学生们情绪的感染也加入了他们的队伍中，我经过一个戴眼睛的学生干部警惕的"审查"之后，要过一个手提喇叭宣读了一遍我刚写成的那篇文章，这种朗读似乎又恢复了我当年任播音员时的那种激情。我在声情并茂中，语言的节奏也有些急促：

这难道就是一个自诩为文明、民主、自由的国家干的吗？

这难道就是科学技术高度发达的文明世界干的吗？

这难道就是产生过杰斐逊、林肯、富兰克林·罗斯福、温斯顿·丘吉尔、乔治·希思、卡拉汉与丹东和戴高乐所属的军事集团干的吗？

这难道就是闪烁过伏尔泰、康德、圣西门与傅立叶、罗素与欧文、马丁·路德金与杜威等灿烂星辰的民族以及《人权宣言》纲领里所倡导的吗？

无论是《日内瓦公约》《维也纳外交公约》乃至任何一部有着人道主义条约条款里都没有过这样野蛮先例的疯狂——炸毁非交战国的大使馆。

……

他们怎么了？他们发疯了吗？他们丧心病狂利令智昏了吗？他们是想向全世界宣战——是想当中世纪的宗教裁判所，把所有的异教徒都送上火刑架上。

627

……

在文章的结尾处我捏紧手指地写上了消灭他们的字句。

当我唾液飞溅地将这篇文章朗读完后，学生们发出了一片欢呼声，我感到胸中的郁闷一下子宣泄了出去，生理上也有了一些满足感。后来，当我骑上自行车急速往印刷厂赶的时候，我觉得双脚生风，身上也特别来劲，因我认为此时我也成了一个在"三八线"上作战的战士。

晚上我还要去约会吗？

来到解放军报社印刷厂门口的时候，我又一次碰到了麻烦。以往站岗的士兵因为认识我，全都痛快地放行，这次他那枪口上眼睛像是盯着一个罪犯似地盯着我，左盘查右盘查，非要让我到传达室去登记不成。我明白了，又是我身上那件美式军服惹的祸——我没来得及脱，我忘记了脱，可我臂肘上星条旗已扯下去了呀……可……噢，我想起来了，我胸口上还贴着一条紫色线刺上去的 US. ARMY（美国空军）的标识。导弹、美国空军，我他妈的自找的，士兵们也许早就学过如何识别这样的字母。可他们怎么又会知道我来这里，正是要换上一篇声讨北约的文章。

文章在次日见报后，我接到了居住在南北两个城区的朋友打来的电话，其中有一位是参与写作《中国可以对美国说不》的作者之一。他瓮声瓮气地用鼻音很重的声音斥责我。

"你们美国怎么了？怎么炸起了我们的使馆？"

"你说清楚点，你说谁们美国呀？北约开始轰炸南联盟那天我就写文章反对了。"

"你反北约但不反对美国呀！"

"我干吗非要反对美国呢？"

"你不是总谈美国的民主制度如何如何吗，而且还穿着一件人模狗样的美军军服。"

"可你看到我今天发表在报上的文章了吗？"

"看了，我认为你不过是故作姿态罢了。"

接着，他又和我讲起了如何对付美国的招数，利用互联网，利用计算机黑客把美国的高科技国家机器搞瘫痪。于是，以后美国政府的互联网出现了一连串黑客病毒的袭击，我一直怀疑是他策划搞的。

随后，我又接到了另一个所谓亲美派朋友的电话，他指责我的文章是法西斯腔调。

"谁是法西斯呀，"我反唇相讥道，"炸了别人的使馆还说别人是法西斯。"

"你知道吗？法国使馆也被炸了，人家并没说什么。"

"它是活该，它属北约成员国，被炸是咎由自取。"

"科索沃发生的大屠杀你知道吗？"

"你知道吗？"

"我不知道，但我有权知道真相。"

"事实难道还没摆在眼前吗？如果你儿子和你父母被无辜炸死了你又会怎么说？"

我这样说，是因为我非常了解离了婚的他，不同寻常地疼爱他那个刚上初中的胖儿子。为了迁就儿子看上一场《拯救大兵瑞恩》的电影，他宁可花上三十元钱单给儿子买上一张票，自己舍不得花，经常是在影院外面徘徊等待着。一两个小时的电影，他是在看电影海报、读电影故事中挨过的。

说起来，我的那股带有愤怒情绪的文章，是一个最终的爆发点。北约开始轰炸南联盟那天，我就在一种困惑和焦灼中躁动不安。尽管那天我的一个主要内容是采访一个节目主持人。主持人在采访过程中，她突然有些表演似的哭了，这让我产生了某种酸楚的感觉。她的睫毛是假的，她的那种所谓的痛苦状，带有作秀的成分。这就像那场轰炸本身，很难让人找出合理的可能性。这不像当年对伊拉克、对萨达姆的打击那样。我还记得当时我是怎样地振奋呀！我甚至想到美国大使馆报名去参加多国部队。萨达姆挑起的两伊战争，对科威特的入侵，针对的敌人都是他的阿拉伯兄弟。我曾像现在问美国人那样也问过他——这是干什么呀！好好的日子不过，打来打去，打他个鸟呀！赢得了什么，胜利了什么。环境保护主义者更忘不了科威特油井被野蛮炸毁，火光冲天，烟云蔽日的那一幕。还有，沐浴着油泥的海鸥——无助的眼神，蓝色的梦变成了黑色的人间地狱——中国灭火队也曾出入这地狱之门。由此，在我从盗版碟上看到多国部队在影片《星球大战》的主题曲中，收复科威特的时候，我激动得眼泪都快要掉下来了。但现在我不明白南斯拉夫为何又遭此厄运。

我晚上还要去约会吗？

我喜欢南斯拉夫，喜欢南斯拉夫人，喜欢铁托，喜欢他和麦克阿瑟一样总是戴着一副墨镜。记得若干年前我看过一部介绍他生平的纪录片，影片的序幕就是动画制作出来的一个铁锤挨个把一排钉子全都钉在了木头里，惟独到最后一个无论怎么钉、怎么砸都拿它没办法。末了铁锤只好一通劈头盖脑地乱打乱骂，直到把它砸成了一个铁疙瘩，影片的中心内容也就此拉开了。除了这部纪录片外，我还看了许多南斯拉夫的故事片，抛开那些惨烈的战争片外，还有《临时工》和《杰尔娜特站起来了》、《椶梼的香味》这类的生活片。但是说来也怪了。在这些影片中，我竟没有记住一个南斯拉夫的女影星。印象最深的还是那个扮演瓦尔特的日沃依诺维奇。他那深邃的眼神、他那临危不惧出生入死的神态配上壮实高大的身躯，都让人着迷。瓦尔特拳当时也风行一时。电影频道在轰炸最激烈的时候，专门重演了由他主演的《瓦尔特保卫撒拉热窝》。首都影院也不失时机地复映了多部由他主演的战争片，同时还复映了几部引起人们往事回忆的阿尔巴尼亚电影。中央电视台专门找到了日沃依诺维奇，在一间乡村别墅的门前采访了他，并在新闻联播中播出。他有些老了，皱纹丛生，头发花白而稀疏，而他依旧绽出自信的微笑说："轰炸没有什么了不起的，现在我们要靠当年的那股精神来支撑了。"影片《苏捷斯卡战役》中，他只演了一个配角，那里面的主角是由英国影星理查·波顿扮演的铁托。为了让这一角色生辉，他和铁托曾共同生活过了三周的时间，模仿其音容笑貌。他和伊丽沙白·泰勒住在铁托位于亚得里亚海岸边的别墅。每天早晨，铁托乘直升飞机赶来，拍戏之余，他们一起打猎、游泳。铁托在这个别墅里还会见过迈克尔·杰克逊、麦当娜、马龙·白兰度。还有索菲亚·罗兰和其儿子蓬蒂，铁托夫妇曾和索菲亚·罗兰母子一同游泳，并被一家小报大肆渲染过。现在，北约的飞机正是从索菲亚·罗兰的国家——意大利的空军基地起飞来轰炸南联盟的。丘吉尔称铁托是不屈的老战士，理查·波顿用英国人的形象勾画着铁托的神态，现在怎么这一切都反目成仇了呢？

还有科索沃，还有阿尔巴尼亚，可阿尔巴尼亚不曾是死硬的恩维尔·霍查的基地吗？

影片《苏捷斯卡战役》结尾有一行让人记忆犹新、非常醒

目的字迹:

南斯拉夫宪法规定,任何人无权签署投降协定。

现在北约却要强迫人家投降。

现在瓦尔特保卫过的撒拉热窝已不在南联盟的版图之内了。

让人喘不过气来的轰炸以及沉浸在南斯拉夫电影情节中的我,竟异想天开地想去采访瓦尔特的扮演者日沃依诺维奇。我和南斯拉夫驻华使馆进行了联系,我找到了他的电话,电话号码和北京的电话号码一样,都是 6 打头的,只是少了两位数——630549、638318。电话打通了没人接,三番五次地没人接,贝尔格莱德和北京的时差相差多少呢?

今天在中国的南斯拉夫人。大多数都活跃在足球场地,除了大名鼎鼎的国家队主教练米卢蒂诺维奇,还有桑德拉奇、尤格维奇,好像还有一个和南联盟总统同名的米洛舍维奇。这些个奇人,历经战乱,敢杀奥地利王储、敢和希特勒与斯大林叫板,现在又和北约叫上了劲儿。活着的人,死去的人;呼吸进什么样的空气,唱起什么样的歌谣。

贝尔格莱德露天广场上歌星们顶着轰炸在开摇滚音乐会。

身穿靶心衬衣的民众聚集在桥梁上视死如归。蜡烛,火焰。

在丁丁开的新映像酒吧里,我见到了从北约成员国归来的流亡诗人老不死和他的英文翻译、漂亮的奥斯丁,奥斯丁金色的头发盛开着的白色脸庞,让其涂过的嘴唇、描过的眉毛都显现得格外醒目。她浅蓝色的眼睛里飘着一团迷雾,瞳孔在迷雾中说起话来左右出没着。丁丁看着老不死留着连鬓胡子的黑瘦的脸打趣道："你丫都有专职翻译了。"

大家喝着扎啤就着花生豆，闲扯着别来已久的隔膜。

老不死问："现在还有什么招数能让大家混在一起呢？"

丁丁说："好像什么都不行了。人们的心已散了，哥们姐们常到我这酒吧里来发泄发泄，借酒浇愁。我们也举办过一些诗歌朗诵会和烛光音乐会。但喝完唱完一切也都扭变了形。"

"这是一个没有文学、没有电影的时代，"先锋评论家亚平宁带着偏激的语气道，"有的只是美女帅哥们的自恋和手淫。"

"当前也许只有对使馆的轰炸事件才能让哥们姐们们意识到同舟共济、同仇敌忾。"我说。

"为什么呢？"奥斯丁操着流利的汉语，"难道说你反对对独裁者米洛舍维奇的空中打击吗？"

"何止反对呢？"我带着某种怨气，"这纯粹是强加于人的霸道。"

"不不不，"奥斯丁摇了摇头，"你知道在西方谁都知道在科索沃发生的大屠杀。"

"你看到了吗？"

"没有。但电视上都播了，报纸也登了。"

"可我也看到了另一些文章，全都是反对北约的。"

我和她从平心静气地交谈、商讨直至激化成了拍桌子瞪眼地争吵。我把我的观点全都亮了出来。

有人在大街上杀人抢劫你不管吗？大卫教举行自焚，用武器进行抵抗，你不一样要用坦克把它围歼。美国使馆被恐怖分子炸弹袭击，它不立刻就向苏丹和本·拉登的营地发射了导弹了吗？如果据此，中国也向白宫发射导弹，也轰炸北约在意大

633

利的阿维亚诺空军基地，岂不是也在情理之中吗？错，就是错了吗？否则克林顿为什么说他的心都要碎了，为什么要打电话给江泽民进行道歉。北约发言人谢伊竟像一个恶棍一样百般抵赖说这不违反国际公约。那还要联合国干什么？那还要那些你来我往的红地毯、奏乐、鲜花欢迎宴会这些外交礼仪干什么？我和她争吵的焦点最后也都融在了另一篇文章里：

　　五十多年前，我们从心底里欢呼盟军对柏林的空袭、对东京的空袭、对罗马的空袭——对轴心国进行毁灭性的打击。而今天面对电视里残酷的画面，我则从心底里祈望北约对南联盟空袭的失败：就如同希特勒在不列颠空战中的失败，伊拉克在科威特的失败那样。也许，我们今天可以从塞尔维亚人宁死不屈的悲壮中听到丘吉尔当年向全世界喊出的声音：

　　"……我们将在海上和大洋上作战，我们将具有愈来愈大的信心和愈来愈强的力量在空中作战，我们将不惜任何代价防卫本土，我们将在海滩上作战，我们将在山岗上作战；我们决不投降……"可悲和令人不可思议的是，北约的炸弹今天竟然毫无理性、毫无公理地落在了当年被丘吉尔称之为"老战士"和盟友的铁托及其战友们的后代的头上了。要知道，南斯拉夫从来就不是西方所称之为的前苏联势力范围中的一员。50 年代的南联盟就和"斯大林主义"分道扬镳，后来也反对过苏军侵略捷克斯洛伐克和阿富汗。进入世纪末的今天，已经解体的南斯拉夫在前苏联都已不是"斯大林主义"的背景下就更不是西方价值观的反对者了——在北约宣布空袭的那一刻，贝尔格莱德的市民正在好莱坞新近获奖影片《恋爱中的莎士比亚》的广告牌下准备观看格温尼丝·帕尔特洛的表演。

在这篇文章里，我不自量力地对北约进行了唐吉河德式的规劝。这就如同对一个变了心的恋人苦口婆心地要讲清一个显而易见的道理一样：你怎么不听劝呢？你要什么性子呀！这也就促使我写成了那篇被亲美派知识分子称为带有法西斯腔调的忍无可忍的檄文。

燕泥也不听劝，她说她宁可相信谣传，也不愿见不可争辩的事实，天哪，这都是些什么逻辑呀！

燕泥卷进我的视线中是裹挟着一股风飘进了迟到的展览馆，她穿着有些毛绒感的白色西式短大衣，灰色短裙，长筒皮靴。我用照相机留下了她的笑容——鬈发披肩托起的笑容，我站在这笑容背后，看见她的肩膀抽动了一下，我突然产生了一种异样的感觉。

我们是在一个行星轨道运行中碰到一起的，上一个星期六是她的生日，下一个星期六就是我的生日，挨得那么近，爱得那样地深。

……

我在她的皮肤上飞翔着，我把头贴在她的胸前，又吻着她的脖颈、耳朵、舌头缠着舌头……

我们三天三夜只有一些小的间歇就又迷恋上了对方的肉体。燕泥说她有皮肤饥渴症，说我是在一种性压抑的状态下勃发起来的。

我看着她半睁半闭的眼睛，在寻找着一个无限延伸的星

635

空。我喜欢她的分泌物润濡着我，让我仿佛踏进了沼泽地。燕泥说我身上有股奶味，说我像个孩子。在我们难分难舍之际，她突然说了一句："我们在一起过吧！"

这不是一个简单的爱字，尽管在做爱中我不止一次呼喊过这个字眼。但这"在一起过吧"像是打开了一个温馨家园的门，它意味着承诺、照顾、依恋。可燕泥又告诉我说她有一个她不喜欢的丈夫，这让我和她都有些不知所措。我们相互看着对方的眼睛，我们相互寻找着对方的心灵空间。

我们去了寺庙，我们在每一尊佛像前烧了香，许了愿，说我们要成为菩提眷属——当我们觉得足以得到神灵保佑的时候，才鼓起勇气想和她的丈夫谈一谈。凯箩·包特温在《新婚姻报告》中说："现在，你都得面对这个现实。最重要的是，怎样面对你的另一半。"

现实是残酷的，燕泥被打了。

燕泥的油画《布谷鸟》得了新人奖。

燕泥的油画册也准备出版了。

但是她被打了。

那天是北京最冷的天气，也是燕泥生活的坐一晚上火车才能到的那个城市最冷的天气。或许也是贝尔格莱德和科索沃最冷的天气。那天我多么想把燕泥抱在我温暖的怀抱里爱抚她。

燕泥像是被劫持的人质一样给劫持走了。

我冲着夜空大声呼喊了一句：

"燕泥——我爱你！"

……

晚上我要去和她约会。

美国驻华使馆也遭到了袭击。

　　石块和墨水瓶伴随着打架斗殴式的詈骂铺天盖地地飞向了使馆的窗玻璃和墙壁。从使馆的门玻璃可以看见几个惊慌失措的外交官探头探脑地在向外张望。也许这时候人们才记起了那句口号——人不犯我，我不犯人；人若犯我，我必犯人。朝鲜战场上的战斗，中印边境上的战斗，珍宝岛上的战斗，中越自卫反击战的战斗。打红了眼，杀出了血。这就像看美国大片一样，在一系列的摧毁和破坏中得到了精神和感官上的满足——文明社会的导弹让另一个文明社会的人变成了一群暴民。

　　回到住所，我在电视里突然搜索到了香港华娱电视台的频道，这频道在每晚九点钟有一个特别节目，叫天南地北心连心——人们可以往里打直播电话倾诉自己的心声。以往在这个节目里，它不停地诉说着自己的不幸，说是有人要斥资合办这家电视台，后又食言，搞得它现在几乎要到了破产的地步。但它宣称虽然如此，它还是要坚持办下去，还是要坚持听大家的声音，这种悲壮的做秀，很让听众产生同情心理，一个又一个电话打进去为它鸣不平，何况在这使馆遭轰炸的困惑中，它谈论的话题又是如何看待我驻南使馆遭轰炸。

　　群情激愤，言辞激烈。新加坡打来的，印尼打来的，澳大利亚打来的，香港、澳门和中国大陆打来的。带有广东话口音的，带有山东话口音的，中间还有一个美国本土的老外也加入了其中，他用拖泥带水的中文讲道："我……替……你们鸣……不平，……虽然我是美国人……我也爱我的国家，可你杀了人……就是杀了人。"

　　热线电话成了控诉会，南腔北调的音频交响出了各自摔瓶子与吐唾沫的声音，推测与判断，分析与总结。人们联想起了朝鲜战争、联想起了越战，联想起了冷战时期的不屈不挠。有一位姓费的人从香港打进来义愤填膺的电话说："现在已没什么话好说的了。现在就应该去杀美国人、炸美国大使馆，大不了死一半中国人。"

热线电话也许是捕捉到了人们想要倾诉心声的普遍心理。恋爱中的电话煲可让电话局多收上超支的电话费。有一次，我因和燕泥通话的时间过长，就为她预支了 300 多块钱的通话费。

从这个城市到那个城市。

燕泥终于来电话了，她没有告诉我一个让人振奋的喜讯。命中注定我的感情必然要受煎熬和折磨。

她说我要放弃了，我说不能。

我又给她打过去了电话，尽管她说今天最好别打，但我还是打了，我想听到她的声音，我渴望这声音打破这心灵的沉寂。但电话没人接。我在思恋的折磨中相信起了占卜，尽管燕泥日后常常嘲笑我这一手。我用《易经》按邵伟华的纳甲法占了一卦，卜得晋之豫卦，为酉金得财，妻财卯木见酉为破，当年结婚当年得子，酉金临乙亥月、壬辰日、月健、日助、卯木虽在死囚之地，但被日月水生之，冲之，故而大吉。是这样吗？有那么幸运吗？我找来纸和笔，写下了两句诗：声音敲击着墙壁，飞燕的脚爪奔跑在电话的波长中……

我又在痛苦的思恋中写了一首长长的情诗：

> 我在沉没
> 我在哭泣
> 我在追逐
> 我在浇灌

……

燕泥也写来了诗，燕泥的诗比我写得好，她每一笔都仿佛涂上油画的色彩：

> 当黎明也不能让目光发亮的时候，
> 我选择把自己隐藏
> 隐藏
> 在更黑的黑暗里。
> 关掉盼望。
> 我，更像一个无声的容器
> 就在屋里，就在角里，
> 盛就盛点什么，
> 没有，就盛着空气。
> ……

我望着夜空摇曳的树梢哭了。

我晚上要去见她。

我费了九牛二虎之力才把热线电话打进去，当电话突然接通的时候，我顿感有些紧张，声音也有些吞吞吐吐的，事先想好的内容也支离破碎成了简单的句子："……不能这样……不能用义和团似的做法……"

第二天，我把自己没有阐述清楚的这层意思演绎成一篇新的评论：

处于经济危机中的香港华娱电视台每晚有一个群

639

众热线节目，接听全世界华人关心祖国的声音。

在北约袭击中国驻南大使馆的第二天，该热线就此焦点接听了天南地北华人愤怒声讨其暴行的心声。从那一句句南腔北调激动的音质中，你往往会被其中华人的赤子之情所感动，并常常会忍不住加入他们的讨论。这次讨论，在一片有理有节的评说里，也出现了不太和谐的话语，如有一位姓费的先生便打进电话说："现在就应该去杀美国人、炸美国大使馆，大不了死一半中国人。"就此义和团般的情绪化之言，笔者除了表示理解之外，也实在有点不安的担心。联想起在一些校园里也出现过类似过激的标语，总觉得有那么不太对劲儿。或许，这仅是气头上的一种宣泄，包括笔者本人也未能幸免，但不知为什么，在冷静下来之后，面对群情激愤的人们，我常常想起一部看上去与之毫无关联的影片《驯火记》。

《驯火记》是前苏联 70 年代拍摄的一部反映其宇航成就的影片。当时，身在兵工企业的我是在了解"社会帝国主义"军事动态的背景下观看该片的。后来，它成了我最喜爱的影片之一，以致电影频道播出时，急忙将它录了下来。

当时，面对导弹发射实验的失败，斯大林召见了影片中被称为巴什基尔采夫（实际上是苏联宇航之父科罗廖夫化身）等有关人员，交谈中，斯大林说了一段意味深长的话："美国人是讲究实际的民族，他们并没有因布劳恩是德国的战犯就不用他，而是把他请到了美国通用电器公司，并把德克萨斯实验基地交给了他，研制出了新型火箭。可我们这里总有人想用拳头来显示自己的爱国主义。"虽然斯大林本人就是一个言行不一，疑心重重的人，而且现实中的科罗廖夫也不像影片中所表现的那样浑身是胆，气宇轩昂，大权在握。实际上他曾因受"图哈切夫事件"牵连而被逮捕过，之后一直是在贝利亚的克格勃监控下完成早期火箭设计和研究的。但面对敌国的军事威胁，影片中斯大林说的那段话或许是他深思熟虑的真情实感。

......

我要把晚上的约会推迟吗？

总编打来电话，布置我明天去参加许杏虎、朱颖、邵云环的纪念会。她一再强调会上有驻南记者回来介绍情况，要不失时机地采访他们，问问他们贝尔格莱德露天摇滚音乐会上唱的是什么歌。

驻南记者没有来，只有官员，只有被三位遇难记者遗像注视着的众多表情严肃的记者。

我在纪念会的议程中，眼睛盯着遗像浮现分化出了另一个情景。

我和三位记者坐在使馆里聊天。

"你们说，这轰炸什么时候才能停止？"我问。

"再有一个月，或是两个月？"

"许杏虎，你不是到过科索沃采访吗，那里到底发没发生过大屠杀一类的事？"

"反正我没看到，我看到的只有北约轰炸后的痕迹，炸弹坑，焦尸般的人形和建筑的残骸。"

"地面进攻会开始吗?"

"说不准。北约暂时可能还不会冒那么大的险。"

我又问邵云环。

"你孩子多大了?"

"快上大学了。"

"听话吗?"

"挺有主意的。"

"将来也想当记者吗?"

"那就要看他的造化了。"

"战争离我们远吗?"

……

导弹像切蛋糕一样把使馆从楼顶切到了地下室里。四周散发着刺鼻的硫磺味儿,下水通气管道灼热烫人。三位记者还没弄清楚怎么回事就命归黄泉了。他们中间,有的脑袋被打穿了,有的腿骨断了、折了。闭上眼睛,我的躯体也被炸上了天,衣服像一面破烂的旗帜抛上了空中,心脏和肝脏蹦了出来,在云层间漂浮,尸首离异,肝脑涂地——整个的生命被烧成了焦炭滚在了路基下。

当我的身体器官重新组合到一起的时候,我发现我已行走在了美国华盛顿特区的宾夕法尼亚大道上,我看见一个矮小的美国妇女康普赛昂·皮奇奥托站在两幅巨幅的标语牌下,在白宫旁宣讲着她的反战观点。标语牌上写着:

与炸弹一起生存,与炸弹一起死亡!

从 1981 年 8 月 1 日起,她一直就顶风冒雪站在这里、露宿在这里。

我还听说，在英国的一个核基地，一群妇女为让核设施拆迁，也坚持抗议示威了 20 年。

这是一种信念、一种执著、一种对爱情忠贞不渝的赤子之心。燕泥能理解这样的傻气吗？

燕泥能理解我这样的诗句吗？

> 没有了
>
> 没有了双腿也要爬上一个自由的天空
>
> 没有了
>
> 没有了生命
>
> 也要用热血去熔解冰冷的钢铁
>
> 尽管黎明已披上厉鬼的黑纱
>
> 尽管星辰已燃起了炭素的火焰
>
> 云翳已被染红
>
> 魂灵已上九重天
>
> 爬起来
>
> 爬起来呀
>
> 把碾碎的骨肉重新铸就
>
> 让飞红的云絮絮出一天再生的襁褓
>
> 滴血的红唇唱起了情歌
>
> 残缺的肢体跳起火样烈舞
>
> 爬起来
>
> 爬起来呀
>
> ……

　　人总是要死的，人也总是要活的。根据科学家最新对"木卫二"的研究结果推断，人类在太阳系某一天体上搜寻到外星生命的可能性又向前推进了一步。地球上的生命起源于宇宙的论说也得到了加强。

　　第五次人口普查已经结束，人口泛滥成灾已成了生活的压力。争吃争喝、争名夺利，争风吃醋，腐败成风。每一天有 364321 个婴儿在这个世界上诞生，每一天有 147137 个人以不同的方式死去。病死老死饿死被杀自杀被枪毙的，车祸，飞机失事，战乱。幻想小说甚至想到要把中国部分人口整体移出国门，并想让一些老弱病残者冲锋陷阵集体死于他国的大屠杀中。

　　但我为什么还那么珍惜燕泥呢？她不过是这众多人中的一个。在她突然离我而去并疏远我的整整一年中，我变得像一个纯情少年了，我压抑着自己，我在焦躁中等待着她的归来。我拒绝了另一些情感可能出现的契机，因为我发誓般地说过要对她好——要永远对她好。铁凝新发表了一个中篇小说叫《永远有多远》，已经在筹拍电视剧了。

　　……

　　晚上我怎么见她呢？

　　总编布置的任务眼看就要泡汤了。情急之中我注意到记者代表水均益的发言，我把他的发言稿要了过来，我想以他的品牌来替代对驻南记者的采访。纪念会的一位 45 岁到 55 岁之间的女工作人员却把他的发言稿从中截了过去，说是待复印完后再给我。然而，纪念会结束后，我看着她眼镜后面的眼睛，得到的答复却是："稿子不能给你，这次纪念会不存在发稿任务。"

　　我立时有种被骗了、涮了的感觉。北约的轰炸仿佛又临到了头上。

　　她在经过那些重要官员的身边，不容分说地往楼下赶我。纪念会上本身就给人带来的憋气与羞辱感立刻爆发了出来，我不管三七二十一地与她争了起来："让记者们来，不就是要发稿吗？否则来干什么？"

　　穿梭在我身边的官员和记者们大惊失色地看着我，女工作人员也有些不知所措。但她马上又反应了过来："给他们单位的领导打电话，怎么来了个这么不遵守新闻纪律的人。"

　　我这是怎么了，失态了吗？傻冒、愣头青、二百五，因小失大。我为此付出的代价是受到了几层领导的严重警告。

　　我知道，我那种失衡烦躁的情绪完全是由于无理性的导弹和失恋的落差所造成的。

　　燕泥变得越来越冷酷了。电话她不接，呼机她不回。她说她和她丈夫已经分居了。但是她讨厌男人。过去我曾问她是否因为我的过分热情、我的顽强追求而感到厌倦。她说她喜欢这样，喜欢被追击。现在她把这一切都当成了罪过。说我的过分热情她受不了，说我对她美术作品的评价和推荐都是愿打愿挨的，而且往往是前一天刚说完谢谢，第二天就变卦，就开始骂街。有一次，她远行，几次打手机打不通后，我因担忧，就请在她身边的一个熟人照顾她一下，没想到这一举动竟使她大声骂起了人，并言："我有男朋友，但不是你！"

　　她这是怎么了，怎么变得这么无情无义了？难道说她也被魔鬼附体了——她的灵魂也被导弹袭击了。

　　星期六，是她的生日，我给她送了蛋糕与鲜花。紧接着又是一个星期六，是我的生日，正巧我给她介绍了一位准备推荐她的美术作品的评论家，她来了，我想她一定会记住这两个挨得很紧的日子。但当我把美术评论家带到她面前的时候，她却越俎代庖地对我说，我们之间有事，你就别掺乎了。这立刻让我目瞪口呆起来——她真能干得出来，她的功利心让她连起码的礼仪常识怎么都不懂了呢？无遮无掩、不管不顾。她形象也变了，恬静忧郁的神态变成烦躁、焦灼的一团。头发染成不红不黄的。我抢上一步大声说，我今天必须要和你在一起，因为今天是我的生日。

　　她还是走了，拉着那个美术评论家走了。我被冷落在了一边，我被抛弃在了一边。几个小时之后，我在气得发抖中给她手机打进了电话，里面传来一些摇滚的音乐声，她在狂欢，她在醉酒当歌——她在醉生梦死。我大声喊道："你难道要把所有伤天害理的事全干完不成吗？"

　　晚上我还是要去约会的。

　　我要向她当面说清楚所发生的一切。

　　我们约好了在麦当劳餐厅靠窗一侧的座位上见面。我要了两个巨无霸汉堡，两份炸鸡翅，两杯可乐外加一袋薯条等着她。

　　时间到了，她没有来，我便百无聊赖地数着窗外对面建筑物上霓虹灯变化的颜色。

　　她给我手机来了电话，说她来不了了。

　　"为什么？"我问。

　　"你自己心里知道。"

　　"我不知道。"

　　"反正你自己心里知道。"

　　"知道什么了，你能不能说清楚点。"

"我不想说清楚，你自己明白。"

"我干什么了吗？"

"你问你自己好了。"

电话随即就断了。

迷茫、不解、猜测、哑谜、误会。

我呆坐了片刻，看着窗玻璃里在霓虹灯明灭的闪烁中时隐时现的自己的面容，正准备起身离去时，对面座位上出现了另一个女人，仔细一看，却原来是在地铁中邂逅的那位。

"我姐说她不能来了，让我来告诉你一声。"她眼睛不自然地看着我。

"原来燕泥是你姐姐，那你就代她吃吧。"我故作轻松地说。

"那我就不客气啦！"她用吸管揿着可乐。

"上次在地铁里，我们见过面。"

"那是我姐让我替她看看你。"

"噢，是吗？你相中了吗，我怎么觉得你的眼睛挺厉害的。"

"我眼睛近视。"

"度数大吗？"

"400多。"

"你姐好像也是这个度数。"

"我们俩眼睛都近视，有些遗传。"

"那你怎么不戴眼镜？"

"我戴的是隐形眼镜，正宗的美国货。"

"你姐也戴。不过我觉得她还是戴白边眼镜好看一些，戴上隐形眼镜有些发愣，你也有一点。"

　　"我姐说她已和你说清楚了——就此分手。"她用薯条蘸着西红柿酱轻声道。

　　"她没说为什么?"我问。

　　"她说你知道。"

　　"这真是莫名其妙,"我略微有些急躁,"我知道什么呀?"

　　"她说她已有别的男朋友了。"

　　"是吗,变得这么快呀!能知道是谁吗?"

　　"这你就别问了,反正不像你那么崇洋媚外。"

　　"我洋谁了,媚谁了?"

　　"你自己知道。"

　　"我不知道!"我有些动气了,"你少来这一套,你姐俩都爱弄这套哑谜。"

　　"我来哪一套了?你别连我也捎上。瞧你那德行,没个女的能看上你。瞧你那身打扮,整个一北约强盗。"

　　她这话一点出来,我才意识到,我那身惹是生非的美军服装还绑在我身上。但为了话语上强词夺理,我还是争辩道:"我穿什么服装你管得着吗?你说我这德行,你照照镜子看看你自己,你姐俩是一对斗鸡眼。"

　　"你再说你再骂……"

　　"说了又怎么了?骂了又怎么了?你还要把我吃了不成?斗鸡眼!斗鸡眼!"

　　"去你的美国鬼子吧!"她应声将可乐泼到了我的美式军服上,飞溅出的冰块有些滑进了我的脖子里,沿后背贴着脊梁骨向下滚动,让我打了一个激灵,"本来我还想回去在我姐面前给你说两句好话,现在——我真是瞎了眼了;我姐也是瞎了眼了,怎么就认识了你这么个假洋鬼子。"

……

南联盟开始进行总统大选。

第一轮投票结果，据说塞尔维亚社会党领导人米洛舍维奇和反对党领袖科什图尼察的得票率势均力敌。大选委员会决定进行第二轮投票。但反对党不干，在经过一场向议会大厦进军的群众暴动后，米洛舍维奇在和科什图尼察交谈完，同意交权。科什图尼察接受媒体采访时说，科索沃确实发生过种族屠杀事件，但这里面包括阿族和塞族。日前，中国外长唐家璇出访南斯拉夫，专程到中国驻南使馆向遇害记者献了鲜花。随即他又对邻国阿尔巴尼亚进行了短暂的访问。

另据报道，在抗美援朝纪念日到来之际，继金大中访问平壤与金正日进行历史性会见之后，美国国务卿奥尔布赖特也应邀对平壤进行了访问，并会晤了金正日，双方进行了长达三个小时的会谈。据报道，此举是为克林顿访朝进行前期准备的。

但阿以和谈又面临着严峻考验，中东和平进程又一次受到了挫折。

跳蚤市场的小贩子已将星条旗换上了印有列宁头像及镰刀斧头图案的红旗。他说他死也不敢在这个时候挂星条旗了。

……

两个月后，我和燕泥重又和好如初了。我们约好，吃完麦当劳后去听一场音乐会。

我又走进了地铁，我发现美国隐形眼镜与太古糖及杉杉西服的招贴广告，已被手机上网，我来掌门，可口可乐联想，数码精英，巨奖总动员和 TCL 电冰箱——新自由主义的广告词及画面替代了。但隐形眼镜人们还是要戴的，有一天我也可能会戴的。反正燕泥现在是用她来看戏看电影看书的。出门前，她总是面对着镜子把眼皮用中指和无名指扒开，将那微小的晶体送进去——眼前的音乐会就是这样出现在她眼前的，我在音乐的起伏中揉搓着她的手指，音乐会的曲目有一阕是霍尔斯特的《行星组曲》，第一乐章听上去很像是影片《星球大战》中的主题音乐。

亨利·摩尔的雕塑展来北京展出，我在美术馆看到一个从大西北来，身上还散发着土腥味的女画家问那个长得有点像马龙·白兰度的人的作品有什么特点，女画家坐在他雕塑前的地上边临摹其作品边谈其感受，那种质感、那种圆滑、那种对称、那类安静的神态。《侧卧人像》、《仰卧人像》，还有《母与子》和《圆墙前女孩坐像》等。这类看不清鼻眼，如木偶般的人物神态，我恍如在什么地方见过。想来想去，原来是在一部名为《普通的法西斯》的影片里见到过，影片的解说词介绍说：这是距今约一万年前人类的木雕作品，就在那个时候人类就懂得造型了。而希特勒却硬把人的头骨划出优劣——这是优秀的头骨，这是一排优秀的头骨——爱因斯坦和马克思都是劣质的头骨，因而他们必须要被消灭之。

燕泥也应该来看看这个雕塑展，不是语言而是对物的感觉，是青铜浇铸雕塑出来亦幻亦真的透明层。

解放者的悲剧

1940 年 6 月 22 日，当法国投降，纳粹的万字旗在埃菲尔铁塔升起的时候，我才只有 16 岁，那一刻对我们法国人来说，是最黑暗的一日，有人在悲泣、有人在踩足、在咬手指，女士们把手绢绞在自己的牙齿间痛不欲声。但对我来说，看着征服捷克、波兰、挪威、丹麦、比利时、荷兰及我们英法联军的德军的精锐之师从巴黎凯旋门下威武地列队而过的时候，我心里或多或少也有点敬佩和兴奋，德军的钢盔、军服，便携式冲锋枪，都让我有一种想"玩打仗"的游戏心理。后来我参加了地下抵抗组织，这倒并不是想响应戴高乐将军"自由法国"的号召，而是从本能上产生的破坏欲，这么说吧，以"自由战士"的身份去进行巷战、去袭击盖世太保，可以理直气壮地去杀人放火，去爆破，去传递情报，负伤后，可躲在女房东的家中和她或她的女儿调情。

也许是希特勒本人就有些绘画的艺术细胞，对我们这个所谓的"艺术之都"多少有些好感——我还记得他在德军占领巴黎后，在铁塔下东张西望的神情，那是一个艺术欣赏家的表情——看凯旋门上的雕塑，研究埃菲尔铁塔间的几何图形。是谁让他来到这里的呢？是张伯伦、达拉弟，抑或就是戴高乐和丘吉尔本人。我不知道是不是因为希特勒的"艺术细胞"在起作用，德军对法国抵抗战士的镇压也不像在东部战线那么残酷。而我们法国人和占领者玩起猫捉老鼠的战争游戏，也如同喝香槟葡萄酒那般潇洒。每一次暗夜中的破坏铁路、袭击军车、除掉法奸的行动就像是和女人在偷情。

然而，我们近四年间的地下游击队式的抵抗，终于迎来了可走上地面的庆祝日子——1944年6月6日——D日，盟军突破隆美尔的"大西洋壁垒"，在

651

诺曼底海滩大规模登陆。这次行动集结了 1200 艘战舰，10000 架飞机，4126 艘登陆艇，804 艘运输舰，数以百计的两栖或其他特殊用途的坦克；156000 人的军队，其中 132500 人海运穿过海峡，23500 人空降，美军的 82 和 101 空降师在圣梅勒厄利瑟城附近空降，伞兵们在执行这次任务前，有的喝了酒写了遗嘱，更多的士兵则在祈祷完后和女友们吻别。当时，我受抵抗组织之命成为联络员为登陆部队引路，并负责给轰炸机和伞兵在瑟城指明弹着点及空降兵的集结地。进攻开始时，空降部队在轰炸的前奏后开始空降——顶顶降落伞像梦游神一样在天空中飘荡……轰炸机按照我们信号的导向轰炸了德军的筑垒工事、空防指挥部、军火库及高炮阵地。然而，悲剧也就是在这时候发生了，伞兵们有的没在指定的着陆点着陆，有的落在了瑟城的屋顶上，有的挂在了树梢被德军围歼，展开了一场打鸽子般的屠杀。轰炸机在炸毁德军的空防设施、军事工事的同时，也不可避免地摧毁了一些平民房屋，炸死了我们众多的法国同胞，当中还有一个是我的恋人玛尔戈，她是那么的美，那么的富有性感，我们曾约定好了在战争结束后举行婚礼。但现在一切都破灭了，也可说是我亲手杀死了她，她家附近的那个德军指挥部就是我指点的。轰炸机有的被击落，包括炸死玛尔戈的那架，飞行员跳伞后就和一些活着的伞兵当成了俘虏，被德军押着在瑟城的街头游行示众。面对这些从天而降的解放者，瑟城受到炸弹轰炸的法国同胞们如同憎恨当年入侵的德军一样憎恨他们，人们对这些穿着美式皮夹克，佩有美军符号标志的他国小伙子歇斯底里的又打又踢又骂的，有的还揪住他们金黄色的头发往墙上撞。炸死玛尔戈的那个有着一头红头发、一双蓝眼睛的家伙竟然被玛尔戈的哥哥粗壮的沙威和他同时遭殃的邻居用乱石给打死了——脑浆子飞溅在混在人群中观景的我的身上。目睹着这一幕，我不知是解气、愤怒、困惑还是同情。总而言之我当时并没有去阻挡他们对那个可怜的小伙子施暴。因为就在昨天我还在和玛尔戈做爱，我还贪婪地添着她那弹性十足的乳房，她黑色绣花的乳罩现在还在我手里攥着——我用它擦拭掉过我的精液。

月后，当巴黎解放时，我又随盟军部队入城，像玛尔戈一样迷人的巴黎女人又用热吻欢迎了我们——具有 2000 年历史的巴黎终于解放了。当高出一般人一头的戴高乐将军带头号召人们高唱起《马赛曲》的时候，我激动了，泪水也夺眶而出——这时我则看见玛尔戈的哥哥沙威也在欢乐的人群中。

燕泥，你理解这一切吗？

（原载《小说界》2001 年 4 期）

还有很多不知道

——评《美国隐形眼镜》

陈 冲

这是一篇挺特别的小说。在"写什么"和"怎么写"上，都很有特点。

1999 年 5 月 9 日，以美国为首的北约轰炸我驻南斯拉夫大使馆的消息在我国传开。这样一个重大的国际事件，一上来就摆在了这篇小说的正面。中间，甚至还带点想象地写到我国三位记者的遇难情形。整个小说涉及一系列重大历史事件，从第二次世界大战，到两伊战争、伊拉克入侵科威特、海湾战争等等。我们的视野，在四维时空里猛然扩大了。

但是这部小说并不属于"国际题材"，也不是"宏大叙事"。它用来"叙述"法国的二战史——从被德军占领到被盟军解放——的篇幅，比用来描写从地铁车站的美国隐形眼镜广告上切下来的三张女人嘴唇，和一个与这嘴唇触击而过的女人的面孔的篇幅，多一点儿有限。它虽然没有正面描述使馆被炸事件本身，但描述这一事件在中国引起的种种反应，却是相当"正面"而且全面的。不过这并不是"全知叙述"；它是通过一个职业为记者的"我"来叙述的。当然，这个"我"很想把事情的"全部真相"告诉大家，包括想到了采访饰演"瓦尔特"的日沃依诺维奇，查到了他的电话号码，甚至拨通了电话，只是对方没有接听。

和一系列重大国际事件平行展开，并同样贯穿始终的，还有这个记者与一个女人之间的一段感情纠葛。这纠葛也是迂回跌宕，同样"宏大"。

叙述很自由很主观。它常常不打任何招呼就是一个跳跃——跳跃于各个重大国际事件之间，也跳跃于这种涉及亿万人生死荣辱的重大事件和纯属隐私的个人情感之间。跳跃的前后形成鲜明而巨大的反差，让人有点儿措手不及似的，但几次之后，你会发现一个奇怪的契合点：无论是重大的国际战争的进退胜败，还是纯私人情感的聚散离合，其实都具有强烈的震撼性，都显得是非理性的，是既难以认知更难以判断的。

叙述当中，作者通过"我"不断向我们表明他的观点、看法，几次整篇地引用"我"所写的评论。在小说阅读中，通常这意味着作者强烈期待我们的认同。但是这部中篇却是在追求（也达到了）另一种效果：不是期待认同，而是分明要动摇我们已有的任何看法。所有的夹议夹叙，在"我"的很自信的口吻、语调背后，总有一个或显在或潜在的"缺口"，于是从"叙"的某种不确定性，渗透出"议"的某种可疑性。既然所有的"议"都是从"叙"派生的，当我们意识到并非对全部事实都已了解时，我们对自己的"看法"就不再那么有信心了。我们可以毫无保留地谴责对我驻南使馆的轰炸，但当我们的看法"长入"肯定是正当的民族主义时，就有一个缺口让我们忐忑不安：在科索沃究竟发生过什么？得知主人公和分手了的恋人"重又和好如初了"，的确让人松一口气，但是当他又去赴约会时，我们仍然担心她会不会来。那儿有一个缺口：我们完全不知道他们是怎样"和好如初"的。

这部中篇小说告诉我们很多事情，这是它的"正面"。它又经常不断地暗示：还有很多事情你们不知道。这是它的"背面"。背面是对正面的解构。但它并不让人泄气，让人因为那些"不知道"，就觉得什么都没有意义了。正相反，它还是让人觉得，无论如何，我们知道一些事情并有自己的看法，仍然是很重要的。

这部小说列入排行榜是有争议的。投票结果出来以后，在评委当中还有不同看法。我想我有责任把这一点告诉读者。我同意它的技术不够职业。我也同意技术对小说很重要。但我仍然同意、并且写了这篇点评。

（陈冲，河北省作家协会一级作家）

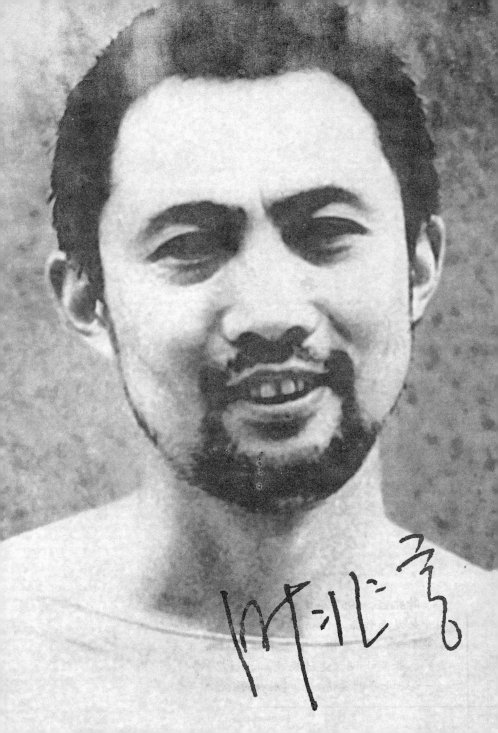

叶兆言，1957 年生于南京，八十年代初期开始发表作品。1986 年研究生毕业，现为专业作家。主要作品有七卷本《叶兆言文集》、长篇小说《走进夜晚》、《花煞》、《一九三七年的爱情》、《别人的爱情》等。

马文的战争

叶兆言

第 一 章

一

马文常常趁杨欣洗澡的时候，往卫生间里硬闯。这种企图十次中有九次半会失败，因为杨欣总是把门锁上。马文显然是故意的，而且只要是个机会，决不放弃尝试，杨欣为此已和他翻过几次脸。他们的儿子马虎觉得这一幕很有趣，和母亲的想法一样，他也认为马文这么做，是有些耍流氓。男女有别，爸爸妈妈已经离婚，离了婚，马文就没有权利再偷看妈妈的身体。

马文和杨欣离婚后，依然同住在一套两室一厅的房子里，厅很小，共用厨房和卫生间，两人抬头不见低头见，时不时会发生一些口角。结婚前就不断吵架，想不到离了婚，还是吵。现在，杨欣正在卫生间里洗澡，她总是要花很长很长时间。马文心不在焉地走来走去，他的儿子在认真算账，虽然只是小学二年级，马虎的算术似乎很出色，跟父亲算房钱水电煤气之类的费用，一丝不苟一分不让。他看着马文魂不守身的样子，挺严肃地问他，是不是正憋着一泡尿。马文无可奈何叹了口气，马虎便使坏地吹起口哨，是那种为小孩把尿时的嘘声，马文很生气，骂了儿子一句。

马虎幸灾乐祸地说："坏了，有人要尿裤子了！"

马文说："算你的账，你小子上次多要了我十块钱，知道不知道。"

马虎对卫生间里喊着："妈，慢慢洗，听见没有？"

马文恨不得在儿子头上打一下，他掏出皮夹，准备付账。正付到一半，杨欣湿漉漉地出来了，一边用毛巾擦头发，一边往自己房间里去。马文迫不及待冲进厕所，杨欣这时候又从房间走了出来，想再次进卫生间，发现他正敞着门在里面撒尿，哗啦啦声音极响，扭头就走，同时愤怒地请他上厕所关门。马文感到很痛快，叽里唠咕说了句什么，如释重负地走出来，立刻显得很轻松。儿子马虎正不怀好意地笑着，马文对儿子说："有什么好笑的，活人总不能让尿憋死。先是你洗澡，然后是她，我也不懂这是为什么，为什么女人洗个澡，要比看半场足球赛的时间都长！"马文后面的话是说给杨欣听的，如果她愿意搭腔，他打算和她讨论一下自己撒尿的权利，可是杨欣根本没兴趣理他，扭头又进了自己的房间。

马虎和父亲算账，计算着应该找还多少钱。马文继续唠叨，他穿着一身黄颜色的制服，不明真相的人，还以为他是警察，其实只是一个居民小区的门卫。两年前，刚三十多岁的马文便提前退休，他所在的国营工厂已经倒闭，一家外国老板把厂买了下来，不当回事地把原有的工人统统打发。工人们闹了几回事，到市委门前去静坐，到报社去散人民来信，到马路上去发传单，最后仍然不了了之。马文现在的差事是临时的，干了不过三个多月，他喜欢那身黄制服，走在街上，别人难免对他刮目相看。在马路边买菜，那些贩子不是见了他要溜，就是胆颤心惊不敢多收钱。有一回，一位挺漂亮的乡下妹子看见他，挑着菜就跑，马文追着说：你跑什么，我这个警察是假的。乡下妹子一边跑，一边说：假警察，怕的就是假警察。马文笑了，说你真的别跑，我要买你的茄子，这茄子多少钱一斤。其实根本就不想买茄子，那天他心情特别好，不仅话多，还真买了二斤茄子。

马文的手头不算宽裕，杨欣也下岗了，他每个月必须缴出一份钱来养儿子。人穷志短，他总是对账单斤斤计较，离婚已经一年多，每个月算账，都对平摊一半公共费用耿耿于怀，明知道杨欣最受不了这些，还是忍不住要把话说出来。结果每次都不愉快，马文觉得自己出这么多钱不合理，水费，电费，煤气费，都要掏出一半来实在是太吃亏。他从来不在家里洗澡，从来不用电吹风，从来不用电烫斗，而且房间里还没有空调。杨欣对这些话烦透了，只当没听见，于是马文便反反复复说给儿子听。说起来也可笑，他常常会忍不住把儿子已经算好的账，重新算一遍，然后又一次小鸡肚肠地继续啰嗦。现在终于和儿子把账算清楚了，马文清点着自己的皮夹，嘴里还在不干不净。

杨欣板着脸走了出来，她似乎有什么话要对他说："你真要是觉得吃亏，下次可以一分钱也不要出。大男人一个，你俗不俗?"

马文说："俗! 当然是俗，要不是俗，你怎么会和我离婚!"

杨欣说："知道自己俗就好。"

马文看着杨欣，发现她今天的情绪不错，便搭讪说："亲兄弟，明算账。我们别说是离婚了，不离婚，这账也得算清楚，你说是不是？"

二

或许马文和杨欣的斤斤计较，包含了两层意思。第一，手头确实有些拮据。第二，想多搭几句腔，因为他并不是太愿意和她分手，潜意识中还存几丝复婚的念头。和马文提早退休差不多，早就下岗的杨欣在这一年多来，工作也老是在换。她找工作好像并不难，三天打鱼，两天晒网，最差时是柜台的营业员，最厉害时在一家不小的公司里当公关部的副总经理。她混得显然要比马文强一些，起码是自信，动不动就敢炒老板的鱿鱼。杨欣属于那种从来不为失业担心的女人，敢想敢做，敢做敢当，天塌下来也不在乎。她做公关部副总经理的时候，常让那些喜欢吃豆腐的男人下不了台，有一次，一个自称台商的大陆人说：杨小姐，你搞公关，不做点牺牲怎么可以。杨欣大大咧咧地说：我倒是想牺牲的，可是你长得太丑了，引不起女人的兴趣。这话没人时说说也罢了，是吃饭的时候，当着一桌子人，气得那家伙差点当场翻脸，赌气喝酒，结果吐得一塌糊涂。

今天马文又一次自作聪明，误解了杨欣的情绪。他看见她没有像往常那样紧皱眉头，而是脸色发红略带微笑，便以为有机可趁。虽然住在同一套房子里，平时和她说话的机会并不是很多，杨欣根本就不爱理睬他，遇上不得不说的话，一定是板着脸，像是在法庭上提问犯人。即将展开的话题并不愉快，马文以为杨欣的脸红，是刚洗过澡的缘故，做梦也没想到她会突然开门见山，直截了当地告诉他，说自己已经准备再次结婚。

"结婚？"

杨欣的脸上流露出几分歉意。

马文知道自己是明知故问，还是脱口而出："你跟谁结婚？"

"你说是跟谁？"

马文感到非常沮丧，他知道她不是在开玩笑。杨欣这人毫无幽默感，即使他们当初坠入爱河之际，她也很难得说一句笑话。他知道这一天迟早会来，心里很不乐意，故作轻松地说："怎么，李义已经离婚了？他小子终于离了！"

杨欣的脸上不太好看，忍住了，没发火。

马文吹了一声口哨，他想自己应该表现得根本就不在乎。

"我觉得还是先和你说一下的好，免得到时候大家尴尬，结了婚，他就可以搬过来住。"杨欣这次用的是商量口吻。

"搬这来住？"马文的眼睛瞪多大，顿时怒火万丈。

杨欣没想到马文的反应会这么强烈。他的儿子马虎也有些意外，小眼睛的溜溜地转着，一会看看马文，一会看看杨欣。马文的心情变得很恶劣，他觉得自己没有理由阻止杨欣再结婚，而且也不在乎她又一次嫁人。但是他有权利拒绝那个叫李义的男人，搬到自己的这套房子里来住。短时间的沉默，马文咬了咬嘴唇，问杨欣是否搞错了，他提醒她注意，这可是他父亲单位的房子，是以他父亲的名义分到手的，虽然房改时已经购买下来，但是产权并不属于她。

杨欣气呼呼地说："对不起，我并不想占据你的房子。再说，这房子多少也有我的一份。"

马文气得脸煞白，说："我告诉你杨欣，不要欺人太甚。

你们要结婚，我不拦你，可是请你远离这套房子。”

杨欣说：“我想我有这个权利。”

“什么权利不权利，别跟我来这套，”马文咬牙切齿地说，“这李义是什么东西，没离婚时就跟你不干不净，他怎么有脸踏进这个门？”

杨欣本来准备心平气和地和马文谈，根本谈不下去，于是两人吵起来，一吵架，自然没什么好听的词，杨欣一赌气，便回自己的房间。临走留下一句话，说这种事本来没必要和你商量，整个是给脸不要脸，我就在这结婚，你能把我怎么样？马文无话可说，恨不得给杨欣一个耳光，他追到杨欣房间的门口，冲她嚷着：

“那家伙要是个男人，他就不应该上这个门！有能耐就应该自己去找套房子。”

杨欣不理他。

马文又说：“要结婚，搬出去，有能耐就到外面去。”

杨欣说：“李义是没有多大能耐，你得意什么，你又有多大能耐？”

马文又一次无话可说。

杨欣说：“我就是不搬，你又怎么样？”

马文说：“我告诉你，我死也不会答应。别指望我会让步，这是我爹留给我的房子，李义他想搬进来住，除非等我死了！”

杨欣恶狠狠地说：“那你就去死，又没人拦你！”

三

马文现在孤伶伶地站在楼顶上，从小他就喜欢登高，小时候，他家住的是那种小楼房，在一片矮房子中，二楼已经很高了。他喜欢登高望远的感觉，有了什么委屈，受了小同伴的气，考试没考好，挨了父母的责骂，一爬上楼顶，心情陡然就会好起来。马文的父亲是个很爱啰嗦的副处级干部，没事做总是想方设法教训儿子，因此只要能摆脱父亲，马文便爬到楼顶上去发呆。老式二楼的楼顶呈斜坡状，有一次刚下过雪，马文爬上去看雪景，差一点摔下去。

马文现在是站在六层楼房的平顶上。全中国如今到处都是这样的建筑，成片成片的像一个个火柴盒子。马文正在咀嚼自己的痛苦，他知道杨欣是个说到做到的人，她做人永远不管三七二十一，根本就不在乎别人的感受。他想起自己刚带绿帽子时的情景，杨欣和李义打得火热，光天化日之下，就能看出他们的关系已经不太正经。全车间的人都知道马文的老婆偷人，这种事好像股市利好的流言，很轻易就会到处传开。马文想装做什么都不知道，结果是他越这么做，越显得傻。

杨欣从来就不考虑做丈夫的难堪，她从来就不知道刹车，通常是越走越远，越远越离谱。她的性格是即使轧姘头，也仍然理直气壮。马文知道她这次说的又是真话，想到那个叫李义的男人马上要搬来住，他愤怒之外，悲凉之情油然而生。这显然是个不能忍受的现实，在一个三四十平方的公用空间里，前妻堂而皇之要和旧情人结婚，这以后的关系怎么相处。马文越想越别扭，越想越觉得屈辱。他想不出用什么办法，才能阻止杨欣办婚事，李义是脸皮极厚的人，马文相信他会若无其事地走进这套房子，然后像老熟人一样地和他打招呼。

马虎探头探脑地从出口处伸出头来，远远地对马文喊着："爸，你在干吗？"

马文没好气地说："我在准备往楼下跳。"

马虎说："别瞎讲，你才不敢往下跳呢！"

马文说："我为什么不敢跳，告诉你，你爸我活腻了。我跳下去，有人就称心了。你妈就可以称心如意地和姘头过日子。"

"什么叫姘头？"

"这得问你妈！"

马文脸色很沉重，马虎突然变得紧张起来，他试探地问着："爸，你真要跳楼呀？"

马文走到楼顶的边沿，摆了个姿势，做出要往下跳的样子，马虎这一次是真的害怕了，他大声地尖叫起来。马虎的声音惊动了杨欣，她开门出来，沿着备用的木梯子往上爬，也把脑袋伸到出口处。她远远地看着马文，十分平静地说："喂，要跳，你就真的跳下去，别装模作样地吓唬小孩。"马文说，我吓唬谁，我吓唬我自己。杨欣说，什么叫吓唬自己，你连自己也吓唬不了。说完，喊儿子和她一起走，马虎不放心，不肯走。杨欣又说，我告诉你马文，这婚我是结定了，你就是真跳下去，我也照结不误。马文想，这个女人真是太心狠了，冷笑说，很好，我就真跳下去，让你称心。

马虎用哭腔喊着：

"爸，别往下跳，跳下去会摔死的！"

四

当 110 警车响着警笛开过来的时候，马文根本就没想这会和自己的宝贝儿子有关。马虎被杨欣硬拖了回去，小家伙心里七上八下，放心不下马文，突然想到老师在课堂上说过的话，遇到紧急情况可以拨打 110。杨欣没有阻止他拨打电话，马文不怕出洋相，就让他痛痛快快地丢回脸好了。刺耳的警笛带来一阵恐慌，人们纷纷从窗口探出脑袋，希望能明白究竟发生了什么样的事情。马文先是和别人一样看着热闹，直到一位警官拿着手提话筒对他喊话，他才意识到事情有些不妙。他突然明白这件事竟然与他有关。手提话筒发出来的声音怪怪的，回声很大，警官喊什么反而听不清楚。只是一会工夫，楼底下已经围了一大圈看热闹的人，就好像过节一样，大家都抬着头看他，一边叽叽喳喳地说着什么。一个年轻的母亲手上抱着小男孩，她正指点他应该往什么地方看。

马文感到自己正在遭到戏弄，他没想到会是宝贝儿子打的报警电话。现在，他真的很愤怒，或许是他们争吵的声音惊动了邻居，尤其是儿子那种惊恐的尖叫声，于是喜欢多管闲事的人，便又一次多管了闲事。马文使劲地对楼下挥了挥手，让警察赶快回去，该干什么就赶快回家干什么。可是，他的这一举动，不仅不能打消别人以为他要自杀的念头，反而更一进落实了这种假设。为了能让自己的话听得更清楚，马文向前走了约半步，这半步立刻引起了一阵骚动。

"喂，楼顶上的那位同志，喂，喂，那位同志，请你尽量想开一些，有什么事，可以好好说嘛！"拿话筒的警官一边喊话，一边不停地调着音量。

现在，马文成为大家的焦点所在，成为人们关注的中心，他突然觉得这很有意思。也许心一横，纵身跳下楼去，倒是一个很不错的选择。好死不如赖活，可一个人老是赖活着，又有什么意思。马文不想说自己混得很失败，然而确确实实，也没有任何成功的地方。他的处境简直是糟糕透顶，记得工厂刚倒闭时，工人还聚集在一起商量如何闹事，最激烈的甚至提出集体去卧轨，这种话当然只是说说而已，说的人自己也不当真，说完就忘。习惯很容易就成为自然，其实根本不用去卧轨，大家浩浩荡荡地爬到楼顶上，按抽签顺序排好队，每隔三分钟，往下跳一个人，直到上级主管部门作出让步，这一招绝对奇妙。马文想像自己像只巨大的蝴蝶，在空中展翅飞翔，短暂然而永恒，然后他的照片便登在了报纸上，小报上常见到这样的报道，说不定还会有几个血腥的电视镜头，人们目瞪口呆看着，眉飞色舞说上一阵，说上几天，一切就结束了。

一个警察的脑袋从楼顶的出口处冒了上来，这家伙年龄不小了，有些秃顶，几乎与此同时，在大楼下面，一块巨大的帆布一样的东西被拉开了，这是 110 联合行动的最新成果，是一种专门用于火警和防止跳楼自杀的救生装置，刚从国外进口的。马文觉得现在的场面很像是在拍电影，那位有些秃顶的警察犹豫着是否上楼顶，微微发亮的脑袋像洞穴中的老鼠似的探来探去。马文希望他不要那样小心翼翼，索性上来反而更好，但是他偏偏一声不吭，这样反倒给马文增加了不少压力。

马文对他发出了邀请："你上来呀！"

他的声音有些走调，怪怪的，听上去有些不怀好意。

马文又说："你们不就是要看我出洋相吗？"

警察没有做出任何反应，他只是露出半截身体，远远地监视着马文，态度并不友好。从他身边，又冒出一个脑袋，这家伙戴着帽子，和他的同伴一样，也是一动不动地看着马文。

楼下的话筒又喊了起来：

"喂，那位同志，希望你爱惜自己的生命！"

马文很想解释说这是一场误会，这场戏已经没办法再演下去。他不知道怎么说才好，无可奈何地往楼下看着，现在他是出奇的胆大，在他往楼下看的时候，下面的人紧张地调整着位置，好像他立刻就要往下跳一样，马文的腿有些软了，这次是不由自主，他干脆一屁股坐下来，让两条腿挂在半空中直晃荡。楼下的气氛紧张到了极点，那两名警察上了楼顶，向马文一步步逼近。马文的脑袋一阵混乱，手用力一撑，人纵身跳了出去。

第 二 章

一

一个多月以后，杨欣和李义的婚礼如期举行。马文的左手绷着石膏，拍片显示结果，有两处骨折。参加的人很少，就一桌人，男方代表中有李义的父母，他的姐姐李芹，女方代表有杨欣的父母，外婆，还有杨欣的一个弟弟。马文父子只能算是特邀代表，特别是马文，他的身份显得十分暧昧。地点是一家不大不小的馆子，虽然订了包厢，天气突然热起来，空调却出了毛病，于是不得不把包厢门打开。门一打开，大堂里的景象便看得一清二楚，一家人刚办完丧事的正在聚餐，有好几桌，黑纱白花，热闹得很，斗酒，干杯，大呼小叫，全无一点悲伤气息。虽然没有哭哭啼啼，喜事和丧事凑在一起办，新郎新娘不忌讳无所谓，双方的长辈都感到有不吉利，脸上不时露出尴尬的神情，马文因此有些幸灾乐祸。

杨欣的弟弟带来一架小摄像机，马虎闹着要他来摄像，结果只好让他玩。他也没心思吃菜，将椅子搬到角落里，人爬上去，对着吃饭的人，扫过来扫过去。大家一遍遍地喊他过来

669

吃，谁喊他，他就将镜头对着谁。马文不愿意自己的窘相被拍下来，屡屡对儿子使眼色，偏偏马虎最喜欢拍他，动不动就把镜头对准他。

马文发火说："马虎，你有完没完？"

马虎不理他，继续拍摄。为了不冷场，两方的老人互相敬酒，李义的姐姐李芹很能体贴人，不时地对马文说几句话。她知道他现在最难堪，除了找话说，还不停地让他吃菜，马文已经饱了，还拼命地往嘴里塞。吃到中途，李义和杨欣站起来，向马文敬酒。马文说，我这人嘴拙，不知道说什么好。杨欣笑着说，什么都不用说，把酒喝了就行。马文说，那不行，什么都不说不礼貌，我必须想几句好辞。最后，他傻乎乎地说："那就祝你们白头偕老吧！"

杨欣说："我当是什么精彩的格言，这现成的话，谁不会说？"

一旁的李义就傻笑，他长得白白净净，戴副金丝眼镜，一头一脸的知识分子模样。他的笑声很怪，平时就这声调，短促而铿锵有力，仿佛老人的咳嗽。

马文说："不说白头偕老，说像我们一样，结婚没几年就离婚？"

李义的笑声更怪，两个肩膀同时往上耸。一桌的人，都愕然，李芹看看自己兄弟的表情，又对着马文看。两方的老人都不说话，杨欣有些不快，说："这事用不着你操心，老实说吧，马文，你还是好自为之，别再想不开了，下次从楼上跳下去，可就没那么幸运！"

马文笑着说，早知道结果是这样，他根本就不会犯那样的傻气。大家听他这么说，都看着他，他故意卖关子，隔一会才说：

"我也是上了一当，早知道下面的这些救护人员，一个个全是笨蛋，人摔下去，膀子还会骨折，打死我也不会跳。再说，我早知道你这人铁石心肠，既然挡不住你们结婚，跳了也是白跳，何苦自己找罪受！"

二

新婚之夜马文没有睡好，儿子马虎今天晚上和他睡，小家伙新换了地方，有些兴奋，不停地跟父亲聊天。他分散了马文的注意力，东扯西拉，从学校说到同学家，从男生说到女生，说到有一次在上学路上，看见一个男人突然回过头，将自己撒尿的东西拿出来，对着走过的女生乱晃。他一会一个话题，这个尚未说完，又开始下一个。说到临了，马虎很认真地问马文，一个人一生中，究竟可以结几次婚。马文说，如果你高兴，就可以结一百次。马虎说，一百次太多了，他准备以后结八次婚。马文觉得奇怪，问他为什么看中"八"这个数字。

马虎老气横秋地说："八好，八就是发。"

马文问儿子到目前为止，喜欢的女孩有几位，马虎想了想，说起码有三个。马文说，才三个呀，那你也用不着结八次婚了。马虎说，谁说喜欢就要结婚的，我还喜欢电影上的巩俐阿姨呢，难道我也和她结婚。马文笑着说，你不和巩俐结婚，那我跟她结婚。马虎也笑了，说美死你，人家巩俐阿姨才不会看上你呢。马文说，你又不是巩俐阿姨，怎么知道她不会看上我。马虎怔了一会，说你应该和我们班李美辰的妈妈结婚。马文问他为什么，马虎说，李美辰的妈妈是富婆，有钱。马文奇怪儿子竟然会有这样的念头，马虎接着又解释：

671

"我妈说的，你这人就喜欢钱，斤斤计较。李美辰妈妈有钱，有了钱，就好了?"

马文觉得儿子的话很有意思："她真的有钱?"

"当然有钱。"

"漂亮不漂亮?"

"当然漂亮?"

"她难道没有男人?"

"当然有男人。"

马文又好气又好笑。就这样，说到最后，马虎终于撑不住了，说着说着，便睡着了。想不到他虽然是个小孩子，呼噜声却十分了得，像个小风箱似的。马文知道今晚注定是个不眠之夜，他聆听着隔壁的动静，一趟趟去卫生间。小客厅里一张方凳总是磕脚，一次又一次地被他踢翻。最过分的一次，是他开了客厅的灯忘了关，结果还是杨欣出来关了，半夜三更的，小客厅的灯老开在那，她以为出了什么事，只好出来查看，看看没什么事，便关了灯继续回房间睡觉。她回去以后，从房间里传出低低的说话声，李义大约是也醒了，马文听不清他们在说什么。

三

新婚之夜后的第三天，马文拒绝让儿子再睡到自己的房间里来，他的理由是，既然法院判决马虎归杨欣抚养，她就不应该刚结婚就遗弃儿子。只有一个房间并不能成为理由，杨欣可以再婚，马文也可以再婚，难道真到了那时候，把儿子马虎撵到大街上去不成。杨欣听了冷笑，说少来这套，我还不知道你的意思，你这是想刁难我们，存心作梗，告诉你，我们并不在乎，李义比你有爱心，他喜欢小孩，别以为你就能难倒我们。

于是，杨欣的房间就变成了三个人住。李义觉得很不方便，却无话可说，他现在寄人篱下，没权利说这说那，除非有能耐去弄一套房子。他可以说也是被自己老婆扫地出门的，李义有一个很可爱的女儿，年龄比马虎还大一岁，他老婆是个干部子女，脾气大得很。结婚许多年，他已经忍气吞声惯了，所以和杨欣再婚以后，这种小委屈根本算不了什么。忍一时风平浪静，退一步海阔天空，他是个儿女心肠极重的人，时时刻刻思念女儿，看不到女儿，便把那份柔情都用到了马虎身上。马虎天生是个实用主义者，谁对他好，他就喜欢谁。李义变着法子讨杨欣母子的好，于是房间里常常欢声笑语，让马文听了感到很难受，更加失落。

李义和杨欣开始很认真地实施一个计划。改善居住环境毕竟还是重要的，现在最好的办法，就是为马文找一个女人，找一个有房子的女人，将他打发出去。现实状况实在太别扭了，前妻前夫后夫挤在一套房子里，马虎爸爸妈妈叔叔地胡乱喊，怎么说都有些荒唐。有一天，李义的姐姐李芹应邀做客，看不过去，偷偷地把李义拉到一边，说眼下这种过于复杂的关系，可能会带来一系列问题。在她看来，夫妻离了婚，还住一套房子里，这是很不道德的，关键还是容易出问题，她不无担心地说：

"这话你可能不要听的，我都怀疑他们是不是真的断了？"

李芹建议李义尽快去买套房子，没钱的话，就算是贷款，也应该买。李义嘴上含含糊糊地答应了，待李芹刚走，便对杨欣说："我姐就是不近情理，买房子，钱呢，贷款，贷了款我们拿什么还？真是有钱人不知道没钱人的痛苦，现在有几个人真买得起房子?"杨欣却觉得李芹的话不是没道理,报纸上成天都是卖房子的广告,房子造好了,总要卖的,谁说没人买房子,她认识的好几个人最近就都在装修新居,人家也没发什么大财,还不是照样有新房子住。

"我就不相信,难道都是偷的钱不成?"杨欣倒不在乎要赶着买新房子,她只是觉得李义有些难受,知道眼下这种居住环境让他感到不自在。

李义是个颇会用心计的男人,他开始寻找机会和马文促膝倾谈,与他共同回忆当年的历史。有一天,杨欣带马虎出去看电影,李义便硬拉着马文一起喝酒。一人一瓶多啤酒下肚,李义说:"唉,说起来真不好意思,这些年,我常回想到当年你找我谈话时的情景。说老实话,我那时候是真的很抱歉。"

马文说:"你抱歉个屁,当年我让你认个错,你他妈死活也没肯认错。"

"不是我不肯认错,实在是这种事,就没办法认错,我怎么说,你还不更跟我急,这事又不是认了错,就可以了结,睡都睡了,认不认错没任何区别,所以我宁愿给你脸上打两拳,打两拳就打两拳。告诉你,我是故意不回手的,真打起来,你未必是我的对手!"

马文红着脸说:"你不服气,我们现在再打一架试试?"

李义笑着说:"现在要打,那就是我打你了。现在的情况完全不一样,杨欣现在是我老婆,我要是真打翻了醋坛子,饶不了你。"

马文让他这么一说,倒有些不好意思。有时候,直截了当把话说出来,反而让人无话可说。真话通常是最好的交流和沟通,经过几番互无保留的对话,马文和李义不仅达成了谅解,消除了误会，两个人还突然都发现对方其实不错。话越说越多，越说越投机，渐渐地便成了好朋友。马文发现李义这人清澈见底，是个直肚肠子，从来就不会掩饰自己的真实想法。李义承认自己为马文介绍女朋友，算不上安了什么好心，他的目的是想赶快把他赶走。"不光是我觉得别扭，你马文老在这住下去，我想也是很无趣。妈的，这算是什么事，再说你那儿子马虎说大就大，说懂就都懂了，总和我们住在一个房间里，恐怕也不太方便，你说呢？"

现在，马文也不想再在这套房子里住下去。在这场突如其来的遭遇战中，他已经输掉了第一个回合。马文毕竟是个活生生的男人，在斗智斗勇方面，他似乎远不是杨欣的对手，她常常发出一些很做作的声响，马文有理由相信，这种过分的声响更可能是一种表演，是故意要让他听到，是为了让他忍受不了，赶快知趣一些滚蛋。这一招很毒，因为动辄就害得他睡不安生。漫漫长夜之中，马文开始品尝失眠的滋味，他突然发现自己生活中，确实也需要有个女人，女人这玩意不想的时候也没什么，一旦想到了，还就真是个不大不小的事。

四

在李义和杨欣的精心安排下，马文开始和不同的女人见面，约会，不止一次差点就要成功。马文做梦也不会想到，还真会有不少女人愿意嫁给他。由于目的十分明显，所有对象都事先经过考察，首先是要有房子。不征婚不知道，连续和几位对象见过面才明白，原来合适马文征婚年纪的下岗女工大有人在。国营工厂的优势已不复存在，越是大工厂，下岗的势头就越猛。下岗引发了新一轮的离婚高潮，眨眼之间，铁饭碗没

675

了，年轻夫妇们情绪一下子都变得恶劣，情绪不好，脾气便大，结果一个个还没做好共同对付生活艰难的准备，便匆匆地离了婚。

满大街都是下岗的人，人多了，就没多大的了不得。马文发现不少离婚的下岗女工，和他的心态差不多，刚下岗时，恨不得立刻再找一个工作，时间一长，也就顺应自然，走一步算一步。刚开始，这些女人幻想着找一个铁饭碗的丈夫，最好是个机关干部，是税务局的干事，是工商局的科员，是派出所的警察，要不就是学校的老师，大学中学甚至小学都行，可是幻想多数要破灭，因为僧多粥少，有好工作的男人大都家庭稳定，就算有个别离了婚的，或者是大家捡剩下来的，也是癞蛤蟆想吃天鹅肉，竟然还要找大姑娘。现实有时候很残酷，离婚的女人条件太高不仅不现实，而且会耽误嫁人良机。没结过婚的女人通常是浪漫的，离了婚的女人差不多都很现实。马文遇到的都是下岗女工中的佼佼者，这些女人有自己的房子，不愁找不到新的工作，下岗为她们提供了新的选择机会，也培养了新的就业理念。她们对待马文的态度，就像找新工作应聘一样，都抱着试试看的心理，反正闲着也是闲着。马文长得不算高大，却是眉清目秀，看上去忠厚老实，给人第一印象很不错。几乎所有的对象都愿意与马文再次约会，其中最有成效的便是与黄晓芬，马文觉得自己好像已经有些爱上她了。

黄晓芬开了家小饭馆，生意不好不坏。两人初次见面，是一同去看《泰坦尼克》，她一边看，一边哭，看完了离开电影院，半天不说话。黄晓芬是李义的小学同学，离婚已经五年了，用李义的话来说，她是个很好的女人，只可惜男人不是个东西。在街上走了一圈，马文提议请她吃饭，她推辞了一番，说：

"你不要客气，我不饿，不过真想请我的话，就找家小馆子，当然要干净一点的。"

马文问去麦当劳怎么样，黄晓芬有些犹豫，说麦当劳也不便宜，说完了，觉得有些不妥，红着脸说对不起，说她是中国人，还是习惯吃中餐。终于进了一家小餐厅，她很认真地先看了看菜单，点头说这地方可以。两人于是坐定，服务员送茶水上来，马文让黄晓芬点菜，她不客气地说："我点就我点，反正我是开餐厅的，知道什么菜实惠。"

那天上馆子只花了很少的钱，黄晓芬给马文留下不错的印象，该浪漫时浪漫，该现实时现实。接下来连着几天约会，两人的关系近了许多，话题逐渐谈到自己原来的家庭。马文觉得没什么好说的，因为他不愿意说杨欣有什么不好，便反反复复地说自己无能，说自己没有情调，不讨女人喜欢。黄晓芬安慰他，说夫妻本来只是缘分，缘尽了，事情也就了结。至于情调更说不清楚，她不明白为什么他会这么想，反正她觉得他还是有一点情调。

马文说："有一点有什么用，女人喜欢的是多一点，不是有一点。"

黄晓芬说："不一定，男人情调太多，肯定花心。"

"男人不坏，女人不爱。"马文吸了一口长气，感叹说，"我所以失败，就是不够坏。"

黄晓芬大讲自己前夫如何坏。中国男人身上的坏脾气，她前夫样样都有，吃喝嫖赌，外加没有一样本事。最让马文震动的，是这个人还把性病传给了黄晓芬。说到这样的事情当然有些尴尬，但是黄晓芬忍不住非要喋喋不休，因为这勾起了最痛

677

苦的记忆。她告诉马文，说性病落在男人身上，治疗起来还容易一些，女人要是得了这种该死的毛病，天知道有多麻烦。她说到的种种痛苦，还包括去医院治病，那些医生并不问你这病是怎么来的，可是那眼神无疑是把她当作了妓女。

马文觉得能把这种事告诉自己很不容易，他不知道如何安慰她，看着她眼圈红了，便抽出餐巾纸来替她擦眼泪。黄晓芬索性哭了几声，哭完了，说："我也不怕丢人，这种事都告诉你了。你也知道，这事根本没办法告诉别人。我真觉得说不出口。"马文情不自禁地拍了拍她的后背，手掌正好落在她的胸罩带扣子上。她终于冷静下来，告诉马文自己的病总算治好了，她老是有点不放心，去复查过好几次，医生说已经痊愈。接下来，马文获准送她回家，一路上，他有些亢奋，觉得事情发展到这一步，基本上应该算是有点眉目。一个女人把自己最隐秘的事情告诉你，这并不是一般的信任，意味着你们之间的关系已经非同小可。事态的进一步发展似乎不言而喻，马文感到一阵阵冲动，血管里仿佛有只老鼠在上窜下跳，这样的机会说什么也不该白白放过。他心中正在默默盘算，何时出击才是恰到好处。黄晓芬显然也感觉到了他表现出来的躁动不安，在出租车里，她碰了碰他的手，马文像捉什么东西似的，一把捏住了再也不肯松开。

还是在掏钥匙的时候，马文就迫不及待地想拥抱她，可是进了门，他很失望地发现她八岁的儿子正趴在吃饭桌上做功课。黄晓芬也有些吃惊，问儿子今天怎么这么早就放学了。儿子懒洋洋地哼了一声，很不友好地白了马文一眼。黄晓芬对儿子说这说那，显然是在敷衍他，说了一会话，带马文参观她的住处。她把他带进了自己的卧室，随手带上了房门，正准备说什么，马文十分冲动地伸出手去，按住了她的两个乳房。这时候，马文脑子里一片混乱，只觉得自己手下按住的是两只蜷伏在那的小鸟，小鸟的嘴硬硬的，好像正在啄他的手。就这么僵持了好一会，外面传来了激烈的踢门声，黄晓芬的宝贝儿子在外面大声喊着：

"妈，我要看电视！"

黄晓芬推开马文，打开房门，让儿子进来。惟一的一台电视就放在她的卧室，儿子进来后，跑过去打开电视机。黄晓芬观察着儿子的脸色，儿子也回过头来，对他们看。马文的脸上露出十分尴尬的笑容，他做出对正在播放的电视节目也很有兴趣的样子，但是小男孩眼里有一种很恶毒的冷漠，看一会电影，便扭头白马文一眼。很显然，他这是在监视马文。马文感到有些心虚，浑身都不自在，黄晓芬问他是不是去小孩房间坐一会，他竟然脱口说了一个"不"。

她没想到他会说不，怔了一会，说："也好，我去烧点水，泡杯茶，你看，一直让你干坐着！"

马文心猿意马地看着电视，他无意中扭头，看到床头柜上放着一小管药膏，出于好奇，他将那药膏拿起来，正准备看，突然想到黄晓芬谈起的性病犹豫了一会，仔细看写在药管上的小字。正看着，黄晓芬走了进来，马文下意识地赶紧放下，她清楚地看见了这一切，但是装作若无其事。这以后，水烧好了，沏茶，马文一杯接一杯地喝着，一趟接一趟去厕所。到天快黑的时候，他终于和黄晓芬一起走进她儿子住的小房间，小家伙还在隔壁卧房看电视，马文觉得自己已经不像一开始那么冲动，他甚至都不想做那件事，只不过是一种惯性在起着作用，让他不得不表示一下，他将房门带上，搂住了她，手又一次不安分起来，但是，这次黄晓芬没有让他再得逞，她将他的手从自己的小腹上拉开，很果断地说：

"不！"

第 三 章

一

李义对马文感到很失望，尽管马文一再强调，每次都是女方看不中自己，但是李义坚信他这是在说谎。"如果你存心要找个人的话，别说一个老婆，就算是十个八个，也早就找到了。不是我想伤你马文，也不撒泡尿照照自己，你说你一个看大门的门卫，穿一身像人民警察的制服，就真以为自己是公安人员了。对了，就连这门卫的差事，都还是临时的，你有什么理由挑肥拣瘦。"李义一有机会便数落马文，他发现自己已经黔驴技穷，能够搜罗的单身女人，挨个地都与马文见了面。"你真是把我坑苦了，再这样下去，派出所非找我不可，我这不是成天在为你拉皮条吗？真是的，我吃错了什么药。"

有一天，李义去附近的美容厅理发，在那遇见一个刚死了男人的年轻小寡妇，人长得有模有样。美发厅老板和她认识，劝她别太伤心，要想开一点，让她过一阵找个男人，重新开始生活。理发理到一半的李义忽然冲着镜子大叫起来，说自己手头就有一个很不错的男人，他的话过于冒昧，结果没有一个人搭理他。美发厅突然变得很安静，隔了一小会，那小寡妇很生气地骂了一句：

"神经病！"

李义回去把这事说给马文听，马文听了便笑。李义说："你还有心思笑，我都差点真成神经病了。"

"这叫是皇帝不急，太监急，是我找对象，那么急猴猴地干什么！"

"马文，你不要得便宜卖乖，把话说说清楚，谁是皇帝，谁是太监？"

马文看李义是真的有些不高兴，连忙说："自然我是太监，你是皇帝。我不是太监，起码也是英雄无用武之地。不瞒你李义，我是真憋不住了。我是男人，我又没有什么病。"

李义私下里和杨欣经常会谈到马文，杨欣不反对为马文张罗，但是觉得李义太急，心急吃不了热豆腐。李义说，你还嫌太急，这事到目前为止，根本就没有一点眉目。杨欣说，你是不是觉得和我结婚了，心里有一点对不住马文，所以这么急着给他找对象。杨欣发现李义在偏执这一点上，和马文相比，有过之而无不及，惟一的不同只是兴奋点不一样。马文喜欢在小事上斤斤计较，为一个芝麻，可以丢掉一车西瓜，李义却是认准一件事，不管与自己的切身利益是否有关系，不达目的誓不罢休。如果说在一开始的时候，他为马文介绍对象，还是想将他从这套房子里赶出去，到后来，已经发成为对自己能力的评估问题。天下无难事，只要肯登攀，世界上怕就怕认真二字。"我就不信不能把这件事摆平，"有一天，李义忽发奇想，很激动地对杨欣说，"看来是非拿出点毒招不可，舍不得孩子套不着狼，我已经想了一个锦囊妙计，让马文和我姐见面。杨欣，你说我姐这人怎么样？"

681

二

李义很认真地问马文，作为男人，他会什么绝活。马文想了半天，摇头说没有。李义又问他原来是干什么的，只知道他是技术员，可究竟什么技术，一直没弄清楚。马文不好意思地说自己只是绘图，算不上什么尖端技术。李义说："知道你没什么大能耐，真要有，也不会让你下岗了。"马文申辩说，自己不是下岗，是提前退休。李义说这有什么区别，搁在国外，都叫失业。"我的意思，是你能不能给我姐露两手，证明自己还是个男人，"李义把自己设想的蓝图说了出来，他注意到马文的眼睛瞪多大的，连忙为自己的话做解释，"我是说，你得露几手女人不能干的事情，譬如修个电视，给洗衣机换个零件。"

马文说："那我去帮她换煤气，煤气瓶我还扛得动。"

李义叹气说："人家是管道煤气。"

李义和马文坐出租车去李芹家，在路上，马文忽然想到地问李义，你姐今年多大了。李义不以为然地说，我姐当然比我大。马文执着地要李义正面回答，你姐姐李芹究竟多少岁。李义说要回答一个准确的数字，得先让他把自己的年龄想清楚。马文不耐烦地说："这么简单的事，你说哪一年出生的不就行了。"

"你要是早一点直截了当地问我，我姐是哪一年出生，不就什么问题都没了？"

李芹对弟弟李义和马文的突然来访，感到十分意外，虽然事先已经通了电话，但是李义神秘兮兮的，并不肯说明他们的来意。看得出，李义李芹姐弟的关系很好，属于无话不说的那种。李义到了她那里，大大咧咧地挂长途电话，一说就是半天。马文有点不知所措，和李芹有上句没下句地敷衍着。李芹住在郊外一套很豪华的房子里，一看就是很有钱的样子，马文早听说郊外住着很多有钱人，今天是第一次有机会见识富人的豪宅。据李芹说，她的这套房子是这一片别墅中，规格最差的一种，当时一下子拿不出那么多钱，因此只好将就。

李义一旁插嘴说："我姐是富人中的穷人，要不，就是穷人中的富人。"

李芹说："别瞎说，我根本就没什么钱。"

李义说："我又不跟你借钱，人家马文也不会跟你借，别慌着哭穷。"

李芹带着马文参观自己的房子，多少有些卖弄的意思，告诉他为什么要这样安排那样设计，马文想这么好的房子，反正与他无关，也就没什么吃惊，无论李芹怎么介绍，他就是不说好。倒是李义时不时还要发出感叹，说这才是人住的房子，房间多得数不清，一圈转下来，他悻悻地说："看看人家，再想想我们，我们现在住的，怎么能叫人住的房子，我们他妈的根本就不是人！"

马文说："各人各福，你觉得自己不是人，我还不这么觉得，人嘛，本来就分三六九几等。有人住好房子，住大房子，有人呢，像你我这样的，天生只配住小房子和不好的房子。"

李义说："你这话什么意思，是骂我姐，还是夸我姐？"

李芹不明白这两人来干什么，坐了一会，李义便嚷着要为李芹做些事。"姐，你是一个人，有什么不方便的，就跟我和马文说一声，我们帮你做。"李义的话让李芹更摸不着头脑，李义屁颠颠的样子，显然隐藏着什么不良的用心。她知道他最喜欢干一些不三不四的事情，小时候李义常玩的恶作剧之一，是把李芹书包里的课本，全部换成一些毫不相干的杂书，等她上课时再发现，一切已经晚了。这样的恶作剧一次两次也就罢了，偏偏李义老是没完没了，结果李芹去学校上课前，一定要认真地检查一遍自己的书包。

李义决定帮李芹清洗油烟机。这是个自说自话的荒唐决定，因为李芹认为此举完全没有必要，小区门口经常有清洗油烟机的人，花不了多少钱全解决了。李义很严肃地说："这不是钱的问题，你可是一个人住，人家看见有个单身女人住这，住这么好的房子，非起邪念不可。马文你说是不是，马路上的人，怎么可以随便喊回家呢？"

两个男人开始笨手笨脚地拆卸油烟机，大卸八块。马文不止一次看人干过这活，自以为简单，没想到真拆下来，怎么也没法重新安装。李义说，你这家伙真笨，说好了你拆我清洗，最苦最累的活我都干完了，你却没办法把它恢复原状。马文只好承认自己笨，红着脸让李义帮忙，李义没法跟他急，说拆是你拆的，自己拉的屎，当然应该自己吃，我凭什么帮你来擦这屁股。他嘴上这么说，忙还是不得不帮，然而他也是个大笨蛋，忙了半天，把一个好端端的灯泡弄坏了，仍然解决不了问题。两个人都累了一头大汗，最后还是在李芹的协助下，才把油烟机安装好。事实证明女人的直觉很可怕，李芹不过是在旁边看了几眼，也没存心想记住，只是凭感觉认为应该这样，结果证明她完全正确。

从李芹家出来，李义不无得意地问马文："喂，觉得我姐怎么样？"

马文不吭声。

李义有些不高兴："这是什么意思，有话快说，有屁快放！"

马文说："你姐姐太有钱了。"

李义笑起来："有钱有什么不好？"

"有钱当然好。"

"可是我听你那话中间的意思，是并不好。"

马文不吭声，隔了一会，他小声地嘀咕着："不但有钱，而且也还算漂亮。"

"漂亮难道又不好？"

"当然好。"

"好？"

"好——"马文的语调中仍然有些犹豫，他的眼睛望着窗外。

李义十分傲气地看着他，忿忿不平，吐着粗气说："有钱，漂亮，总不能说是缺点。老实说马文，你真不配我姐，你不配。别以为谁想硬塞女人给你，你小子不识抬举，不是东西，别摆什么谱，傲气什么，就因为我姐比你大了几岁？我告诉你，女大三，抱金砖。这事就算是你肯，我姐还未必乐意呢！"

三

马文给李芹留了呼机号码。物业管理公司为了便于管理，专门为每个门卫配置了寻呼机，但是马文从不把呼机号码告诉别人，因为觉得没人会找自己。现在只要是个人，都可能会有个手机，李芹问起今后联络如何方式，或许只是为了撑面子，有呼机总比什么都没有强，马文竟然神使鬼差地说出了自己的呼机号码，李芹因此成为公司之外，惟一知道他呼机号码的人。

李芹给了家庭电话和手机号码，马文到手就丢了，他想事情至此差不多就结束了，和以往一些见面的情形相仿佛，自己绝不可能主动再和她联系。因此，当呼机突然响起来，正在上班的马文懒洋洋地去回电话，他的声音并不友好："喂，谁呼我！"

李芹在电话那头笑着说："唉约，怎么这么凶！"

马文说："你是谁？"

"你猜呢？"

马文不耐烦地说："我这人耳朵背，听不出来。"

李芹只好不和他绕圈子，说："我是李芹，李芹，李义的姐姐。"

马文赶忙连声道歉。

李芹于是问他明天有没有空，说她家里要换隐形纱窗，希望他能过去帮帮忙。马文脱口而出，说要上班，又问这事为什么不喊李义。李芹有些失望，说你真要上班，那就算了。马文说自己可以跟别人换班，不过可能很麻烦，如果是大后天就好了，他正好轮休。李芹说，她可以跟工人说一下，看看能不能改在大后天，或者干脆就算了，她另外找人吧。马文以商量的口吻说，还是先跟工人打个招呼，实在不行，他就跟别人换班。李芹好像并不在意一定要他去，说又不是什么大事，你真有难处就算了。说完，不等马文再说，已经把电话挂了。马文顿时感到有些空落落的，话还没有说完，究竟还要不要他去，不说清楚真让人很难受。他喜欢把话说得明明白白，像现在这样话说到一半算什么。

马文向小组长请示，准备跟人换班，都说好了，又打电话

686

给李芹。李芹接到他的电话，一点都不领情，说你来不来根本无所谓，她喊别人也很容易，再说，她已和工人说好了，日子已改在大后天了。马文听了，连声说："这样最好，也不用换班了，虽然我已经打了招呼，能不换最好，上次有人想跟我换，我就没肯换，这次我又去求人家，真有点不好意思。"李芹还是一再强调他去不去都可以，但是语气有明显的变化，她似乎很满意马文把这事当真。

到了那天，他一早就起来，路很远，是骑车去的。李芹很吃惊他会那么大老远的骑车过来，说你干吗不打车，这路费我可以给你报销。马文说这点路算什么，自己还没到那种弱不禁风的地步。安隐形纱窗的人，到中午才来，一共四个小伙子，忙了一个多小时，就把活全部干完，一算账，将近三千块钱。马文说，不就是换个纱窗，怎么这么贵。李芹说，是太贵了，可是这里蚊子太多，老式的纱窗解决不了蚊子问题，现在的蚊子坏得很，无孔不入，都从旁边的隙缝里钻进来，负责算账的工人说：

"这还叫贵，就你这院子，前面那一家，换一换，将近五千块钱，你们家真不算贵了。"

打发了工人，李芹与马文一起收拾残局，扫地，擦窗台，等一切都弄完了，她说，今天你劳苦功高，请你吃个便饭。李芹告诉马文，住宅区外不远有一家小馆子，装潢得很漂亮，价格也不贵。马文觉得他没什么理由推辞，心里只是感到好笑，因为过去的几个月中，在李义的关怀下，他马不停蹄地和各式各样的女人见面，稍稍有点眉目，甚至一点眉目也没有，都要到小馆子里去吃一顿，而且照例都是他请客。男人请女人吃饭仿佛天经地义，有戏无戏都得吃，好像不吃这么一顿，就没别的事情可以做。也许对于女人来说，男人请吃饭意味着是给面子，因此马文提出今天应该由他作东，李芹说："你真要请我，下次吧，我们找个好馆，今天让你请，太便宜你了。"

马文平时并不是个很幽默的人，可是今天他变得特别会说："我可不能跟你比，我们是穷人，高档馆子请不起的。不瞒你说，高档馆我还没进去过。"

李芹格格笑起来，说："好吧，既然你说实话，下次还是我请。"

马文说："我这人没出息的地方，就是嘴馋，你最好能天天请我。"

李芹说："那我得开个馆子，跟你说，还真有不少人提这样的建议，说是开馆子肯定赚钱。"

马文突然想到了黄晓芬，没兴致继续就这话题谈下去。李芹出手阔绰，点了许多菜，马文的胃口不错，猛吃，有些担心自己的吃相太难看，李芹却安慰说，男人能吃是好事，说她最看不惯比女人还女人的男人，吃什么东西都是一点点，而且这个不吃那样不碰。这顿饭吃得很愉快，终于吃完了，便告辞，大家互相致谢，马文是因为这顿吃，李芹是因为他今天为她花了大半天时间。到晚上，刚吃过晚饭，马文的呼机又响了，是李芹打来的，他跑进杨欣的房间接电话。这电话原来是放客厅的，马文平时几乎没什么电话，杨欣自作主张地将话机移到了卧室。马虎是第一次发现马文有呼机，兴致勃勃地跑到他身边，要研究他的呼机，马文一边打电话，一边不让儿子捣乱。

李芹说："我想也不能太便宜你，高档的馆子请不起，小馆子总得请我吃一顿吧。"

马文柔声细气地说："这没什么问题，大男人一个，怎么敢赖账。能请你吃饭，这是给我面子，喂，你看什么时候好？"

李芹笑起来，说："一个星期以后，不，早吃晚吃都是吃，索性三天，你看我跟你一样馋，都有些迫不及待了！"

马文说："迫不及待好，都说心急吃不了热豆腐，这话其实是有问题的，都什么年代了，不心急怎么行，心急才能真正把事办好。我告诉你，我这人所以没出息，就是性子太慢。"

马文挂完电话，才意识到杨欣和李义正对着自己看。杨欣从没看见过他用这种腔调说话，因此对他说话的语气不无挖苦，说士别三日，怎么一下子变得像个花花公子。马文说，这要感谢李义，是李义给了他久经沙场的机会，人只要有机会锻炼，什么本事都能学会，再说了，和女人打交道有什么难的。李义看着马文的表情，也吃惊他的进步，很认真地提醒他不要得了便宜再卖乖。马文很从容打量着他们的新房，虽然是挨着的邻居，还是第一次有这样的机会，他以一种从来都不属于自己的语调说：

"谁得了便宜卖乖了，李义，你把话说说清楚？"

李义叹了一口气，反问说："谁应该把话说清楚？"

四

马文的儿子马虎和李义之间的关系非常融洽。这小家伙有运动员的素质，学校开运动会，报名跑一千米，竟然全校第一，一大群高年级学生远远落在后面。体育老师和马文谈话，说马虎练长跑，很可能会有出息。马文说，长跑有什么前途，马家军都是女将我儿子要练就踢足球，长跑跟傻子似的，老是跑，没意思。马文和杨欣离婚之后，谁也不认真管小孩的学习，李义进了这个家以后，义不容辞地将教育小孩的任务担当起来，不仅天天检查马虎的功课，还用一大堆道理说服他练习长跑。

李义最绝的一手，是不知从什么地方弄了一条现成的狗回来，马虎因此一连兴奋了多少天。李义借狗的目的，是要训练马虎练长跑，天天一大早起来，他自己跑不动，就骑自行车，让狗和马虎一同跑，这一招十分管用。马虎一边跑，一边和那狗闹着玩。刚开始，马虎不是狗的对手，渐渐地，那狗反而不是马虎的对手。马虎的进步让学校的体育老师感到震惊，将他推荐到省体校，每周进行一次近乎专业的培训。

马文发现儿子自从李义搬来住，和自己的关系越来越疏远。令人难以置信的，是马虎小小年纪非常实用，他才不在乎什么血缘关系。有一天，马文把儿子拉到一旁谈话，说你这小子怎么回事，见了我老是躲，马虎一边和狗逗着玩，一边心不在焉地说，你又不是什么大老虎，躲你干什么。马文有些悲哀地说："你现在跟我根本没什么话说。"

马虎满不在乎，说："我本来就没话要跟你说。"

马文说："你现在究竟是喜欢爸爸，还是喜欢你那位叔叔？"

"我无所谓。"

"什么叫无所谓。"

"无所谓就是无所谓，反正，反正我也说不清楚。"

马文套近乎地问儿子，自己真要是搬出去住，他会怎么想。马虎看着马文，大眼睛的溜溜地转圈子，不说话。马文以为他是不是舍不得自己搬走，没想到马虎会直溜溜地来一句："你走了，叔叔就帮我买一台跑步机，这样，我在家就可以练习跑步了。"

马文悻悻地说："妈的，你这不是盼着我滚蛋吗？"

"本来就是。"

"就是什么？"

"妈妈说了，你是有意赖着不走。"

"我就是有意赖着不走，又怎么样？"

马虎看父亲是真不高兴，不往下说，隔了一会，老气横秋地劝马文："爸爸，你赶快找个阿姨算了。"

马文咆哮说："我明天就带个漂亮阿姨回来，你告诉你妈，我就是不走，告诉她，不仅不走，我还要带个女人回来。这是我的房子，我有这个权利，是不是？马虎，你就这么跟你妈说。"

马虎不愿意再搭理他，马文还想再和儿子说几句，马虎翻了个白眼，扭头就走。马文气得直想揍他，转念一想，这样的儿子如果再揍一顿，与自己就更没感情。于是，他憋着一肚子不痛快，等李义和杨欣回来了，自己一个人躲在房间生闷气，听见他们在外面有说有笑，恨不得冲出去寻衅吵上一架。第二天，和李芹在一家馆子见面，马文发现自己气已经消得差不多，便把和儿子说过的话，又绘声绘色地描述了一遍，李芹听了直乐。

她笑着说："难怪大家都讨厌你，你已经成了钉子户。"

马文说："我就做钉子户，干脆谁也别想痛快。"

"你为什么不能成人之美呢？"

"我为什么要成人之美！"

这时候，马文和李芹的关系已大大地前进了一步。一起在外面吃了好几顿饭，目的当然不只是在吃饭上，但是不约吃饭就没有见面的借口，于是老一套的重复，吃了这顿又约下顿。

还是在一起吃第二顿饭的时候，李芹就以一个大姐姐的口吻向马文挑明，他们之间的关系不会有任何结果。她的弟弟李义显然是想到了一个馊主意，他根本不知道她其实早就对婚姻没了兴趣。"这辈子绝对不会再结婚，我已经吃过婚姻的苦头，不会再做同一件傻事。"李芹说自己可能会跟男人来往，但是来往和考虑婚事有着本质的区别。她已经为男人的事太伤心，不想在已经弥合的伤口上再撒上一层盐。她的话让马文深有同感，所谓英雄所见略同，有了这样的开场白，两个人的交往反倒容易相处，因为不用谈婚论嫁，双方都有很大的自由空间。李芹说，她很感激李义能关心自己，说自己有时候的确很寂寞，需要有人关心她爱护她。

有一天，李芹花了很多时间来谈李义小时候的事情，她说他从小就是一名好发奇想的孩子，而最大的优点，就是喜欢帮助别人，做什么事都愿意替别人着想。她的用意或许是替李义说些好话，既然事情已经发展到这一步，马文和李义能像朋友一样相处，这本身就很不容易。马文听她好好地夸了一番自己的兄弟，也不打断她，由她说下去，等她兴致勃勃地说完了，他十分平静地说：

"你这位兄弟什么都好，就是把我好端端的家庭拆散了，这可不太好。"

李芹一怔，看着他，说："你是不是到现在为止，还为这事记仇。"

马文模棱两可地说："要说不记仇，这是假的，真要说记仇吧，也不是那么回事，反正一想到这事，就没意思。"

李芹说："所以你现在和他们住在一起，真的是大家都很难受。你嘴上说自己要做钉子户，我看也未必是说的真话，不过是嘴上说说而已，你们其实都会觉得别扭，当然，如果不别扭也不太正常。你知道，有时候，我看你和李义像朋友似的，心里就嘀咕，我就想，这两个家伙会不会是在做戏？"

五

马文开始天天到杨欣的房间里去接电话，吃了晚饭不久，电视打开了，黄金时段的连续剧刚开始，李芹的电话差不多也就来了。一连多少天都是这样，杨欣终于忍不住，对马文摆了脸，说明天把电话移到客厅去，老是这么到我们房间打电话，影响人家看电视。马文只当没听见，对着话筒没完没了。杨欣发现他这一阵的脸皮突然变得很厚，变成一个她已经完全不熟悉的马文，他打电话时谈笑风生，那劲头就好像是在电视剧中，马文似乎存心要表现自己情场上的得意，他表现出的那股热情，远远超过了他们当年的谈恋爱。有一天，马文竟然会毫无顾忌地对话筒说出非常露骨的话，惊得正在看电视的杨欣和李义目瞪口呆。

杨欣和李义常在背后研究他们之间究竟发展到哪一步。杨欣认为这两个人肯定有事，要不然马文说话绝不会是这种腔调，孤男寡女干柴烈火，又都是过来人，有什么好含糊的。李义吃惊她会这么赤裸裸地表达自己的想法，两人经过一番讨论，得出一致的观点，不管有事没事，早点把马文从目前的这套房子里撵走，就是最大胜利。有一天，李义打电话给李芹，直截了当地问她和马文之间怎么样。李芹说："你想知道什么怎么样？"

李义说："你们是不是已经上过床了？"

李芹说："上过怎么样，没上过又怎么样？"

　　李义说："这又什么怎么样，上过就是上过，没上过就是没上过。"

　　李芹不做正面回答，问马文是怎么说的，李义说自己没有问过，可是看他那得意劲，八九不离十。

第 四 章

一

　　马文和李芹之间最尴尬是第一次，李芹给了他一个大号进口的避孕套，十分抱歉地说："这还是我丈夫留下来的，可能是大了些，你凑乎着用吧！"马文因此很别扭，一边做事，一边走神。到了第二次的时候，坚决不肯用避孕套，李芹有些担心，马文说："我告诉你一个黄段子，说是蒋经国当了总统，到台湾前线去慰问，听说老兵中性病很严重，便问为什么不使用安全套，一位老兵非常认真地说，蒋总统，你洗脚的时候，是不是穿袜子？蒋经国摇摇头，老兵笑了，说既然明白这道理，干吗还要问呢。"

　　不久，马文无意中发现了李芹丈夫的照片，照片上的他根本就不是伟丈夫的模样，因此向李芹提出疑问。李芹扯的谎被戳穿，老老实实地说："既然你问了，我可以告诉你，那玩意也不是我丈夫留下来的，是他的司机的。"原来李芹丈夫自从有了外室以后，基本上与她没什么来往，只是每月派健壮的司机送一次钱来。那司机二十刚出头，跟着老板见多识广，不费吹灰之力就把处在寂寞中的老板娘给办了。有一段时间，他每个月都要到这来快活一天，直到有一天，李芹突然发现自己丈夫不仅是知情者，而且是阴谋的总策划，气得立刻和那小伙子断绝了来往。她打电话把丈夫一顿痛骂，她丈夫说，你这是把好心当作了驴肝肺，是他妈哑巴讨老婆，心里高兴，嘴上说不出，明明自己快活了，偏要装什么假正经。

马文开始没完没了地向李芹吹嘘自己的艳遇，编了一系列的故事，这种故事让他感到兴奋，感到快活。李芹总是不动声色地听着，不发表任何评价。最后马文有些不好意思，像瘪了气的皮球，说你是不是觉得我吹牛。李芹说，你吹什么牛，有女人喜欢你，这才是好事，你看我就喜欢你。马文无话可说，只好夸奖她是那种不会吃醋的女人。

李芹说："谁说我不吃醋，凭你我这种关系，我们配吃醋吗？"

马文说："不一定，我就有些吃醋。我一想到你过去丈夫的那个什么司机，心里就不自在，尤其不自在的，是你竟然让我用他剩下的避孕套……"

李芹说她并没想到他会在乎，既然大家是逢场作戏，也就没必要太计较。她解释说自己当时是逼急了，因为她一个单身女人，不可能不考虑到怀孕的严重后果。马文的情绪有些低落，说男人和女人不一样，男人最忍受不了自己戴绿帽子。李芹没想到他会突然冒出这么一句，不知道应该如何接碴儿，呆呆地看着他，马文让她看得不好意思，情不自禁地透露出了老实话："我是个没用的男人，倒是想和很多女人有事，可除了你之外，我没做过对不起杨欣的事情。"李芹没有什么反应，好像早就知道他吹嘘的那些风流故事全是假的。马文又叹气说："我知道你觉得我没用，男人都是有贼心没贼胆。"

李芹说："在我面前，你的贼胆并不小。"

马文说："那也是在你鼓励下。"

李芹脸有些红，说："这是什么话，你的意思是我勾引了你?"

二

马文的脸上开始按捺不住得意，杨欣和李义迫不及待地问他打算什么时候搬出去，他很严肃地反问："我为什么要离开这?"马文的话让对方非常失望，李义这一段偶尔把女儿接来，他的前妻新近刚结婚，母女之间的关系有些不融洽。这丫头像她母亲一样要强，处处都要和马虎比个高低。一开始，马虎因为她是客人，还让着她，渐渐地便不太客气，于是两个孩子又吵又闹，又分别告状，弄得李义和杨欣也不愉快。

马文很喜欢坐山看虎斗，这好像还不够乱，他常喊李芹过来玩，来了便是打麻将，四个人正好一桌。有时候玩牌晚了，李芹就住下来，刚开始也做做样子，李芹和杨欣睡，李义到马文这屋来，很快就不讲这一套。李芹动不动要对马文做出亲热的样子，杨欣看在眼里，心头很不舒服，有一天，这套房子里就剩下马文和杨欣两个人，杨欣气鼓鼓说：

"和李芹这样的老大姐在一起，是不是很有意思?"

马文似乎一直在等待这种挑衅，他懒洋洋地说："什么意思不意思，还不就是这么回事。"

杨欣追问他是怎么回事，马文笑而不答。

"马文，你知道不知道，你现在变得很坏?"

"我就是想变得坏一点。"

"你已经变坏了。"

"那我就谢谢你的夸奖和鼓励。"

　　这是六月里的一天，天忽然转热，杨欣只穿了一件汗衫，一条白颜色的短裙。因为是在马文的房间，他想既然是你送上门的，胆子就有些大，两人有一句无一句地聊着，他突然伸出手去，在杨欣的腰里捞了一下。杨欣也没过多抗拒，两人在房间里闹着玩似的扭打了一会，就重温了一场旧梦。事后，杨欣说这不好，马文说有什么不好，我们本来就是夫妻。杨欣说，本来是，但是现在不是。马文笑着说，现在不又是了吗。杨欣说他赖着不肯搬出去，是不怀好意。马文笑得更得意，说自己当然不怀好意。

　　李义回来毫无察觉，杨欣照样有说有笑，马文也跟什么事没发生一样，跑到他们房间里去逗儿子玩。杨欣与儿子的关系趋于紧张，现在他在这个家里，第一是听李义的话，其次是听马文的，对于杨欣则有一股逆反情绪，越是不让干的事，越要干。李义说起自己单位里发生的一件有趣的事情，说得大家开怀大笑，因为故事有些带荤，马虎不是十分明白，追着杨欣问，杨欣不理，又问李义。李义说你还是小孩，等大了，自然会明白。马虎不服气地说："你才是小孩呢，我知道你们说的是什么意思。"

　　马文说："知道了你还问？"

　　马虎说："我知道你们说的是下流事。"

　　于是都笑，马虎说你们这是阴险的笑，大家笑得更厉害。这之后，水到渠成顺理成章，很快又有了下一次机会，杨欣仍然先抗拒，说上次已经属于意外，应该下不为例。她说这样对不起李义，你要想报复他，目的也达到了，而且这么做，也对不起李芹。马文说他不想报复谁，也不觉得对不起谁，既然事情发生得很自然，就不应该拒绝老天爷的安排，恭敬不如从命。由于这是偷情，是越轨的行为，大家更感到刺激，更感兴奋，结果是一而再，再而三，这事竟然没完没了。毕竟住在同一套房子里，想要寻找机会太容易，杨欣又天生是个胆子大的女人，喜欢冒险，有几次半夜起来上厕所，悄悄地爬到马文的床上去，抓紧时间温存一番，速战速决。有一天，她突然想到似的，不无担心地问马文，如今有两个女人要敷衍，难道他就不觉得累。

马文说："两个男人你都对付得了，我为什么害怕两个女人。"

三

中秋节前夕，李芹又来打麻将，打到很晚，李芹让哈欠连天的马文送她回去。一路上，当着出租司机的面，她像审贼似的问他，是不是和杨欣有不正当的关系。马文矢口否定，李芹说你不要装腔作势，凭女人的那点直觉，我知道你们之间有问题。马文说，我现在是有女人的人，如果我没有你，这么想也正常，你今天是怎么了，赢了钱还要找不自在。李芹说她现在终于明白了，李义所以急着要让马文搬走，实在是有他担心的道理。男人都不是东西，即使像马文这种看上去老实巴交的人，也不是东西。马文由她去说，说到临了，知道她昨天刚去检查过身体，以为自己有什么病，结果却是什么都没有。

李芹让马文搬到她那里去住，马文慢悠悠地说，我们又没结婚，明目张胆住在一起，怕是不太合适。李芹说，你从来没跟我提过结婚的事。马文说，这怨不着我，是你说自己不打算再结婚，你既然不想再婚，我硬逼着也不行。李芹说那是过去，女人没有不想结婚的，男人是想找个女人玩玩，女人是想找男人过日子。马文说，那我看错你了，原来以为你和别的女人不一样，结果也没什么两样。李芹顿时有些急，板起脸来生气，要撵他走，马文便想趁机溜，李芹真火了，说你若是走了，以后再也别回来。马文没想到她会这样，说又不为什么，干吗发这么大的脾气。

李芹见他软了，说："你走哇。"

马文说："我走了，你不让我回来了，我当然不敢走。"

李芹内心也舍不得他走，嘴上还硬："走哇，反正迟早还是走。"

结果是和好如初，两人终于上了床，马文一边做小动作，一边打哈欠。李芹说这事到明天早上再做，你也累了，只要搂着我睡就行。马文于是顺水推舟，不再勉强，李芹一言既出，不能再有什么表示，只好心不甘地说了一句："马文我告诉你，我绝不会逼着你娶我。"不一会，马文已经睡着，轻轻地打着呼噜。李芹没有困意，胡思乱想，到天亮才睡着。第二天，李芹问马文还记不记得昨晚她说过的话，马文有些迷惑，李芹说我知道你没往心里去，马文说："你说过的话太多，我怎么知道是哪一句。"李芹无可奈何，把绝不逼他娶自己的话又说了一遍。

马文说："要是我提出和你结婚呢？"

"那我就得好好地考虑考虑。"

"考虑什么，实话实说，别绕弯子。"

"我想可以有个孩子，有个我们自己的孩子。"

四

李芹买了一辆小车，马文和杨欣离婚前，曾跟她学过一阵驾驶，因为有基础，很快就拿到了驾照，于是三天两头载着李芹出去兜风。李芹是个很有钱的女人，有多少钱，马文没有问过，反正知道她有钱，因此让她花钱心安理得。刚有车那阵很热闹，东奔西跑，到处乱窜，还常常开着车子去上班，一起上班的同事羡慕地对马文说："了不得，你现在是有私车的人，再干保安这差事，怕是不合适了。"

马文说："怎么不合适，前几天经过一个农民私设的收费站，见谁拦谁，可是一看到我这身制服，屁都没敢吭一个。"

"人家要知道你是保安，饶不了你。"

"什么叫饶不了我，我不上中央电视台的《东方时空》告他们，就算是便宜的，你说这是不是可以上电视曝光。"

马文成为大家眼里快乐幸福的人，他的得意洋洋就在脸上大明大白写着，走到哪儿都带着。可惜这种快乐幸福的生活，临了被杨欣和李芹的一次谈话，活生生地给打断了。在一场看似无意的谈话中，杨欣不怀好意地坦白了她和马文之间发生的事情，这显然是经过精心策划的，李芹做出一切都在预料中的样子，尽可能地想保持平静，但是还是有些克制不住。她不知道自己说什么才好，板着脸问杨欣是否觉得对不住李义。

杨欣说："如果李义和他的前妻有什么事，我想我能够容忍。"

李芹眼睛瞪多大的，说："别说容忍不容忍，问题是李义和前妻有没有事？"

"我想是没有。"

"既然没有，说这话就没意思。"

"如果你觉得没意思，当然就没意思。"

事后李芹才想明白这次谈话中的潜台词，她觉得杨欣的做法很无理，自己没有任何歉意，却还在暗示李芹应该容忍这种事。真亏她说得出口，李芹觉得自己有理由和马文大闹一场，骂他个狗血喷头。很多事都是事后越想越窝囊，李芹完全有理由把杨欣也痛骂一顿，因为她显然在暗示，马文所以会和她好，只是看中了她的钱。换句话说，作为女人，李芹并不可爱，可爱的不过是她的钱。有了这样的看法，杨欣才敢如此肆无忌惮，她那样的女人从来都不在乎会伤害谁。今天她这么对李芹说，很可能明天又会理直气壮地去告诉李义。

由于马文没有任何心理准备，对李芹的又一次质问守口如瓶，既然有上一次搪塞的成功经验，他打定主意坚决抵赖。但是这一次李芹并不准备放过他，先是好言相哄，接着是恶语相加，最后大骂他是个吃软饭的家伙。马文被他骂急了，说我确实是个没用的男人，打人不打脸，你何苦用这种话来伤我。李芹说你脸皮厚，伤不了的。

"怎么伤不了，我已经很受伤。"

"那是别人让你受的伤，跟我没关系。你知道我现在终于明白了什么事，当初你老婆为什么要跟你分手，就是因为你不像个男人！"

"我是不太像男人。"

"你当然不像男人。"

"我没说我像男人。"

马文一味服软，李芹只好再来软的："杨欣都承认了，你还一口抵赖，这有什么用？"

"她承认是她的事，我就是不承认。"

"你们原来是夫妻，真有事，我也不会太吃醋。"

"你不吃醋，我也不会说有。不说，打死我也不说有。"

马文还是不肯老实就范，李芹便再一次暴跳如雷，能想到的狠话都说了，扔了一个热水瓶，打碎两个茶杯，还撕了几张报纸，然而他仍然一副死猪不怕开水烫的架势。李芹没办法，只好请他滚蛋。马文赖着不肯走，李芹说你再不走，我就打电话喊一一〇来。马文让她快喊，说一一〇来，他省得叫出租车回去。折腾了一个多小时，李芹感到累了，火也发得差不多，心也有些软下来，想马文如果真认个错，或许还可以原谅他，她于是很伤感地说：

"我们反正是一对野鸳鸯，说分手就可以分手，你不应该这样伤我，你并不是那么坏的人。"

马文将身上的车钥匙掏了出来，又拿出皮夹子，和李芹算账，今天他在超市为她买了不少东西，多下来的钱必须还给她。李芹看出马文这是真要走人的意思，而且很可能一去不返。她喊住了他，让他把屋子收拾干净再走。马文看了看地上，拿了把扫帚过来，将地上的碎玻璃先打扫干净，然后又用拖把将地面仔仔细细地拖了一遍。他似乎是赌气干这些事，和杨欣做夫妻的时候，他什么事都做，但是和李芹在一起，他最恨的就是做家务，因为在这套豪华的宅子里做家务很伤男子汉的自尊，坐实了他是个爱人钱财的家伙。若在平时，马文说什么也不能容忍吃软饭这种话，人穷志不穷，他的忍耐早就到了极致，把拖把放回卫生间的时候，他的火气也开始大起来。

李芹说："今天走了，就不要再回来！"

马文怒不可遏地说："我当然不回来！"

出乎马文意外的，是在最后关头，李芹突然在门口拦住了他，她的眼泪直流下来，像孩子一样哭着说："我不让你走，知道你早就想走了，你别走。"

702

五

马文于是成了一块杨欣和李芹都要争的肉骨头，这肉骨头食之无味，弃之可惜。往日的平静已不复存在，现在，两个女人各用各的手段，为争夺马文这个并不起眼的男人，你死我活不可开交。杨欣的办法是明争，就像当年大闹离婚一样，她索性和李义把话挑明了，把种种细节都说出来，甚至连床上的刺激和兴奋也没放过。李义眼神顿时就直了，仿佛已经不认识她，对着她从上到下看了好一阵，说你这个人是怎么回事，当初让你别离婚，你非要离，自己离了，又逼着我离，我离了，又纠缠着要结婚，一切还没完全安顿好，你又玩花样了。

杨欣说："我觉得这种事，瞒着你也不道德。"

"瞒着人是不道德，就这么没事似的，对我打个招呼，就道德了？"

"我也不想这么做——"

"但是你做了，已经做了。"

"我知道这是个伤害。"

"这是往刀口上撒盐。"

"我只能说对不起。"

"撒盐好哇，盐可以杀菌。疼算什么，算个狗屎。我后悔自己当初不该离婚，现在好了，原来好端端的那个家，早没了。最对不起的是我女儿，她不像你那儿子，谁对他好谁就是他爹。"

"我真的觉得很对不起。"

"对得起，你谁都对得起，一点错都没有。说你有错那是冤枉你，你就是你，不这么称心去做，也不是你了。瞧着我姐

703

和马文好，心里就不舒服，不舒服你就要做怪。一做怪，就什么事都能干出来。跟我说说看，下一步你还想怎么折腾？反正你生来就喜欢让男人戴绿帽子。"

和杨欣的明争不同，李芹的手段是暗斗。事情既然已经闹开，马文只能从自己的那套房子里搬出来，搬出来容易，住哪却是个问题，结果只好住到李芹这来。李芹再也不和他闹了，好像什么事也没发生，连杨欣的名字也从来不提。她现在是一味地对他好，侍候大老爷一样地对待他，临了，弄得马文感到不好意思。马文说，我不是不想说真话，只是说了真话，这太伤你。李芹说，你别说了，我知道你和她之间没事。马文说，不，有事，真有事。李芹说，有事也没关系，有事就跟没事一样，你们本来就是夫妻嘛。

李芹跑到另外一个房间去哭了一场，马文手足无措，不知道是否应该进去哄哄她。现在的事情真有些麻烦，杨欣偷偷地给他打过几次电话，知道他住在李芹这里，大发脾气。让人感到不可思议的是，她虽然是别人的老婆，吃李芹的醋却非常厉害，一定要他赶快搬走。马文问她往哪搬，杨欣蛮横地说，往哪搬我不管，反正立刻得搬。就在李芹伤心欲绝的时候，杨欣又一个电话过来，口气更严厉，没有一点商量余地。马文挂了电话，有些六神无主，李芹也哭完了，走出来，问是谁的电话。马文如实交待，李芹怔了一下，说你要离开我，得先答应我一个条件。马文问是什么样的条件，李芹说，让她有一个他们的孩子。她说多少年来，自己一直想要个孩子，原来那个丈夫这方面有点问题，看了好几家医院都不行，为此丈夫一直觉得对不起她，因此分手时，会留这么一套房子给李芹。

"知道你迟早都会离开，我也无所谓，只要个孩子，这不过分吧？”

李芹说自己对男人已经不抱什么希望，不相信天底下还会有什么好男人。她已经对前途没有信心，只想有一个自己的孩子，好好地抚育他，安安逸逸度过一生。马文被她说得好感动，突然发现自己是真的很喜欢这个女人。

第 五 章

这是冬季里的第一场雪，来势凶猛，整整下了一夜。李芹提议大家一起去赏雪，拍些照片，好好地谈一次话。考虑到这次谈话是最后的摊牌，某些事要做一个最后的了断，李芹建议不要带马文的儿子马虎，因为有些话，不适合当着小孩的面说。杨欣说，为什么不听听小孩子的意见，也许我们最后还都得听他的话。在开车去接人的途中，李芹很伤感地对马文说："杨欣这女人够厉害，其实就是不带上儿子，也是稳操胜券的，我说什么也不是她的对手。"

李义和杨欣带着马虎在大门口等候着，马虎一上车，对住马文的脑袋瓜就是一个雪球，弄得车厢里到处都是雪。自从事情明朗以后，李义和马文这是第一次面对面，大家都有些尴尬，脸上都不太好看。好在女人是天生的外交动物，虽然各自心存杀机，李芹和杨欣却像什么事也没发生过一样，若无其事地敷衍起来，一路上，两人大谈马虎的学习成绩。马虎最近的考试又没考好，最怕别人提起他的语文，抱怨说他们的老师神经病，总是考成语。杨欣说他这态度不对。马虎说，什么对不对，我考你几个成语试试看，你还不是不会，上次问你五个成语，一个都没答对，问你"不速之客"的"速"是什么意思，竟然好意思说是速度跑不快的客人。

李芹笑着问："马虎，真不好意思，阿姨也不知道，应该怎么说？"

"'速'就是邀请，现在知道了吧？"

李芹连忙点头，说她长这么大，今天才真正明白。马虎于是很得意，一连报出几个成语来，要大家猜。一车的大人，没几个能说得准，猜着猜着，便到了一家公园门口，大家先下车，马文独自将车开到停车场，付了存车费，脸色沉重地走回来。李芹等他走近，迎着他，和声细语地说：

"你别板着脸好不好，对了，还有李义，都别板脸，我们今天先好好地玩一玩。"

来赏雪的游客很多，都在选不同的风景点拍照，李芹也拿出相机，先给马虎拍了一张，接着给杨欣拍，杨欣也为李芹拍。噼噼啪啪拍了好几张，李芹说："来，为我和马文拍一张。"说着，不由分说地把马文拉了过去，挽着他，让杨欣拍照，拍完了，又情意绵绵地偎在他身上，让再拍一张。然后便要回照相机，要替杨欣和李义拍照，李义赌气说他不拍。李芹说拍个照又怎么啦，搭什么臭架子。李义说，我就不拍。李芹说，我跟你合影。李义说，跟谁也不拍。李芹拗不过他，便提议拍一张合影。马虎闹着要由他来拍，结果就真拍了一张。当时李义站那没动，是大家走过去迁就他的。

拍完照是在公园里散步，走了很长的一截路，还在一个茶座喝了茶，又继续散步，终于走到一个人少的角落里，大家不约而同放慢步伐。李芹出其不意地拉住马虎的小手，问他愿意跟爸爸在一起，还是愿意跟李义叔叔在一起。

马虎说："我无所谓。"

李芹又问："你是希望你妈和你爸在一起，还是希望她和李义叔叔在一起。"

马虎看了看马文，又看了看李义，说："我希望他们都在一起。"

"这不可能。"

"为什么？"

"不为什么，反正就是不可能。"

马虎于是不说话。

李芹非要他表态："你究竟愿意和谁在一起？"

"我，我随便。"

"不能随便，一定要选一个。"

杨欣在一旁对于这样的问话已经烦了，她直截了当地说："算了，别兜圈子了，用不着折磨一个孩子，我们都是大人，干脆自己把话说开，心里怎么想就怎么说。李义，你先说。"

李义气鼓鼓地说："我说狗屁。"

李芹说："有话好好说，你别这样。"

李义又说："我他妈想打一架。"

马虎在一旁拍手，说打架最好玩，问他想跟谁打。李义于是转过身来，朝马文脸上就是一巴掌，马文没有防备，结结实实地挨了一下。转眼间两个人便扭在了一起，马虎没想到会玩真的，在一旁吓傻了。地上滑，李义和马文很快跌倒在地，在雪地打滚。两个大男人一会你占上风，一会我处于优势，都不像会打架的样子，各自累得气喘吁吁，不一会，引来了一大群看热闹的人。最后，谁也打不动了，李芹上前把他们拉开，再一次要求大家有话好好说。

李义将掉地上的眼镜捡起来戴上，说："好好说你妈个屄，操你妈的，这种事有什么好说的。"

那么多人围着看总不是个事，李芹和杨欣挥手请观众们离开。马虎在一旁发呆，还没缓过神来，他没想到会是真的打架。有几位好多事的观众仍然不愿离去，其中一位穿红滑雪袄的女孩子兴高采烈，情绪激昂地说，有什么好看的，该走多远走多远，该上哪就去哪玩。马文也虎视眈眈地瞪着看众，他的脸上青一块，牙缝里好像也有些血渍。李芹有些心痛地过去观察他的伤情，她这么做，杨欣也只好过去关心一下李义，然而李义丝毫不领情，一下子把她推多远。

"我今天根本就不应该来，这是吃错了药。"平时文绉绉的李义今天粗话连篇，一口一个妈，"让我跑这来说说清楚，真他妈的是毛病，对不起，不陪你们玩了，你们爱怎么谈怎么谈，我他妈先走一步。马虎，你今天下午还要训练，我这是提醒你一声，还是那句话，去不去，是你自己的事，你不要借机逃避训练。"马虎一连声地说他不想逃避，今天这场面不是太有趣。这小家伙现在只想尽快离开这个是非之地。李义本来想一个人开溜，可是马虎这会儿更情愿跟着他先走。马虎目前的长跑成绩，在省里已经十分优秀，如果坚持下去，成为专业运动员似乎已不成问题。每次训练都是李义送他去，习惯成自然，今天跑这么远，怎么回去倒成了个问题。李义在前面走，马虎在后面追，一边追，一边还为怎么去操心。李义说："急什么，我们他妈的打出租去。"

李义走了，剩下的人才发现其实也没什么话可谈。他们想在今天做一个快刀斩乱麻似的了断，但是有些事并不是说断，就可以断的。很多事都是只能做，不能说，做了不会白做，说了也是白说。再耗下去，未必会有什么好结果，而最聪明的办法是赶快结束这尴尬的局面。马文耸了耸肩膀，说："算了，还是先开车送马虎去训练。"李芹和杨欣想想也对，今天的会议继续开下去已没有意义，于是一起匆匆往大门口赶。可惜已经晚了，李义和马虎走得很急，早没了影子，不可能再追上。马文让李芹和杨欣站门口别动，他去取汽车，取了汽车过来，李芹打开前门，坐在了马文身边，杨欣不甘示弱，不愿意独自一个人坐后面，也拉开前门，让马文坐到后边去，说由她来驾驶。她的用意很明显，不愿意看着马文和李芹坐在一起，马文怔了一下，无可奈何地下了车，一个人孤伶伶坐在车厢后面。

杨欣很熟练地发动了汽车，掉头，将车开到了一个三岔路口，懒洋洋地问现在该往哪开。李芹对两边看看，回头问马文，让他赶快表个态。马文不知道要去什么地方，这会儿，他脸上发青的地方隐隐地有些疼，路当中站着一个交通警察，手举了起来，很愤怒地指着他们。开车的杨欣十分紧张，李芹也忐忑不安，但是马文却还是心不在焉，他看着警察说：

"往哪都行，随便。"

（原载《红岩》2001 年 2 期）

生存本相的揭示

——评《马文的战争》

李国平

如果不注意作者的名字，循着阅读惯性思考，可能有不少读者不会以为《马文的战争》是叶兆言的作品。叶兆言和苏童、格非们一起，曾经是中国先锋作家的代表，忧郁的南方故事和凄迷的秦淮历史在读者心目中留下了多么深刻的印象。这多少是对作家的误读。如果考虑到近年来小说思潮的流变，稍微承认一下先锋小说思潮向现实主义的回归，那么，事情当然不至于上升到作家的时代感和社会责任的高度，但至少，叶兆言的《马文的战争》透露出了某种文学信息。

其实，像叶兆言自己说的"自己不仅仅写历史，还写了不少现实故事"，《马文的战争》就是现实的一种。马文的战争发生在两条战线。一条是庸常、无奈、窘迫的生活战线；一条是隐秘的欲望、心灵战线。马文因所在国营工厂倒闭，三十多岁便提前退休，和妻子杨欣离婚之后，依然同住在一套两室一厅的房子里。马文的战争生活不一而足，前妻结婚，男方又是原先的第三者，自己的情敌；他的经济拮据，儿子渐渐疏离，更

710

严重的是生存空间受到挤压……如果说在生活的战线上马文的战争时时处于被动的话，那么在欲望、心灵的战线上，马文的战争则处于被动和主动交织的姿态。杨欣结婚前，马文选择跳楼以示抗议，表面看来，是他不愿意接纳一个人进入自己的生存空间，实际上这种极端的行为方式反映了他内心的冲突和抗争。马文向黄晓芬的主动示爱，和前妻杨欣的偷情，看似生理层面，但多少都是这个庸常人物生命冲动、心灵抗争的反映，都是寻求自身位置和生命依托的折射。小说最后，"战争"的各方坐在一个车里，马文说："往哪都行，随便。"话很消极，实则较深层地揭示了马文心灵里发生的战争，是他迷惘、有我和无我的心理现实的反映。

《马文的战争》真实、细腻地展现了社会变革中普通人、平庸者、小人物的生存状态。李芹的际遇、心灵的创伤和感伤，马文的处境、他和杨欣、李义的特殊的生存状态和心理诉求都有着极强的现实性。《马文的战争》在艺术地展现生活的方式上，又秉承了许多的写实主义的特质。它摒弃了浪漫主义的色调，着力表现冗庸、滞闷、无奈的生存现实对普通人人性和人生的挤压和撞击。在马文们平庸的生活述录中，赤裸地、真实地呈现他们的生存本相。在叙事方面，《马文的战争》也显露出了叶兆言另一面的功力和特质，平静而冷峻的客观描述，将并不平淡的故事消融在常态的生活流中，使这篇小说具有了耐人寻味的艺术力量。

（李国平，《小说评论》杂志副主编）

711

何玉茹，女，1952 年生于石家庄。中国作家协会会员。现在河北省作协供职。已发表（出版）中、短、长篇小说 200 多万字，主要作品有《楼下楼上》（短篇）、《太阳为谁升出来》（中篇）、《生产队里的爱情》（长篇)等。

素　素

何玉茹

约　会

整整一天过去了，素素仍没想好是去还是不去。

素素把欢欢叫到跟前，摸着它雪白、柔软的长毛，说，你来定吧，同意去就叫一声，不同意去就卧下。欢欢是一只聪明的京叭，它若有所思地与素素的目光相对了一会儿，忽然"汪"地叫了一声。素素如释重负地定下心来，在镜前照一照，就丢下欢欢走出去了。母亲从屋里跟出来问她去哪儿，她只说，去前街。

素素是去见马英姿给她介绍的男朋友，那人与马英姿在市里同一家服装厂上班。素素不大喜欢马英姿，马英姿介绍的人她也就有些迟疑，但马英姿介绍的是城市人，素素的理想就是找一个城市人。素素想着那人一定得会说普通话，一定得是高个头、白皮肤，一定得是一副文质彬彬的样子。素素知道实现这理想很难，她在村办工厂上班，与城市人相识的机会是不多的，只因为不喜欢马英姿而失去这机会，她想也许是十分愚蠢

715

的事。

素素从她住的后街往前街走，要经过一条长长的胡同。正是吃晚饭的时候，满胡同都是饭菜的香味儿。愈往前走，离前街愈近，饭菜的味道也就愈显出不同，开始的香味儿是纯正的，渐渐地变得混浊起来，似掺进了腥兮兮、酸兮兮的味道，就像谁家炒菜用了年久的荤油，菜又是变了质的，一切都那么不对劲。素素上学的时候天天都从这胡同里穿过，胡同里的味道她是太熟悉了，因此她就像后街所有的大人们一样，对前街的人是很有几分小视的。马英姿和素素从小学就同班，一直同班到了初中毕业，在素素眼里，马英姿就好比前街的一个代表，要想了解前街人，只须了解马英姿一个人就可以了。马英姿的头上永远有与头屑一般稠密的虮子，虮子生出虱子，虱子再生出虮子，循环往复，无穷无尽。因此马英姿在上学期间受尽了同学、老师的歧视，要不是她功课还算跟得上，早被老师开到下一个年级去了。老师绝不是缺少爱心，每一个教过她的老师都设法治理过她头上那些活物，但就如同烧不尽的野草一样，春风吹又生，每一个老师都以失败而告终。

走出胡同左拐，不远处有一个土墙围起的院落，土墙只有半人高，隔了墙就能将马英姿的家尽收眼底。素素看到，屋门开着，马英姿一家正围了饭桌吃饭，除了马英姿的父母和马英姿的两个双胞胎弟弟外，还有一个素素不认识的小伙子。素素注意地看那小伙子，也在一口一口地吃着饭菜，饭菜的味道比在胡同里闻到的味道浓郁了许多，素素不断屏气停息地抗拒着。灯光有些暗，又隔了院子，怎么也看不清小伙子的模样，只知道坐在那里与马英姿高低是不相上下的，身材是偏单薄的那种。素素看了他想，一个吃得下马英姿家的饭的人，又能好到哪里呢？

　　这个念头使素素不由地就挪动脚步要往回走了，她原以为这人会和自己一样小看马英姿这样的人家的，至少不会沾她家的饭菜，看起来并不是这样。

　　就在这时，素素忽然听到了马英姿的喊声：素素，就等你了，还不快进来！

　　素素知道是躲不开了，只得绕过土墙，迈进了马英姿家的院门。

　　但素素没有料到，这一迈，竟真的迈出了变化，全部的生活、情感的变化！不管素素多么不想承认马英姿家的院门与自己的变化有什么关系，这个夏日的夜晚她却是永难忘记的了。

　　素素在马英姿住的里间与小伙子单独会了面，外间是很大的电视声响和马英姿两个弟弟的嬉闹。素素发现，小伙子人长得一般，却是个会说普遍话的，那普通话不是学来的，一出口就是他自个儿，虽不若电影、电视里的人说得好听，比村里人的话听上去还是洋气多了。穿着也说得过去，碎格子上衣，浅灰色裤子，上衣束在腰带里，有一种城市人才有的洒脱。同样的装束，农村小伙子是少有这份洒脱的。只是个头矮了些，举止也不那么斯文，反而有些好动，好动却也难引人注意属在众人堆里不大起眼的那种。

　　素素是冷静的，小伙子却是激情的，一见素素目光就不由地亮起来。素素当然感觉到了，心里高兴着，面上却平静地与小伙子答话。素素问，晚上吃的什么饭？小伙子说，稀粥、馒头、炒菜。素素问，炒的什么菜？小伙子想了想，说，好像什么都有，烩菜吧？素素便笑了笑，紧跟了问，好吃么？小伙子大约看她问得认真，便也笑，说，凑合吧，我这人好凑合，吃什么都行。素素知道，小伙子无论说好吃或者不好吃都不会比这句话更合适了，这句话一出口，两人有了一种默契似的，关系不由地就近了许多。至少素素觉得近了许多，她想，他当然是吃不惯马英姿家的饭的，他这样一个来自城市的人，不凑合又有什么办法，不说凑合又有什么办法呢。

他们在外间的干扰声中说了一小会儿话，马英姿就挑门帘进来了，她先看了小伙子问，文哥，我的眼光不错吧？又看了素素说，怎么样，文哥还对你的心思吧？不待两人答话她又说，做媒人我这是头一遭，也是文哥逼出来的，谁让文哥对我好呢，你说是不是，文哥？

小伙子叫江文，比素素大一岁，与马英姿同岁，这一开始马英姿就介绍过了，但马英姿一口一个文哥的，就像比江文小了多少岁。素素不由地皱皱眉头，出口说道，搞错了吧，马英姿你不是一月出生么？

上学的时候，素素就习惯了对马英姿这样不客气又少心计地说话。而马英姿呢，却再也不是上学时的马英姿了，就见她两手一拍爽朗地笑道，哎呀呀，瞧我这妹妹，刚见面两分钟就忌妒上了，我是一月出生不假，可还有个一月出生的，比我还早了三天，你说我不叫他文哥难道还叫他文弟么？

马英姿一副落落大方的样子，素素脸上便有些挂不住，说，我忌妒？你就是叫他亲哥哥，跟我又有什么关系。

马英姿上前搂了素素的肩膀，亲热地说，好了好了，你这个人，说话还是老样子，我看长到一百岁你也是不肯变的了。

马英姿嘴里的气息直扑素素，那是吃过饭之后翻上来的味道。

即便这样，马英姿似也没在乎，她走近江文说，看见了？

这就是我妹妹素素，你这做哥哥的，可要哄好她哟。

江文一直微笑着，对马英姿的落落大方微笑，对素素的率性儿和计较也微笑。但不知为什么，素素确信江文与自己是近的，她知道这一判断毫无理由，人家和马英姿早就是同事、朋友了，和自己才刚刚见面，凭什么就一定和自己近呢？可是，她心里就是这么认为。

因此，从马英姿家走出来时，素素很主动地要给江文留电话，江文也要把电话留给素素。但手头没纸没笔，让马英姿去找，马英姿却一副不耐烦的样子，说，找着我就都找着了，留什么电话呀，要是你们想过河拆桥，把我这介绍人一脚踢开，我可不干。马英姿说到最后虽露出了几分笑容，话却是认真的，使初次见面的素素和江文一时竟不好再说什么。

但马英姿这话显然霸道了些，沉默半晌，素素还是忍不住笑了反击道，要是回回都通过你，不成了三个人的事了？

马英姿也笑了答道，本来就是三个人的事，没有我哪来的你们？

素素说，与其这样，倒不如我退出，成全了你们算了。

马英姿说，我倒巴不得，只要文哥愿意。

江文也笑着，看看马英姿，又看看素素，忽然就说了一串号码出来，说是他家的电话，又要素素把电话告诉他，说马英姿这是成心在考验他们的诚意，看谁能把号码记在心里，若记不住，就没有理由再见面了。

江文这话说得素素和马英姿都怔怔的，不知江文是有意开玩笑还是真的要记号码。但素素还是说出了一串数字，而江文说出的数字，由于发怔，她是一个也没记住。

素素没想到，分手后的第二天江文就打来了电话，问素素晚上有没有时间，他想约她去市里吃晚饭。素素说，离市里十几里地，吃完饭一个人怎么回来？江文那边笑道，有我呢，你怕什么。电话里江文的声音温柔而又有力，素素为电话号码的事又怀了歉意，便很快地答应了。

进　城

素素进城之前很是认真打扮了一番，平时进城倒是常有的事，和城里人一起吃饭这还是头一回。母亲问她这么晚了还去城里干什么，素素只答同学聚会。素素不想跟母亲说，一说就要提到马英姿，母亲不会高兴的。

按照江文说定的地点，素素按时走了进去。这像是一家新开的饭店，门面不大，却干净素雅，她被一位笑容可掬的小姐引领着，来到靠窗坐着的江文面前。

就见江文又换了件白底蓝条衬衫，头发像刚刚梳理过，一张脸似也比那天在马英姿家显得干净了许多。他正叼了支烟，打火机拿在手里，要打还没打的样子。

素素是只顾了看江文了，却想不到忽然间从江文的对面伸过一只手，将打火机抢过去，咔嚓一下点着，递在了江文叼着的烟上。这人背对了素素，短短的头发，肥厚的肩膀，粗粗的脖子。天啊，除了马英姿还能是谁呢！

素素的第一反应就是转身要走，可是已经晚了，江文发现了她，并很快叫出了她的名字。马英姿也在转过身来，满面笑容地跟她打着招呼。

素素只好停住了脚步。

素素却笑不出来，她仍是少有心计地看了马英姿问道，你怎么来了？

马英姿却毫无尴尬之色，说，瞧这话说的，我不来谁还能来，我是你们的介绍人啊。

素素才勉强笑道，你可真周到啊。

待素素坐下来，马英姿又说，你呀，还是那么小心眼儿，我还不是为了你，这么远的路，出点事让我怎么跟你妈交待。

素素说，那我还得感谢你了？

马英姿说，当然，就看你有没有这份心了。

素素不再说什么，咕嘟了嘴去望江文。江文却不看她，也不看马英姿，只将目光朝了窗外，压根没听见她们的谈话似的。

这顿饭吃得很不愉快，菜都是马英姿点的，江文请素素点素素始终不发一言。菜端上来了，素素却又挑三挑四，几乎每一样菜都让她挑出了毛病，最后她甚至看了马英姿说，不是菜的问题，是厨师问题，就像你们前街的人一样，做什么菜都腥兮兮的，想改也改不了，不换厨师是休想吃到好菜了。

马英姿听了自是恼火，但她有她的办法，她的办法就是使劲地吃，吃得春风得意，吃得叭嗒叭嗒响，吃得让素素气也气不得，恼也恼不得。她自己吃，也撺掇江文吃，还一下一下地往江文碗里夹菜，她说，人家素素是地主、资本家，我们是贫农、无产阶级，我们吃什么都一样香，是吧江文。

江文呢，吃是吃，却不向了马英姿说，江文说，素素说得有道理，菜做得的确有股腥味儿，下回再不能来这里了。不过素素你好歹也得吃点，你不吃，我这请家怎么吃得下去。

这话让素素心里舒服了许多，便时而伸筷子吃上几口，全为了给江文一个面子似的。至于马英姿，她理也不去理，随她自个儿怎样吃去，都不理她，她总有吃得无趣的时候。

马英姿不在意素素，却是在意江文的，江文一向了素素说话，她脸上便少了笑容，说，江文你说，哪个菜有腥味儿？那天我家的菜你还直说好吃，今儿倒也学会挑三挑四了。

江文笑了说，你家的菜好吃不假，今儿的菜有腥味儿也不假，我说的可都是实话呢。

素素只认作江文对马英姿的应付，心里暗笑着，面上却不露声色。后来，趁马英姿去卫生间的工夫，素素抓住不放地问江文，刚才说的，真都是实话么？

江文道，刚才说的什么？

素素说，马英姿家的菜呀。

江文醒悟地笑了笑，说，这些小事，何必认真呢。

素素不放心地追问，这么说，你说的是假话了？

江文说，那菜什么味儿我早忘了，管它真话假话呢。

素素有些失望地看看江文，说，别的事忘，进口的味道怎么会忘，看一个人，还不是先看他家的饭菜。

江文惊异地看着素素，说，这可还是头一回听说。

素素不想在这当口儿细说什么，趁马英姿还没回来，便转了话题问，今儿是你把马英姿请来的？

江文说，怎么会，我在单位打电话的时候她不知怎么听见了，就非陪我一块儿来不可，她这么热心，我怎么好拒绝。

素素说，热心不怕，就怕居心不良，两个人的事非要弄成三个人的事，你不觉得别扭么？

江文叹口气说，下次打电话注意些就是了。

素素听江文这样说，索性得寸进尺道，下次干嘛，这次就该甩开她。说着就站起来，要江文跟她一块儿离开饭店。

江文说，这样不好吧。

素素说，你要觉得不好，那我一个人走好了。

素素说罢就要走，江文便有些急，一把拉了素素道，这样吧，你先在对面的咖啡厅等我，十分钟后我一准到。

素素说，十分钟后你不到我可就走了。

江文说，放心吧，我一定会到的。

素素不大信任地看着江文，说，马英姿肯放你走才怪。

素素刚离开饭店，马英姿就从卫生间走出来，问江文素素去哪儿了？江文说回家了。马英姿说，这人就是太任性了，做事从来不管不顾的，走了也好，妹妹难得有这么个跟你说话的机会。

江文说，你离家远，早点回去吧，我也还有事要办。

马英姿看看江文，说，你们不是合伙在轰我走吧？

江文说，怎么会。

马英姿说，那你就送我回家。

江文说，好吧，我送你，送你上出租车。

马英姿说，我可没带钱。

江文说，我替你出。

马英姿失望地看了江文一会儿，眼泪不由流了出来。

眼泪这东西，有时候会和缓事态，有时候却会激化事态的，借了眼泪，马英姿的胆量仿佛壮了许多，她说，文哥，难道你真看不出我的心思吗？

江文征一怔，说，我……我明白，但不可能。

马英姿的眼泪更多地流出来，说，你就不想试一试吗？

江文摇着头，说，现在更不可能了。

马英姿说，为什么？因为素素？

江文说，这件事我真的从心里感谢你。

马英姿又悔又恨地说，只当你不会看上她的，她有什么好的，又任性又不会通融，还没有个正式工作，那种村办工厂，说垮就垮了，长远不了的。

江文说，这些都不重要。

马英姿看江文一副坚定的模样，忽然伸出拳头在江文胸前狠命地捶开了，嘴里嚷着，你说什么重要？什么才他妈的重要啊?!

江文一步步地向后退着，退到墙跟再无处可退时，忽然就被马英姿紧紧地抱住了，厚厚的嘴唇也逼了上来。江文左右躲闪着，却还是闻到了马英姿嘴里的气味儿，那气味儿是酸腐的，使江文一时间不由想起了马英姿家的大烩菜……

恋 爱

素素与江文在咖啡厅才算开始了正式的约会，灯光、音乐以及气味儿都与刚才饭店的不同，两人很快在这气氛中进入了角色，各人眼里的对方都是美丽的，可爱的，说的话是要多梦幻有多梦幻，谁也不想往实际那边靠近一步，一时间自个儿都有些不认识自个儿了似的。其实，梦幻中的话无非就是重复电影、电视、歌曲、小说里的意思罢了，他们却全不觉得，还以为自己创造了一个新奇的自己，那份兴奋和快乐，是他们平生从未体验过的。

从咖啡厅出来，江文一直将素素送到了家里。十几里没有灯光的路程，正好作恋爱的背景，江文骑了车，一只手放在素素的肩上，素素也将车靠近江文，迎合着江文的亲近。两人就

　　这样一路亲近着，话却少了许多，直到素素家门口，两人下了车，江文猛然在素素脸上吻了一口，才把一路的亲近和少话推到了新的阶段。

　　素素和江文的恋爱就这样开始了。

　　素素只在电影、电视里看到过恋爱，真的恋爱起来，才知道电影、电视里的恋爱是多么潦草、简单，几分钟、几个镜头就解决了，而恋爱是需要时间的，那微妙的漫长的时间过程，电影、电视想演也是无法演出来的。

　　不过，素素在恋爱之余，也会跳出来对自己的恋爱作一作分析：首先是经人介绍才开始恋爱的，这在今天的年轻人中算是大大落后了一步，不能有丝毫的优越感的，但她没有办法，谁让她生在农村，理想却又在城市呢。其次是江文这个人，客观地说他绝不是她理想中的恋人，他说普通话不假，但他的普通话还差着水平，就像他对饭菜的味道没有清晰分明的界限一样，那普通话也模糊不清，拖泥带水，少有节奏，那天在咖啡厅她素素也说了普通话，她惊异地发现，她的普通话竟是比江文说得还好！再次是江文对钱的在意，咖啡厅小姐找回钱时，江文接过来将四五张零票连数了两遍。灯光自是暗了些，但那是什么地方，那是什么时候，他也真做得出来！

　　虽是这样，素素还是身不由己地投入到恋爱中去了。她不能拒绝江文对她的诱惑，江文毕竟是个说着普通话的城市人，毕竟是全新的、与她熟悉的农村青年截然不同的，毕竟对她有一份激情，且是惟一的，她从前从未经历过的，比如那天对她的一吻，害得她一晚上心里都翻江倒海的，就像那一吻是一个魔法，让她把别的事全忘了，睁眼闭眼都是江文的影子了。

　　这一天，江文又打来了电话，说晚上有一场电影，美国大片，问素素想不想看。素素说，又是露天电影吧？江文说是。素素说，好啊，又省钱又浪漫，谁不想去才傻呢。江文那边便笑。素素说的虽是真心话，却也是含了几分嘲讽在里面的，江文总请她看露天电影，她猜他不只是为了浪漫，说不定更为了省钱。她这边嘲讽，他那边好像没感觉，笑声在电话里是开心而又幸福的。笑声感染着素素，使素素很快就把自己的小心眼儿搁置一旁，全心去想着江文的好了。但比起露天电影，素素还是更喜欢坐在电影院里，坐在电影院里是在城市看电影的感觉，看露天电影就像在村里的打麦场上一样，除了身边的江文，没有一点新鲜感。素素已经看了十几年的露天电影了，正面的、反面的，近距离的、远距离的，小机器小银幕的、大机器宽银幕的，什么样的都看过了，她早看够了，她一点没有城里人看露天电影的感觉，城里人看露天电影是图新鲜，村里人看露天电影是没办法，遇到天气不好或是秩序不好的时候，老人、孩子以及女人准有遭殃的，有一次她素素在一阵拥挤中被一个男人从后面紧紧地抱住了，手还在她的胸前乱摸，她吓得尖叫了一声，那人才猛地松了手。虽只是短短的一瞬，却让她很长时间都战栗不已，她始终没能看清那人的模样，但那人的气息她闻得真真的，那是吃了粗糙的味道不纯正的饭菜才会有的气息，她能肯定是前街的男人。这件事对素素可说是铭心刻骨，好几年过去了，想起来素素还是会止不住地心跳和恶心。但现在，身边有了江文，恋爱的新鲜感和甜蜜感压倒了一切，多么铭心刻骨的事也要向后退一退了。

　　刚要出门，母亲忽然拦了素素，说，先别走，跟我说清楚。

　　素素诧异地停在屋门口，说，说清楚什么？

母亲说，你和马英姿，到底是咋回事？

素素说，怎么了？

母亲说，咱这样的人家，不能干那种不讲理的事。

素素说，我干什么了？

母亲说，抢人家马英姿的男朋友，是不是你干的？

素素说，天啊，谁跟您说的？

母亲说，要真是你干的，趁早还给人家。

素素说，马英姿的男朋友？她也配。

母亲说，我不管配不配的，我是纳闷儿，马英姿看上的人，你怎么也会看上？

素素怔了一下，这她倒是还没想过，但她看上的是马英姿介绍的男朋友，可不是马英姿的男朋友，马英姿看上看不上，跟她有什么关系呢。

素素便把这话说给母亲，母亲仍不解地追问道，她既然喜欢他，干嘛还给你介绍？

素素说，您不懂，正因为喜欢他，才给他介绍对象呢，不然她怎么表示喜欢呢？

母亲说，不管怎么说，你也别再掺和这事，他们那样的人家可不是好惹的。

素素说，他们不好惹我就好惹？怕什么，我又没做见不得人的事。

母亲还想说下去，素素看着墙上的表，再顾不得什么，撇下母亲就出门去了。

从村里到市里有公交车，素素正好能赶上最后一趟，回来的时候每回都是由江文用自行车带了她，她坐在江文的身后，一只手臂揽了江文的腰，脑袋紧靠在江文的后背。路边的菜香阵阵袭来。抬眼便是满天闪亮的星斗。一切的车辆都没有了，天下似只剩了她和江文两个。那情景，比看电影时的感觉还好，真是棒极了，棒极了啊！

看电影通常是在江文家附近的一个部队家属院儿里，江文先是搬了小板凳，正而八经要看一场的样子，素素却每每站在场外，不肯往人堆里走。江文说，太远了看不清的。素素就说，看清看不清有什么要紧的。江文说，大老远地来一回，电影还看不好，怎么对得起你。素素说，以为我真是为看电影来的？江文才不吱声了，依了她站在场外，一手提了小板凳，一手揽了素素，前面的电影只作为他们站在这里的理由存在着。真正拨动他们心弦的，则是他们身体的感觉，只要有相互的触动，哪怕是极轻微的，也会触电般地遍及全身。但江文是个讲实际的人，看电影就是看电影，若看的不知是什么，岂不是白白地看了？因此他许多时候还是集中精力要明白电影里的来龙去脉，明白一点，就给身边的素素讲一点。素素听着，并不真往心里去，在他讲得过于投入过于认真的时候，她就忍不住伸出手去，捉到江文揽在腰上的几根手指，任性地使劲捏了一只又一只的。终于捏得江文停了讲，反过来将素素的手攥在手里，搂得素素更紧了些。这样的感觉，比江文讲电影当然要好得多，因此江文再次讲起电影的时候，素素就以动作来打断他，将江文的注意力吸引到自己身上来。有一次素素就问江文，是电影吸引你还是我素素吸引你？江文说，当然是素素。素素说，我怎么觉得电影更吸引你。江文看看素素，说，你要不喜欢看电影，以后咱就不看了。素素说，我说不喜欢看电影了吗？要说看电影，我敢说我是天下第一个爱看电影的人。江文说，既然都爱看……素素打断他说，我是天下第一个爱看电

728

影的人，我更是天下第一个喜欢跟你在一起的人，你要明白。江文点点头说，我明白。但素素觉出他是不大明白的，至少不明白怎么做才更对她素素的心思。其实，素素自己也是不大明白的，她曾想过，假如江文真的不看电影真的缠绵于她的身体，她会高兴吗？她肯定，那样的江文倒还不如这样的江文显得可爱了。

这一次仍是在那个部队家属大院儿里，素素和江文仍是依偎在一起，站在场子的边缘。边缘是两排高高的杨树，像一堵围墙一样围住了场子中央的人们。若是在村里，素素总是要抢占中央的位置的，但现在有了江文，边缘的位置就比中央的位置重要起来。这天晚上不知为什么，看电影的人少了许多，场子中央的人少，边缘的人更少，素素四下里望望，在边缘站着的只有她和江文两人，而以往一对一对的情侣是数不清的。素素就问江文，怎么回事？江文告诉她，附近的科技大学也演电影，不少人到那边去了。素素问什么片子，江文说了个名字，素素不大知道，就没再吱声，心里却对科技大学那里莫名地有些向往。江文说，科技大学是在礼堂里演，要票的。素素不由地冲口说道，你还没请我看过要票的电影。江文说，你要想去，咱就去那边。素素看看安静的四周，又有些舍不得，便说，你定吧，只要你说出来，我就随你。江文说，你定吧，我无所谓。素素执拗地说，就要你定。江文看看素素，似在猜测她更想去哪里。素素说，不要看我，在城里你是主人，我听你的。江文只好说，那就换个地方，去科技大学吧。

两人从家属大院儿来到科技大学，拐过一座楼又一座楼的，好容易找到礼堂，发现票早已卖完了。倒是有学生模样的人卖退票的，一问价钱，比正常价格贵了两倍。那人还说，比电影院便宜多了，错过机会可就看不上了。素素问是什么片子，那人说，张艺谋的《我的父亲母亲》。素素就问江文，跟你说的怎么不一样？江文说，我也是听别人说的。还想不想看？素素说，为什么不想看？素素很坚决的样子，江文只好将票买了，但还是忍不住说，这样的价钱看这种地方的电影，太不划算了。素素没吱声，心里却有些不高兴。江文解释似的说，倒不是心疼钱，是有一种上当受骗感。素素仍没吱声，被江文拉了手一边往里走一边想，城里人就是和村里人不一样，处处都要计较，处处都是有提防心的，而村里人是只要高兴，上当受骗也不会在意的。素素心里不满着，手却依恋着江文的手，那手是柔软的，关切的，是农村男人不可能有的。渐渐地，手上的满足感将心里的一点不满比下去了，当他们走进礼堂找好座位坐下来的时候，素素已变得重新高兴起来。

礼堂里座无虚席，素素望到哪里哪里都是年轻人的面孔，那些面孔在灯光下生气勃勃地闪着光泽。但素素的嗅觉是灵敏的，在这四溢的青春气息中，她明显还闻到了不少的汗味儿、屁味儿，她想，这些年轻人啊，多么可爱，又多么粗莽啊。一会儿，灯光忽然地暗了，继而彻底地黑下来，前方的银幕出现了亮光。

就在这时，忽然一股酸腐的味道进了素素的鼻子，就像附近有剩下的变馊了的饭菜。素素不由地低下头，那股味道似更浓了。她想，这礼堂同时也是作饭厅用的吧？

素素让江文也低头去闻，江文却什么也没闻到。素素说，饭菜味儿，多大的饭菜味儿啊。江文若有所悟道，噢，想起来了，食堂，礼堂旁边就是学生食堂呢。江文低头再去闻，果然也闻到了，他惊奇地说，你真行，这礼堂里多少人多少种味道，你竟还闻到了饭菜味儿。素素说，怪不得，学生食堂，要是老师食堂，怕不会是这种味儿吧？江文说，听说这学校的学生集体罢过饭，说学生食堂吃的是猪狗饭，看来如今还是没什么效果。素素说，闻到了吗，屁味儿都是难闻的。江文说，屁味儿哪有好闻的。素素说，吃的饭菜不一样，屁味儿就不一样。江文便笑，说，没见过你这样的，味道上还这么较真。素素说，不是较真，本来就不一样，你怎么就分不出来呢？素素反有些奇怪地望着江文。这时，电影早开演了，银幕上正有几个操着方言的人在商议什么，好像是父亲死了，母亲坚持要把父亲抬回来安葬。母亲原来是个很土气的农村小脚老太太。素素和江文的手放在一起，始终没有分开，也没有静止过，时而抚摸时而紧握的，紧握时像是全身的劲儿都用上了，搞得对方也激动得不得了，有时索性另一只手都搭进去了。这期间，素素仍能闻到那种酸腐的味道，她想，幸亏有江文这只手，不然她可怎么在这里呆下去呢。礼堂的座位仍是旧式的，硬座，且靠得很近，他们的手拉手，左右的人一瞥就能看见的。这要在村里素素绝不敢，可是在城里，谁也不认得谁，左右的人瞥也不瞥他们，就视他们不存在一样。素素喜欢和城里人这样的关系，特别在她现在恋爱的时候，这样的关系就像一道安全又浪漫的背景，虽无交流，却体现着人与人之间的自由和平等。她把城里人想象成了一个整体，这个整体里当然不包括马英姿，而江文与她素素则是十分和谐地融合在其中的。

电影里的母亲已换上了如花似玉的年轻女孩，女孩正在请她爱慕的小学老师在家吃饭，老师端了个大得吓人的海碗，样子也憨乎乎的，令人发笑。江文说，碗也太大了。素素就说，碗大不大的，饭好吃就行，老师要真能喜欢上她，一准儿是因为她饭做得好吃。江文笑道，你又来了，就看老师那眼，光看人就看饱了，还能吃出好吃不好吃来？素素说，他要是个聪明的，就能吃出来。江文没再做声，手也安静着，半天也不动一动。素素说，怎么了？江文说，我在想，我也许是个不聪明的。素素沉默了一会儿，忽然拿起江文的一只手在脸上贴了一下，说，你要是不聪明，我怎么会跟你坐这儿看电影。江文大约希望的正是这个结果，反过来在素素的一只手上狠狠吻了一下，算是给了素素一个回报。素素体味着手上的湿热，却又忽然想，身边的这个人聪明在哪里呢？

这时，看电影的人像是多了许多，座位本来是满满的，座位以外的过道上现在也站了不少人。场里的秩序就有些乱，坐着的人对站着的人不满，站着的人对坐着的人则是视而不见，嘈杂声因而代替了方才的安静。江文说，一定是门口没有收票的了，这种地方一向这样。素素没做声，眼看着银幕的一角总有黑脑袋晃来晃去的，有时甚至遮挡住大半个银幕，她想，还大学，还科技大学，简直跟村里的打麦场一个样了。

素素和江文的座位离过道很近，过道上站着的人虽还没挡住他们的视线，却像一堵墙一样让他们感到了不舒服。这还不算，一股一股的屁味儿还直冲他们的鼻子。这次江文也闻到了，他忍不住抬手扇了两下，说，哪个该死的，没完没了了。素素在这之前则早已一次一次地拒绝呼吸了，她能憋很长的一口气，然后就在自我封闭里享受一会儿。但憋的气愈长，吸的气也就愈多，在她不得不张口吸气的时候，那屁味儿就像攒足了力量汹涌澎湃地向她袭来，这时，她便像一只无处躲藏的猫一样直往江文怀里乱钻。

他们本想那屁味儿总有消失的一刻的，可是时间一分一秒地过去，眼看电影里的女孩和那老师分了合合了又分的，屁味儿却仍萦绕不去，连女孩穿的那裹腿大档裤都觉得裹了屁味儿似的。有一刻，素素忽然抬起头来，看着江文说，你还要看下去吗？

素素一副果决的样子，江文便有些明白，说，好吧，我们走。

素素走在前面，江文跟在后面，很快到了过道。过道的人一个挨一个的，素素推一推，动也不动，真的是一堵墙似的。素素对墙央求了几声，不见一点回应。素素回头求救地看看江文，江文自告奋勇地说，换一换，我来打头儿。两人换了位置，江文的努力仍无效果。江文回头说，要不算了，还是接着看吧？素素说，不行，不走我会死的，你不走我走。江文在黑暗中看不清素素的脸，只看见一双眼睛亮得吓人。

他们双双站在两个坐着的人前面，半天不能挪动一步，那坐着的人早已不耐烦，你一句我一句地催促他们，甚至其中一个开始粗暴地推搡他们。

江文被推了几下，忽然弯下身来，对身后的素素说，快，趴到我身上来！

素素不明白地说，干什么？

江文说，就别问了，快上来！

素素只好爬了上去。

就见江文背了素素，一路喊叫着：闪开！闪开！眼前果然现出一条路来！

素素将头靠在江文的背上，在外人看来就像是个病入膏肓的人，而她事实上却前所未有地充满了幸福感！

艰难的道路终于走完了，江文将素素放在礼堂的前厅，用袖子捋了一把头上的热汗。

前厅里一个人也没有，门口收票的人果然早不知哪里去了。素素眼睛眨也不眨地望着江文。

江文迎住素素的目光，心里像开了一扇门，一缕阳光从门里射进来，照得一整个心喜洋洋、暖融融的。

他们几乎同时地，嘴唇对准了嘴唇。

两人的身体都奇怪地有些抖，愈是抖，就愈是不肯放松对方，嘴唇变成了救命稻草一样，一松开，立刻都会坍塌、完蛋的。

也不知过了多长时间，礼堂里都有人在往外走了，电影里的音乐，似也进入了最后阶段。素素终于和江文分开来，满脸是幸福的红晕。

江文也一样幸福着，他轻声问素素，好吗？

江文再也没想到，素素答的竟是：不好，你嘴里的味儿太不好了。

但让江文宽慰的是，素素说这话的时候是一副俏皮、快乐的样子。

痛　苦

村里人都知道素素找了个市里的男朋友。虽然现在说起来城市也没什么了不起的，特别是素素所在的这样的郊区农村，比城市也差不到哪里，城市下岗职工的生活也许还不如个郊区农民。但生活是什么？生活也不能光看有钱没钱，下岗职工钱是少了点，但他从小生活在城市，他的眼界，他的口音，他的生活习惯，那是用钱买不来的，一个有钱的农民初到城市为什么会有些犯怵，就因为一整个的城市生活他是陌生的呀，城市人只屑开一开口，先就会灭了农民的几分胆气。因此，村里人说城市人没什么了不起通常不过是嘴头上的话，有些吃不到葡萄嫌葡萄酸的意思，其实内心里对城市人还是十分高看的。若是谁家女孩嫁了个城市人，村里总是会引起一番震动的。但城市人在村里人心里也是有区别的，这些年嫁到城里的女孩倒有一些，但男方是真正的城市人的却是不多，大多都是从小在农村长大，然后通过考学或者当兵或者其它门路进了城市，除了户口、工作，其它的一切都还是农村的底子。这样一些人在村里人眼里仍还是农村人，不作数的，真正让人们动心的是生在城市长在城市对农村一无所知的人，他们操着好听的普通话，一副见过世面却又单纯无知的样子，那是在农村长大的人身上永远找不到的。而素素的男朋友江文，正是符合人们心目中的城市标准的那种。

　　素素在一家村办工厂的化验室工作，平时来往的人不多，这些天却不同了，这些天与她年龄相仿的年轻女孩来，年龄不相仿的中年、老年人也来，来了就问这问那的，尽是和江文和城市有关的事，有的甚至还直率地提要求，要素素请江文把城市小伙子再介绍一个来，也不能一个人风光了就把姐妹们给忘了。素素心里得意着，嘴上却谦虚得很，说，他算什么，一个月才挣几百块钱，还不如咱村办工厂的看门人挣得多呢。有人就说，那就把江文让给我，你去找看门人谈朋友。其他人也跟了起哄说，是啊是啊，把江文让出来，找个看门人去！虽是玩笑话，素素却明白也是心里话，若她真的放松江文，她们真的会把他抢去的。岂止她们，还有马英姿，马英姿是即便她素素不放松江文，她不是仍在和她抢么？素素心里着实咯噔了一下子，她不是对自己不放心，而是对江文不放心，不知为什么，她感觉像江文那样的人，任何一个农村女孩都可能把他哄骗去的，虽然在马英姿那里已得到过证明，证明江文并不那么好哄，可不知为什么素素仍是这样的感觉，她想，恋爱是好事，但绝不是一件可以掉以轻心的事，它简直就是走钢丝，看着好看，一步走错就会落得人仰马翻的。

这些天，马英姿倒一直没露面，也不知是生了素素的气，还是原谅了素素，对素素和江文的事不闻不问了。素素不相信马英姿会善罢甘休，她不在她素素面前露面，却是每天在江文面前露面的，他们每天在一个厂上班，还不是想什么时候见面就什么时候见面。江文却说，他也很少见到马英姿，两人又不在一个车间，下班又不同路。素素就说，很少见还是见过，说说看，她怎么样了？江文说，还是老样子。素素说，我们的事，她就没说过什么？江文说，无非是埋怨，埋怨我们成了，倒没人理她了。素素说，还有呢？江文说，没有了。素素说，约你出来吃饭什么的？江文说，没有，她约我也不会去呀。素素说，看看，还是约了。江文说，没有，真的没有。江文一口咬定没有，素素也不好再问，她相信江文不会应约吃饭是肯定的，但马英姿不是个省油的灯，她若一招不灵再来二招三招，江文会不会招招都挺得住？这么想着，就觉得马英姿真的在向江文步步紧逼，她和江文真的在面临着危险了。

这样的想象每回都会让素素出一头冷汗，她就带了冷汗给江文拨电话，直到江文的声音在电话里出现她才放心。有时她还下了班不回家，在厂门口等马英姿。厂门口是马英姿下班回家的必经之路。若天很晚了还不见她的影子，素素的心就提起来，马上跑回去给江文打电话，说想立刻见到他。江文若是稍有迟疑，她便忍不住露出少有心计的本相，说，是不是马英姿正跟你在一起？

和江文在一起的时候，素素所有的疑虑会消失得干干净净，甚至还会生出几分惭愧。因为江文显然是爱她的，爱她爱得恨不能捧她在手心里，去个厕所都一步三回头的，舍不得那一会儿的分开。江文还曾对她说，我江文有什么，值得你这么忧心忡忡的，放心吧，我会一辈子对你好的。这话说得素素立刻就哭了，是啊，有江文这话，她还有什么不放心的呢。可是，江文不在跟前的时候，马英姿的影子又会冒出来，赶也赶不走，跟个纠缠不休的鬼似的。

素素知道，她是该跟马英姿见一回面了，见了马英姿，马英姿的鬼影也许才有可能消除，不然他妈的太折磨人了。

这一天，也是巧了，素素下班刚走到厂门口，就见一个人骑了摩托车过来了，走近了，才发现是马英姿。素素暗自纳闷，她什么时候买了摩托车了？

马英姿在素素跟前停下来，却没下车。

素素说，马英姿，你下来。

素素可不想让她这么着和自己说话。

马英姿灭了火，跳下车，说，难得啊，以为你早把我忘了呢。

素素看到摩托车后有个一人的座位，不知为什么心有些疼，她说，看你烧包的，自行车还没骑稳呢，就又换了摩托了。

马英姿满脸带了笑，说，没办法，江文他们整天撺掇，心疼我路太远，骑车又累又不安全。

素素不由地冷笑道，江文他们是瞎起哄吧，反正又不用他们花钱。

马英姿说，不瞒你说，这里还真有江文他们的钱，我说我没钱买，他们就说，买吧买吧，缺多少我们哥几个替你兜着。这么着，我就只好买了，不买也对不住人不是？

素素的心便有些发紧，说，看不出来，你人缘还真好啊。

马英姿说，不是人缘好，是周围的人好，出门在外就是长见识，不像从前在村里，什么都没见过，心眼儿窄得抻不过一根线去，想请人吃顿饭都怕人家觉得不对味儿。

素素自是听得出来，这是绕着弯子骂她素素呢。素素不示弱地说，听说过吗，鸡飞得再高也变不成鹰。周围的人再好，你马英姿还是马英姿。

马英姿的脸上的笑开始变得难看，说，我真后悔跟你这样的人打交道，不通人情，忘恩负义。要不是看江文又请吃饭又请看电影的，我还真不想理你了呢。

素素就觉得脑袋嗡地一下，眼前的东西有些晃，她说，你倒想，你请他他都不一定去呢。

马英姿说，爱信不信，江文对我，反正要比你好上一百倍，这摩托车还是他陪我一块儿买的呢。

素素看着马英姿，就觉得再这样下去，她一准儿要跟马英姿打起来了，马英姿的脸比在村里时多了些肉，也白了许多，素素真想把拳头伸过去。门口不断有下班的人们走过，素素强忍了自己，扭转车把上车就走。

而马英姿的摩托车瞬间就从后面赶了上来，她作出若无其事的样子，说，还真生气了？你呀，可真该去市里上阵子班，改改你这小样儿。

说完马英姿一加油门跑得远远的了，素素在后面气得眼泪都出来了。

却还有同一厂的人不知好歹地问她，怎么了，你怎么跟马英姿搅到一块儿去了？

素素说，你才跟她搅到一块儿，她算什么东西，她也配！

这人却还不甘心，又问，听说你那对象是马英姿介绍的，真的假的？

素素不理她，只管向前骑。

这人接着说，要是真的，你这回可就完了。

素素忍不住扭头看看他，问，完了什么？

这人说，什么都完，你就等着吧。

素素知道这人是有名的是非嘴，但他也常有一语中的的时候，比如现在。在一个人一语中的的时候，也许不该再把他看成个是非嘴，而应该看成个思想家了。这个他妈的思想家！

素素想，她是一步走错步步错啊！可是她又想，若是不错，她和江文的事怎么会发生呢？她当然宁愿错也希望和江文的事发生下去。只要江文喜欢她，她怎么会完，完的该是她马英姿才对啊！可是，她怎么就认定那人是思想家呢？素素的心里翻江倒海的，那"心"那"海"却是凉的，都快把她一整个的心凉透了。

成　家

在素素十分地想见到江文的时候，江文却出差到南方去了。江文是在车站给素素打的电话，告诉她十天后才能回来。素素问几点的车，她想去车站送他。江文说来不及了，还有十分钟车就开了。素素忽然放大了嗓门，说，我有话跟你说，一定得跟你说！江文那边怔了一下，说，好素素，我会再给你打电话的，真的来不及了，我马上要进站了。

素素真是后悔死了，她本来有足够的时间给江文打电话的，她还可以在遇到马英姿的当天晚上去市里找江文，把马英姿说的事问个清楚，可她硬是要赌气等江文的电话，整整等了两个晚上一个白天，结果呢，等来的却是江文的出差。

十天，天啊，她可怎么熬过去啊！好在江文说过要再给她打电话，她便把希望寄于他的电话上，只要下了班，她就守在家里，哪里也不肯去，一心等待电话。她早想好了，开口就问他和马英姿的事，不能再有半分的延误。她反反复复想着要问的几句话，却想不出江文会怎样回答，她当然希望江文会否认一切，可是若否认一切是个谎言，倒还不如承认的好了。她想绝不会是谎言，撒谎的只能是马英姿。

母亲看着素素守在电话机旁的样子，有意支使她干这干那的。屋里的事还可以做，只要走出屋门一步，她就再休想被支使动了。母亲说，素素呀，你傻不傻啊！素素说，是，我傻。母亲说，到明年的这个时候，你就知道你是真傻了。素素才不想听母亲这种过来人的预言，她说，不用到明年，现在我就知道，我还知道除了傻我再没有别的办法了。

母亲知道无法说动素素了，她年轻的时候也曾经傻过，那时候还没有电话，她守的是菜地垅沟的水，素素的爸是开机井的，只要垅沟里有了水，就说明机井开了，开机井的人来了。后来市里来村里招工，素素的爸被招走了，成了被村里人羡慕的挣工资的人。可是，工资只挣了八年，素素的爸就在一次下班途中遇上了车祸，丢下母亲和素素一个人去了。因此母亲对城市从没有好印象，素素的爸的工资她其实也没花过多少，交到她手里多少钱，又会被素素的爸要走多少钱，城里的花销大的呀，简直吓死人，要不是她在地里挣个粮、菜钱，她和素素几乎要喝西北风了。她多次对村里人说，城市那种鬼地方，不是要人的钱，就是要人的命，不能呆呢。

　　素素这男朋友，母亲知道和素素的爸不一样，是生在城市长在城市的那种，但正因如此，素素才不适合。素素是心比天高，自个儿把自个儿当城里人，可她知道什么，别说城里人，就是城里的楼房她又上过几层呢。况且这男朋友还和马英姿有什么瓜葛，和马英姿有瓜葛的人，味道先就不对了，还跟他谈什么恋爱。因此母亲对素素的发傻，真是不由地要有几分小看了。

　　而现在的素素，只江文一个人（或者说还有个马英姿）就把脑子装得满满的了，其它一切都无暇顾及。至于母亲的劝说和小看，她连点感觉都没有。就是有感觉，她也不会在乎的，老一辈人的想法，除了对前街人饭菜的挑剔，真还没有一条引起过她的注意呢。

　　江文走后的第三天晚上，终于来电话了。

　　江文先说这次出差是做什么，安排是多么地紧张。没待江文说完，素素就打断他说，长话短说，先问你几件事，你就答是或者不是就行了。

　　素素问，马英姿的摩托车，是你陪她一起买的？江文说，是，可是……

　　素素的呼吸立刻有些急促，打断他说，没有可是，我再问你，买车的钱里，还有你的一份？

　　江文说，是她跟我借的。

　　素素说，还有，你还请她吃饭，请她看电影？

江文那边没有立刻回答。素素说，看来，这也是真的了？

江文开口说，素素你听我说，我和马英姿一点没有什么……

素素说，没有什么为什么不让我知道？

江文说，还不是怕你不高兴。

素素说，没有什么我干嘛要不高兴？

素素这边嗓门高的，几乎都要传到街上去了。正在厨房做饭的母亲急忙跑出去关上了院门。

江文说，素素，知道你正在气头上，我怎么解释你也不会满意，明天我再打电话给你吧。

素素说，不要，永远别再打电话，打电话我也不会接的！

素素说完啪地就放了电话。

素素再也没想到，马英姿说的一切竟都是真的！而她对这真实发生过的一切竟一无所知，竟还傻乎乎地盼望江文会有一个否定的回答！

这时，母亲走进来说，我早说过，马英姿看上的人不会好的。

素素说，可我就是喜欢他，愈这样我就愈喜欢他。

母亲说，愈哪样？他愈对马英姿好你就愈喜欢他？你没病吧？

素素对自己冲口而出的话也吓了一跳，她想，我倒是喜欢江文呢，还是喜欢和马英姿的较劲呢？

第二天，素素下班刚回到家里，电话铃声就响了。素素算定是江文打来的，便跑进自己房里把门关起来，不去听那电话。

电话铃声一遍一遍执拗地响着，素素不由自主地几次打开门要接，终又把门关上了。她想，是他不好，他是个不值得喜欢的人，我还是别再犯傻吧。

电话铃声终于停止了，整个家里安静得要命，母亲也不知哪里去了。

这以后的时间，电话铃声又响了两次，素素都慌慌地去接，却不是江文，一个是厂里的同事，想过来聊聊厂里的事；一个是找母亲的，说打麻将三缺一，要母亲马上去。素素问她们刚才是否来过电话，她们都说没有，素素便态度生硬地拒绝了她们，放了电话。

然后是晚上漫长的时间，电话铃声再没响过。

素素躺在床上，耳边却被"电话铃声"闹了一宿，觉得是了，爬起来一听，又没有了。这样反反复复的，直到天将亮时，素素才算迷迷糊糊睡了一会儿。

第二天、第三天、第四天……一连几个晚上素素都是这样度过的，眼看着眼圈发黑，人也瘦了一圈。母亲虽是着急，却也无从劝起，素素铁了心似的一言不发，不是坐在屋里呆呆地发怔，就是跑到房上往远方望啊望的。母亲在下面喊她，她那里也不应声。

直到第五天的晚上，素素刚从房上下来，忽听得院门响了，咚咚咚的，格外地急切。

素素跑过去将门打开，就见门外站了个黑影子，不说话，也不进来，就那么僵在那儿朝她望着。

素素也僵着望着，她简直不敢相信自己的眼睛，天啊，这不是江文么，真是江文回来了啊！

素素刚要打开院儿里的灯，伸出去的手忽然被江文挡了回去，然后是两人情不自禁的紧紧的拥抱、接吻。

一切的不快似都在这肌肤相触中悄悄地化解掉了。素素一边有些不甘心，一边不肯放松与江文的一分一秒的亲热，她想，都是黑天闹的，若是换了白天……但这时江文的舌尖已到了她的嘴里，她不由地一阵晕眩，再顾不得想什么白天、黑夜的了。

母亲已经睡下了，两人相拥着进到素素的房里，又是一阵不管不顾的亲热。

总算有一刻安静下来，素素问江文怎么提前回来了，不是要十天以后吗。江文说，你电话都不肯接了，我怎么呆得下去。素素说，那厂里的事呢？江文说，提前做好了，没见我眼睛都熬红了？素素就看江文的眼睛，果然眼皮浮肿，眼里布满了血丝。

但素素并不因此就放松马英姿的事情，两人的身体一分开，就像阳光驱散了迷雾一样，一切变得又重新清晰起来了。

素素说，我这人真是贱，明知你跟马英姿好，还要把你放进来。

江文说，你心里应该明白，我跟马英姿是好还是不好。

素素说，你们的事，我怎么会明白。

江文说，这次匆匆赶回来，就为了对你说一句，不管怎样，你都要相信我，我是爱你的，只爱你一个。

"爱"字这还是第一次从江文嘴里说出来，素素心头不由地一颤，她看着江文的脸，相信他说的是真话。可是，和马英姿到底怎么回事？

江文看着素素疑惑的目光，说，吃饭、看电影的事，是她先要请我的，我不想去，就推托说，以后吧，以后我请你。谁知她就当真了，见面就说，什么时候请我呀，说话不能不算数啊。后来她还说，没有功劳我也有苦劳啊，给你介绍回对象，总该表示表示吧。我当时心想，就算代表素素感谢她这一回吧。这么着，就请了她。跟她真的什么也没有。

素素说，为这感谢她，应该有我才对呀。

江文说，真的叫上你，你会去吗？

素素说，当然不会，我也不会让你去，所以你才悄没声的，惟恐我坏了你们的好事。

江文说，不是这样，我真的是怕你不高兴。

素素说，那陪她买摩托呢，也是为感谢她吗？

江文说，那倒不是，厂里任何一个女同事求我去，我都会帮忙的，这种事，算不了什么的。

素素说，可让你去的是马英姿，不是任何一个同事。

江文叹了口气，靠近素素，试图拿起素素的一只手，被素素躲开了；又抬起手去摸素素的脸，素素又一次躲开了。

江文和素素本是都坐在床上的，一躲再躲的，素素便躲在了床边的一把椅子上。江文站起来，走到素素面前，居高临下地抱住了素素。

素素被抱得喘不上气来，先是挣扎了两下，后来就彻底地软在江文的怀抱里了。

素素听到江文说，素素呀素素，知道我是多么爱你呀！

素素说，不知道。

江文说，素素，我想听你说一句相同的话。

素素说，什么话？

江文说，说你是多么爱我。

素素就说，你是多么爱我。

江文笑了说，你不说我也知道，你是爱我的，不然怎么会对马英姿那样儿？

素素说，那是因为我压根就讨厌马英姿。

江文说，你讨厌人家，却又接受人家介绍的人。

素素说，我没有办法。

江文说，我也一样，没有办法。

素素说，你才不是没有办法，你吃马英姿家的饭是多么香啊。

江文将素素搂在怀里，嘴唇是那样近地挨着素素的嘴唇，素素闭起了眼睛。

果然，又是一阵叫人晕眩的亲吻。

江文说，素素啊，我想知道你现在想什么。

素素说，不想说。

江文说，一定得说。

素素说，一定得说？

江文说，一定得说。

素素说，那我就说了，说了你可别不高兴。

江文说，你说。

素素说，我在想，你要是和马英姿接吻，一定是臭味儿相投的。

江文自是用更猛烈的接吻报复了素素的说法。

这天晚上，江文是在素素的房里度过的。

第二天早晨，素素醒来对江文说的第一句话就是，江文，咱们今天去领结婚证吧。

江文脸上是又惊又喜的样子。素素开玩笑似的说，领了结婚证，马英姿想要你也不可能了。

婚　后

　　领结婚证的事素素可没有开玩笑，当天就向厂里请了假，只不过没马上去办，先去江文家见过了江文的父母。去江文家是素素提出来的，素素说，为什么到今天也不让我去你们家看看？江文说，我巴不得呢，你从没提起过呀。素素说，你父母不同意怎么办？江文说，不会的，他们听我的。果然，到了江文家，江文的父母都是老实厚道、不拿主意的人，素素才松下心来，却又不知为什么生出了些儿失望。然后跟江文去了办事处。领完结婚证回来，江文的父母已做好了午饭，四菜一汤，白米饭。素素坐下来，吃了几口，忽然就放下筷子，一个人跑到厨房去了。江文问她找什么，她说找大葱，她喜欢米饭就大葱吃。江文的母亲说了一句，农村长大的孩子就是泼辣，吃米饭都就大葱。吃完饭，两人从家里出来，江文问素素，怎么回事？素素说，早知道你们家的饭菜是这种味道，我决不会跟你的。江文说，我猜就出在味道上，我就不明白，味道怎么了？这饭菜我都吃了二十多年了。两人本都是笑着说的，可说着说着，素素的眼睛里就闪上了泪花，让江文不由地吃了一惊，说，你还真后悔了？

　　素素的母亲呢，对素素突然的举动既没支持也没表示反对，她知道她这样的人家不该是这样的，但她的确对管束素素无能为力。她惟一可以自豪的就是她做的饭菜，素素只有在吃饭时才会显得服贴一点。由于她的饭菜，使素素从小就敏感味道的区别，从小就学会了小视其他人家特别是前街人家的饭菜，从小就是骄傲的，自负的。小的时候还不觉得，大了就显出了那骄傲、自负的令人头疼，因为素素连她这做母亲的话都不屑听下去了。

领完结婚证没有多长时间，素素就和江文匆匆地办了婚事，搬到江文家住去了。婚事倒是素素的母亲先提出来的，因为江文每天每天地来家里过夜，有时加班加到十一二点还要赶过来，母亲担心村里人说闲话。这时的素素却还没有办婚事的心理准备，母亲提出来时，她吃惊地说，这么快我就嫁给他了？母亲是又好气又好笑，说，不结婚你也已经嫁给他了，连这都不知道？素素说，当然知道，可是我怎么就没有一点嫁给他的感觉呢？母亲说，那就更该早点完婚了，好让你找找感觉。素素只好同意。这样婚事就匆忙了些，江文家里没什么准备，屋里家具、电器什么的大多是素素这边陪过去的，人来得也不多，只在离江文家不远的燕凤楼安排了四五桌。燕凤楼是素素特意选定的，她先后去十几家酒店吃了饭，最后才定下了燕凤楼。这是婚事中惟一让她满意的一件事，既不同于村里操办的婚事，饭菜的味道也属上品。

结婚的事素素和江文通知了马英姿，马英姿却没有来，婚礼中介绍人是由江文的另一个同事代替的。婚后在素素的建议下两人提了些糖果去看马英姿，马英姿一反往常的热忱，情绪低落，反应淡然，说话时只看着江文，对素素就像没看见一样。这倒是素素没料到的，从小到大，马英姿还是第一次敢这样地无视素素。从马英姿家出来，素素原有的一点快意很快变成了沮丧，她对江文说，我结下了一生中第一个敌人，都是为了你。江文说，敌人？没那么严重吧？素素说，严重不严重你最明白。

新婚的日子毕竟是快活多于烦恼的，只床上的快活就足以让两人把马英姿忘掉了。江文家住的是两间平房，一间老两口住，一间江文住，中间是一道厚厚的墙，老两口又有些耳背，两人就在这间不足十平方的屋里尽情度着蜜月，有一次，竟是整整一天一夜没出屋门，江文的父母敲门喊吃饭，他们也不理，老两口还以为出了什么事，吓得要找来邻居把门端开，江文才急忙应声说，没事没事，你们可真是的。素素躺在江文的怀抱里说，我现在才知道人们为什么要结婚了。江文说，为什么？素素说，为了上床。江文说，怎么能这样说呢。素素说，你说为什么？江文说，原因多了，生孩子，奉养老人，让爱情更牢固……素素打断他说，行了行了，这些谁不知道，可我就是觉得为了床上这点事，再没有比这事更诱惑人的了。江文说，要光是剩了这事，换一个男人给你好了。素素说，要舍得下我，你就换。江文猛然把素素压到身下，说，我怎么能舍得下你，现在有人要我的脑袋我也不会干的。素素说，看看，你也一样吧。

　　但快活的日子过得是太快了，转眼一个月就过去了，这一个月，两人都足足瘦了一圈，特别是素素，睡不好觉，饭也吃得少，一顿饭常常只啃半拉馒头就几根咸菜，江文母亲炒的菜她一口不沾。江文的母亲却又要坚持做饭，素素几次要求做饭都被她拒绝了。她下岗在家没事可做，素素又是新娶的媳妇，她自是想有一个好的开端，可是，开端似并不好。

　　有一次江文的母亲把江文悄悄叫到一边，问素素是不是有了？江文说，没有，她就是味道上敏感点，往后把做饭的事交给她得了。江文的母亲这才明白，媳妇是吃不下自己做的饭。江文的母亲心里很是难受，但她不得不听儿子的将做饭的事让给了素素。素素是蜜月将满时开始下厨房的，不比不知道，一比江文一家才明白素素为什么过去吃不下饭了，原来一家一户饭菜上的味道是真有差别呢。素素倒做不出多少花样，也就几样家常菜，但样样是精致、鲜美的，即便是一道炒白菜或是拌萝卜丝，出来也必是可口、诱人的，不像过去的饭菜，只能勾起填饱肚子的欲望。开始江文的母亲还不习惯，闲在家里不做事，还要眼睁睁看儿媳下班回来下厨房忙活。可是过了段时间也就适应了，谁不想饭来张口衣来伸手呀，况且儿媳的饭吃得也多了，脸上还高高兴兴的，比起那些为不想做饭生气打架的人家不是好上百倍么！

但其中也不是样样顺利，由于素素中午不在家吃饭，午饭就是江文的母亲来做，吃完了还好，吃不完剩在冰箱里，到下午素素回来就要偷偷倒掉。晚上吃饭江文的母亲问起来，素素就说馊了，搞得冰箱里的味道都不好了。江文的母亲说，不能吧，中午才搁进去的，怎么会馊？素素说，谁知道，反正冰箱里有一股怪味儿。江文的母亲心疼得要命，却看着素素忙上忙下的，饭都给自己盛上，也便不好再说什么，再做午饭，就做得少些，宁愿勉强够吃，也不肯再剩饭菜。万一剩下了，也不敢再放进冰箱里，找个荫凉地儿放起来，到了晚上再吃。但遇到大热天儿，荫凉地儿也会变馊，即便不理，晚饭时往饭桌上一放，素素的脸上也会有反应。江文的母亲对江文说，素素哪样儿都好，就是这一样儿，弄得我剩饭都没地儿放了。江文就说，这算什么事，没地儿放就扔了呗，也省得您老吃剩饭了。眼看儿子一心站在媳妇一边，江文的母亲就更不好说什么了，但心里总有块地方，就像晴天里的一块云彩，堵得慌。而江文回到房里，素素还正有挖苦话等着他，素素说，常言说人往高处走，我这也不知往高处走还是往低处出溜呢。江文说，怎么了？素素说，我就不明白，你们这城市人是怎么当的，倒还不如个乡下人了。江文说，又是说吃饭吧？素素说，民以食为天，吃饭才是最重要的，饭都吃不好，日子先就说不上好了。江文不服气地说，你没来之前，我们也没觉出什么不好来。素素说，要命的就是你们这样，觉不出不好来，一个见过世面的城市人，凡事都该有把尺子，一眼就量个准儿，怎么能觉不出不好来呢？江文说，过日子要总拿把尺子，也太累了。素素说，一岁的小孩子不累，除非你能再活回去。江文说，好了好了，我们一家人都不如你还不行吗？江文伸出胳膊将素素圈在怀抱里，素素叹一口气，还是被身体的亲热俘虏了。

这一天，素素下班回来，在公婆房里说了会儿话，就到厨房做饭去了。往常这时候江文早下班了，今儿不知为什么还没回来。待饭做好，素素跑到街上左右地望了一会儿，还是不见江文的影子。

素素回来问婆婆，江文往家打过电话没有？婆婆说没有，说不用等他了，我们先吃吧。

吃完饭，江文还是没回来。素素往江文的单位打电话，单位没人接；又打给江文的一个同事，同事说，下午五点就都下班走了，印象中好像马英姿喊了江文一声，你打电话问问马英姿，也许她知道。

放下电话，素素的脸色便有些变，一个人回到房间里，摸黑靠在床头，怔怔地望着被城市的灯光照亮的窗口。她想，结了婚又怎么样，她与马英姿的较量也许远没结束呢。

751

理　想

　　素素在房间里摸黑呆了一会儿，终于还是忍不住走了出去。婆婆听到门响，问她去哪儿，她说，去街口等江文。她听到婆婆说，江文这孩子，也不往家打个电话。

　　素素心里乱糟糟的，到街口也没停下，不知不觉就朝了一个方向去了。这是条小街，小街走不远，就到了一条大街，素素习惯性地往右走，并不知要往哪里去，只觉得去哪里都好，反正是不能一个人等在家里的。

　　走着走着，就觉得眼前明亮了许多，环境也开阔了许多，定神望去，原来是一家电影院，电影院的上方，闪了几个由霓虹灯构成的大字：大都市。

　　噢，大都市电影院原来在这里啊！

　　这里素素其实是来过的，但由于是从村里来的，又是早几年的事，早忘了它的方位，想不到离江文家是这样地近。她曾跟江文提起过，江文总说大都市电影院票价太贵，他从不去那里看电影。她不能想象生在城市长在城市的江文竟没在离他家最近的电影院看过电影，真枉做了一回城市人了。她看售票处的窗口已关了，影院门口两个收票的已清闲起来，偶尔才有一、两个人匆匆赶来，将票递上去。想是一场电影已经开演了。

　　素素在影院门前站了一会儿，正要走开，忽然见一个高个子男人从她身边匆匆擦过，向了门口走去。走了几步，那男人又回过头来，朝素素望了望，说，你是不是在等退票？

　　素素先点了点头，知道点错了，又摇了摇头。

752

那人还是从兜里掏出两张票来，递给素素一张，说，反正这张没人看，由你处理吧。说完他就拿了另一张票走进去了。

这男人素素肯定是没见过的，但不知为什么素素没觉得陌生，反感到了熟悉和亲切。

素素没有一点看电影的心情，但两条腿不听心的使唤，不知不觉也跟了去了。

两张票是挨在一起的，黑暗中素素只看得清那人的轮廓，那轮廓既是年轻人的，又有些像中年人。

电影是一部美国爱情片，素素看着看着就把那人忘记了，那电影里的世界，身边的什么什么都是不能融入的。

而那人似没把她忘记，一边看一边总要转过脸说一、两句他的看法。听素素这边没反应，又转脸跟那边的人去说，那边却也没听到什么反应。后来他就只好不说了。但素素觉出，他对她说话时呼出的气息没有一点怪味儿。这是她遇到的第一个近距离说话不让她反感的人。

素素直到看完也没顾得跟那人说一句话，她觉得很对不住他，站起来时借了放亮的灯光朝他笑了笑。他也回了她一笑，但她从他的眼神里才看出，他早想不起她是谁了，那笑是可以对了一切人的。她望着他，忽然想起了她对江文说过的那把尺子，这人也许同江文一样是没有那样的尺子的，但他一定有一把更大的尺子，这尺子跟她那尺子一比，她那尺子就显得小气得多了。她骄傲的小脑瓜里，这还是第一次谦虚地自愧不如。

往家走的路上，满脑子都是电影和那男人，奇怪的是，她始终也没估出那男人的年龄。渐渐地，那人和电影里的男主角竟是融合在一起，分不大清了。有一刻她忽然想，她理想中的恋人，也许就该是这样的吧？她被这想法吓了一跳，努力抑制着不再去想，可是，愈是抑制愈想得厉害，走到家门口时，那融合了的形象已是十分完美、十分清晰地存在脑子里，想赶也赶不走了。

回到家，江文早已在房里等她了。江文问她干什么去了，她说看电影。江文看着她，她也不去看他，开始平静地倒水，洗脸、洗脚，扫床、铺被。

江文像是被她这样子吓住了似的，说，怎么不问我？

素素抬起头，说，问你什么？

江文坐下去，又站起来，又坐下去，才说，我……我今儿下班……帮马英姿修车去了。

素素竟是笑了笑，继续铺着被子，说，我知道。

江文不相信地看着素素，说，你知道？

素素说，我知道，我还知道下班时马英姿喊了你一声。

江文说，喊我就是让我帮她修车的。

素素说，一个厂的同事，帮个忙也是应当的。

江文对素素看了又看的，说，你别这样好不好，哪怕骂我一顿呢。

素素说，我自个儿的事都顾不过来，还有闲心管你们。

江文说，你自个儿的事？自个儿的什么事？

素素铺好被子，开始脱衣服。脱完了，躺进自己的被子里，闭上眼睛，再也不吱声了。

江文又问了一句，素素还是不吱声。那双闭着的眼睛，就像另一个世界的门，关得死死的，使江文看不到一丝打开的希望。

这天晚上，夫妻两人第一次各睡各的，谁也没挨谁。江文自是认为素素在为马英姿的事生气，素素却不是。素素闭着的眼前尽是美丽的幻像，一幕又一幕的，真的已经顾不得其它了。

渐渐地，素素便在幻想中睡着了。

半夜醒来时，发现江文的胳膊搭在自己的身上，便把它挪开了。

素素自己也感到了奇怪，她这还是第一次抵御住江文身体的诱惑，她想，若是因为那场电影和那个不相识的男人，她是不是有点傻呀？可是，她把江文的胳膊挪开的时候，是那样地自然和不由分说，即便是傻，她也是没有一点办法了。

（原载《上海文学》2001 年 9 期）

能找到我们想要的吗？

——评《素素》

陈 冲

仍然是何玉茹。仍然是小中见小。讲一些生活当中很常见的小事，小事后面也没有什么大道理。不过，若说是小道理，那也是一些很有嚼头的小道理，一些给人留下很大想象空间的小道理。

这是一个村庄，村里分为前街和后街。素素是后街的。和后街上别的人一样，她也有点"小视"——也就是瞧不起住在前街的人，包括她从小学直到初中毕业的同班同学马英姿。但是她接受了马英姿给她介绍的对象，因为这个小伙子江文是城市人，而素素的向往，就是嫁给城市人，然后把自己也变成一个城市人。素素和江文的恋爱过程不算太顺利，但也没有大波折，最终还是结婚了。于是素素如愿以偿地成了城市人。可是这时她才发现，江文算不上一个真正的城市人，他的家也不是一个城市人的家，因为他们做出来的饭菜，和村子里前街人做的饭菜是同一种味道，同样地让她闻不惯，吃不下，瞧不起。她也受不了吃过这种"粗糙的味道不纯的饭菜"的人所发出的气息。还有江文的小气和懒散，你可以认为，那是一种在从"前街"农民转变为小市民过程中，捎带着"制造"出来的副产品。本来江文只带素素看那种"省钱"的露天电影，素素成了城市人，终于有一天自己去看她向往已久的电影院电影了。她在那儿遇到一个陌生人。她觉得这才是个真正的城市人。可是这个陌生人的形象，在何玉茹的笔下，只是个影子。我们甚至可以想象，如果素素嫁给了他，用不了多久就会发现，他其实也不是个真正的城市人。

用饭菜的味道、气味，和人吃了以后所发出的气息，作为不同文化的象征符号，是何玉茹的独特发现。对于小气、懒散之类，她都是用一些很日常的细节来表现。读的时候，我们觉得真是信手拈来，读过以后，我们才会惊讶于它们竟是那么自然，又那么精确，像是经过精心筛选，是"沥尽黄沙"之后的"始见金"。

假如再来一点"形而上"，我们可以把素素的所思所想所作所为，看成一种"寻找"。她寻找得很执著，为此受了委屈毫不计较。她寻找得也很成功，最后总能得到。她惟一的遗憾，就是她总是（也只有）在得到以后，才会发现这得到的并不是她原来想要的。那么她或许永远也得不到她真正要找的东西。这可能是个很"大"的道理了。但何玉茹还是一如既往，把它当作一个小道理，来讲她那些用小事情串成的小故事。

（陈冲，河北省作家协会一级作家）

757

西去的骑手

红　柯原著　胡健玲缩写

第　一　部

　　1934 年正月，塬上的儿子娃娃跟着孕司令马仲英打进新疆，将迪化城团团围住。这是他们第二次远征新疆。迪化城指日可待。这时，侦察人员报告，苏联边防军应盛世才邀请，从霍尔果斯攻打伊犁。三十六师全线摆开。战马交错，骑兵第一师的军旗周围躺着七千多名哥萨克兵。援军来了整整一个装甲师，由五十架飞机掩护冲向三十六师。

　　部下及民众的情绪盛世才是很清楚的，马仲英的三十六师与伊犁陆军第八师是国军，国军与苏军激战是捍卫国家主权。盛世才马上组织一个庞大的和谈代表团。马仲英在战火中接见迪化和谈的代表。迪化城方面很诚恳，请三十六师派人到迪化商谈具体事宜。

　　负责护驾"西巡"的七老太爷马海渊是西军最有威望的军人。大阿訇应七老太爷邀请来到西宁。马麒希望自己的儿子马步芳或马步青能被大阿訇看中，可大阿訇的目光停在侄儿马步英脸上。大阿訇带马步英进祁连山神马谷。

盛世才离开辽东故乡，到日本军事学院深造。

父亲马宝因病退职，按马家军的规矩，营长职位由独生子马步英顶替。马步英告别大阿訇，骑着大灰马，走进宁海军大营。堂兄马步芳已经当了旅长。镇守使马麒新设一个营，传令马步英走马上任。那一营兵全是老弱病残，枪是破枪，马是驽马。出操时马营长把队伍拉进沙漠，三天三夜不见踪影，第三天晚夕，他带队伍回到军营，旅长吓一跳，三百人只剩下二三十个。下次出操，他还把队伍往沙漠里带；三十个人进去，出来剩下七个人了。那七个兵成了马营长的铁杆队伍。

盛世才回国后，赴南京找出路，被任命为总参谋部作战科科长，整天跟地图打交道。这时候新疆省主席金树仁的代表鲁效祖到南京来延揽人才，盛世才要去新疆。

马家军的首领绥远都统马福祥被冯玉祥调任为西北边防会办，做冯玉祥的助手，绥远都统换成冯军的师长李鸣钟。冯军刘郁芬部已经进入宁夏。战斧一下子搁在马家军的脖子上。马家兄弟誓血联手反击冯玉祥。可他们谁也不是独生子娃娃，他们没有反抗勇气。1928年春天，主麻日（星期五），马仲英直奔尕店，跟七兄弟会合。七兄弟夺了运输队，就赶到循化县城。尕司令的队伍成了几千人的大军，尕司令成立执法队，严禁民族仇杀。河州以及岷洮陇南陇东的好汉们纷纷投尕司令，西宁的军队也大批大批哗变。队伍一下子成了上万人的大军，卫兵打出他们的军旗"黑虎吸冯军"。

1934 年正月，在天山北麓头屯河战场。苏联人的飞机越来越多，又来了二十架，总共七十架大型轰炸机轮番轰炸。第八天，三十六师终于垮了。苏军指挥官向边防军司令部发报："三十六师溃逃南疆，师长马仲英被炮火击中。"领事马上通知盛世才。盛世才不相信。迪化新政府的政工人员成功地策反了马仲英的盟友和加尼牙孜阿吉与虎王饶勒博斯。三十六师刚进入天山，就遭到饶勒博斯哈密军队的袭击。三十六师在铁门关与和加尼牙孜血战一天一夜，激战最关键的时候马仲英和他的大灰马出现在阵地上，三十六师士气大振，一鼓作气攻克天山最险要的雄关铁门关，和加尼牙孜的部队损失数千人马，逃向尤都鲁斯大草原。

在博斯腾湖南边，塔克拉玛干沙漠横在眼前。三十六师官兵以战斗队形冲进死亡之海。1934 年春天，塔克拉玛干大沙漠被飞机坦克打破宁静的那一年，也是瑞典探险家斯·赫定最后一次中国之行。当勘察队抵达库尔勒时，到处都是溃兵，人们都在谈论马仲英的死亡，溃兵沿天山往库车奔跑。那条洞天山南麓伸向库车的丝绸古道跟河流一样汇聚着越来越多的三十六师士兵。哈密城外的戈壁滩上，赫定和他的勘察队竟然发现孖司令和士兵在一起踢足球。

从库尔勒逃往库车的路上，马仲英终于坐上了汽车。

在库车，从伊犁逃亡的张培元的残部，被编成步兵师，三十六师扩大了一倍，一支大军又出现在塔里木大地，马仲英重新崛起。

第 二 部

1928年春，尕司令带着数万之众的"黑虎吸冯军"围攻河州。1928年夏天，国民军十一师在佟麟阁手里快要垮掉了，刘郁芬再次向冯玉祥告急，点名吉鸿昌来平叛。尕司令根本不知道他真正的对手是吉鸿昌。吉鸿昌打仗很讲究，他放弃了多余的阵地守住了关键部位，尕司令被钳形战术紧紧锁住。吉鸿昌的火网越织越密，尕司令和他的卫队始终在半坡打转转。

国民军冲上三角堡。吉鸿昌到这个关头才用他的大刀队。大片大片的骑手倒在血泊里。尕司令带卫队上了重台塬。那是一块绝地，一面陡坡，三面绝崖。吉洪昌亲眼看见马仲英跳崖自杀。

大峡谷里汇聚了两万多人马，大家静悄悄地等待着。哨兵在山顶上首先发现尕司令。大军开始骚动，跟洪流一样沿着山谷往卓尼岷县一带前进。当时由宁海军投过来的韩进禄旅跟尕司令分道扬镳，去天水当土匪。尕司令在马背上发布命令："追赶韩进禄旅向天水方向移动，做出进攻陕西的样子，声东击西，让韩进禄作咱们的先锋，咱虚晃一枪，取狄道的粮草进军兰州，活捉刘郁芬，让吉鸿昌在兰州城下哭鼻子吧！"这回尕司令的意图又被吉鸿昌识破。1928年秋末，吉鸿昌在甘南大破马仲英，凯旋而归，入兰州。

这年冬天，盛世才在新疆任军校总教官，兼省军参谋主任。金树仁跟蒋介石一样，给他一个空头衔，丝毫也不重用。与南京不同的是，他可以在军校学生中培育自己的势力以静待

761

变。

自冯玉祥东下以后，甘肃又形成割据局面。陕西杨虎城派军长孙蔚如攻占兰州，控制陇东陇南，河西一带由马步芳控制。孙蔚如为了抗衡马步芳，派人与马仲英联络。马仲英部被改编为新编第三十六师。尕司令用西北军的练兵办法操练士兵。

1933 年 4 月 12 日，金树仁手下的陶明樾、李笑天、陈中联合白俄大兵发动政变，杀掉金树仁的两个弟弟。金树仁在卫队的保护下退守迪化城最险要的红山要塞，双方僵持着。手握重兵的盛世才坐山观虎斗。金树仁突围而去。省府大权空缺，各方组成的临时政府邀请盛世才入城就任临时边防督办。

1933 年夏天，马仲英率新编三十六师一万人马，再次进疆。整个新疆除迪化周围全在马仲英手中。

1934 年正月，红色骑兵军的一个师在迪化郊外头屯河与马仲英交战，全军覆没。苏军的装甲摩托化部队和空军开过来，炸弹跟雨点一样落到三十六师阵地上。三十六师溃败了。

第 三 部

1934 年春天，遭到惨败的马仲英在塔里木大漠又奇迹般复活。三十六师政治部的蔡雪村向马仲英建议与苏联合作。联络工作很顺利，苏联红军在库车与喀什葛尔之间停下来，接着后撤。

迪化的谈判有了眉目，马仲英就任南疆司令，划和田绿洲为三十六师队区。南疆重镇喀什最终交给盛世才。

马仲英非学会驾驶飞机不可。这是马仲英跟苏联谈判的主要条件。马仲英带着一大帮青年去苏联学开飞机。

借鉴苏联大清洗的经验，新疆的大清洗也开始了。盛世才的威望空前高涨。

马仲英终于如愿以偿，马仲英驾机起飞的照片登在报纸上。盛世才知道斯大林不信任他，用马仲英来牵制他，他不能坐以待毙。他派去的特工人员渗透到三十六师各个师。三十六师被肢解后，马仲英困在莫斯科。叶诺夫给马仲英准备好毒药。死亡突然降临，马仲英毫无防范。

1938 年正月，老四盛世骐从苏联学习回来，从塔城入境。盛世骐是个真正的共产党人，他难以接受兄长盛世才诡秘的权变手腕。1942 年 3 月 29 日，盛世骐在家里与参谋处参谋陈文范闲谈，盛督办带着卫士长和卫士走进来，枪响之后，督办带卫士长和卫士走出院子。督办做梦也想不到凶兆会落到妹妹头上。他心爱的妹妹盛世同跟铁杆共产党职业革命家俞秀松会产生千古罕见的爱情故事。1937 年，督办出于自身的政治目的，开始大清洗，俞秀松首当其冲被捕入狱。1939 年俞秀松死于苏联克格勃总部卢比扬卡广场。兄妹从此恩断义绝

763

　　大清洗落在特务们头上，大特务头子李英奇等被打入死牢。最后一名死囚是和田公安局长惠大山。他手里保存着马仲英的录音资料。惠大山是死牢中的惟一活口。

　　监狱空了，那巨大的材料加工厂还在转动。许多苏联顾问被卷进去。那巨大的机器把国民党铁杆特务都卷进去了。重庆与迪化僵持着。督办从来都是先发制人，给蒋委员长递一份辞呈。重庆反应极快，接受辞呈，撤销边防督办这一特殊的机构，调任盛世才为国民政府农林部长。自辛亥革命以后，中央政府亲自任命的新疆省主席第一次赴迪化上任，从盛世才手里接过这枚大印。国民政府也第一次收到这个边疆省区数十万两黄金的国税。重庆轰动。

　　斯大林让贝利亚造成一种马仲英还活着的声势，让盛世才不得安宁。贝利亚跟着大灰马到黑海边去听最后一首骑手之歌。"当古老的大海朝我们迸溅涌动时，我采撷了爱慕的露珠"。

一个关于西部精神的动人神话

——评《西去的骑手》

李 星

　　这是两个相比较相对立的形象，对立的不仅在于他们所依托的阵营，政治立场，更重要的是他们的精神和灵魂：一个是天使，一个是魔鬼。天使是一个天生的反叛者，民间英雄，青少年时反叛同族同宗的马家军，反叛一切贪官污吏和邪恶。他是一个战神，一个天才的军事家，然而自始至终仅是一个草莽英雄，一个被民间传说神化了的回族骑手。他的精神力量来自于民族历史，来自于民族神话，来自于人民，来自于西部雄奇的山川河湖，在他身上，我们能够看到中国近代史上许多民间英雄的影子。他们都有与自己人民的血肉联系，都有过人的品德和才能，所以才有振臂一呼应者云集的号召力。然而他们缺乏的却是政治与文化，因为没有文化，他们的要求必然是生存层面的，他们的行为必然是绝对崇尚暴力的；因为没有政治，目光必然是短浅的，视野是狭窄的，不仅不了解当时的中国和世界，也不了解中国和世界历史，所以也就没有明确的未来。他们的失败是必然的。与其说是尕司令马仲英失败于盛世才、斯大林，不如说他失败于自己与自己所依托的以家族成员支撑的武装力量。小说既写了马仲英非凡的精神意志力量，又写出了他非凡的军事才能，不仅把他写成所向披靡、历尽劫难而不死，一呼百应的中国的"斯巴达克思"，而且写出了他失败的原因以及失败的必然。从一定意义上，他就像《三国演义》中的吕布。吕布骑赤兔马，他骑大灰马；吕布曾纵横驰骋，所向披靡，他也曾纵横甘、宁、青、新；吕布同谁都打，同谁都交朋友，他也同样。他们最终的失败都缘于政治，项羽如此，吕布亦如此，马仲英也如此。他留下的是不朽的人格精神，留下的也有草莽英雄、暴力崇尚者的必然失败的教训。

相比之下，盛世才要比他复杂得多，也幸运得多。盛世才的幸运固然有他天才的军事才能和过人的意志，更在于他懂政治，他不仅懂得"忍耐"之术，而且善于选择出击的时机。他不仅懂得实力的艺术，而且懂得妥协、联合、借力的艺术。他成功了，成为威震西部，挟国共两党之力而自始至终的一路诸侯。他是怎样由一个爱国反帝的热血青年而成长为一方军事首领，成为取老军阀而代之的新疆督办，被作者写得生动而传神，极富穿透力。

小说的背景是开阔的，展现了二十至四十年代中国特别是中国西北部复杂纷纭的政治、军事图景，特别是蒋介石作为中央统治首脑，与马家军、冯玉祥的战争和联合，对抗与利用，外部列强日本和苏联对中国的侵略与觊觎，西部军阀马家军、金树仁同中央政府的斗争和妥协，表现得生动而清晰，对于人们认识这段历史极有价值。陕西作家子页的长篇小说《流浪家族》，虽然是从清末写起，但是最后也写到 40 年代盛世才统治下的迪化，也涉及苏俄势力这个时期在新疆的影响，甚至他和

766

作者都写到了那个以笔当枪的优秀知识分子俞秀松。从《流浪家族》到《西去的骑手》提供的是十分近似的三四十年代的迪化政治背景，更为相同的是，他们都看到了这段历史中政治交易的肮脏，无论是白色政治还是红色政治。当然中共是在革命低潮中不得已的与"魔鬼"联合，即使是上当受骗，也与苏联、斯大林的态度有很大关系。开阔的背景，复杂的局面，尖锐激烈的政治、军事、文化斗争，波诡云谲的形势，为展现人物的思想和精神，提供了巨大的活动舞台。

《西去的骑手》依然是红柯的诗性风格，它确像一部浩瀚而雄伟庄严的长篇叙事诗。作者笔下的西部，荒凉的沙漠，黑色的石头，火红的太阳，逶迤的群山是壮美而有生命的；作者笔下的西部汉子，西部女人，西部骏马也是豪放的，执着、美丽而迷人的。马仲英不仅是西部大地、山河草原黄沙的精魂，也是西部回、汉、维、哈萨克人中的俊杰。没有文化，不懂政治并不影响他是西部的山川河流之子，是西部人民之子。没有成熟而腐朽的中国传统政治文化、政客文化的污染与锈蚀，他才显得那样自然而透明，具有一种自由之美，粗犷豪放之美，神奇之美。《西去的骑手》是作者创造的一个西部人及其精神力量的神话，马仲英就是这个神话的主人公，他是一个天才的军事家，一个力量无限的战神，一个如项羽、关羽那样虽然失败了，却精神永存，灵魂不朽的人中之神。世纪之交的中国文学，充斥着那么多的凡庸琐屑的人物，那么多的畸形人，那么多的封建帝王、官僚和政客，但是似乎惟有作者，从短篇《美丽奴羊》，到中篇《库兰》，到长篇《西去的骑手》，才始终在西部辽阔的背景上，在险峻的自然环境下，在曾经被文明世界遗忘的中国的一角，不懈地寻找并阐释着生命的崇高，精神的瑰丽，顽强的抵抗着沉沦和堕落，抵抗着沉降和无奈，在当代中国的精神天空中划过一道美丽的彩虹。这就是作者令文坛惊喜，也是作者令文坛尴尬的原因。

（李星，《小说评论》杂志主编）

檀 香 刑

莫　言原著　刘永春缩写

凤 头 部

　　俺孙眉娘也是这高密东北乡的一号风云人物，有谁不知道马桑镇的狗肉西施呢。可是，俺再也不会想到，俺的亲爹孙丙竟然被俺的干爹、县令钱丁抓进了县衙的大牢，而准备执刑的正是俺的公爹赵甲，然而就连俺公爹赵甲不会想到再过七天他会死在俺的手里。话说清明节那天，俺干爹为俺这个上炕干闺女在南门外特意立了一架秋千，俺着实出了一会风头。就在俺最恣的时候，传来了乡民造反的消息，俺还不知道就是俺亲爹领的头呢。俺丈夫赵小甲把俺拉回家，说他爹回来了。原来，这赵甲在刑部作了三十年姥姥也就是刽子手的头儿，现在告老回乡了，谁都看不到眼里，还把俺干爹派来的衙役给骂了回去。

　　我的儿子赵小甲有些痴傻，所以儿媳孙眉娘就明目张胆地跟县太爷勾来搭去。其实，别说县太爷，什么样的人物我没见识过。从十七岁那年腰斩了偷盗库银的库丁，到六十岁时凌迟了刺杀袁大人的刺客，刽子手这碗饭我吃了整整的四十四年。儿子啊，你爷爷奶奶死后，我一个人流落到了北京城，有幸拜刑部狱押司的余姥姥为师，在二十多岁的时候就当上了仅次于"姥姥"的"大姨"。

俺赵小甲做梦都想得到一根虎须，因为俺娘说谁有了那东西就可以看到人的本相。何大叔跟俺说，俺媳妇每天都去县衙给她干爹送狗肉，县太爷身子底下就铺着一张虎皮，还愁弄不到虎须吗。俺回家就缠着俺媳妇从钱大老爷的身子底下拔一根虎须。俺媳妇还真的给拿来一根。可是，俺被俺爹和媳妇的真相吓晕了，他们却说我发了羊角疯。钱大老爷奉着袁世凯袁大人的旨意亲自把俺爹请进了县衙，还毒打了一顿。

余作为高密县的堂堂县令、曾文正公的外孙女婿竟然要去看一个刽子手的脸色，这也是上命不可违呀，袁大人的话就是真理。余因为赵姥姥而被袁大人臭骂了一顿，那畜生把老佛爷赏赐的那点东西都拿出来了，就连袁世凯袁大人也不得不给些面子。袁大人把他找来是为了让他设计一种最残酷的刑罚来处置孙丙取悦德国总督克罗德。袁大人还命余配合他，真真气煞余了。

猪 肚 部

高密知县钱丁下巴上垂挂着的一部瀑布似的美丽胡须，让老百姓们景仰不已，而东北乡也有一个胡须很好的人，那就是猫腔班子的班主孙丙。因为在一次乡间的宴席上对大老爷的胡须出言不逊，孙丙第二天就被抓到了县衙，饱受皮肉之苦。钱大老爷为了表示宽宏大量答应与他斗须。孙眉娘借着参加斗须大会的时机，接近自己心仪已久的钱大老爷，并判定了自己父亲的失败。四月十八是高密县里看夫人的日子，乡民们可以在这一天一睹县太爷的夫人、曾文正公的外孙女的风采。怀着比试一番的心理，孙眉娘却因为自己的大脚当众出丑。归来后，孙眉娘就害起了严重的相思病，几乎丧命。为了给亲爹报仇，也为了接近钱大老爷，她以送狗肉为名闯进了县太爷的书房。钱大老爷吃了一惊，但是接下来就是四目相对，目光如同红线，纠缠结系在一起。自此开始，孙眉娘就每天提着盛有狗肉的篮子出入县衙，并做了钱大老爷的上炕干闺女。

这一天，已经改行作茶馆老板的孙丙正在铺子里跟人议论德国人修造胶济铁路的事情，得到消息说有两个德国人正在集市上欺侮自己的老婆小桃红。乡民们齐声发喊，追随着孙丙，冲向集市。打死了德国人后，孙丙意识到大祸临头，但是他并没有逃走，直到女儿苦口婆心的劝说才躲了出去。可是，德国人没有放过他的家人，他的两个孩子和老婆小桃红都被害了。孙丙远走他乡，学成了义和拳。二十天后的一个下午，他打扮成岳飞的模样，穿着白袍，披着银甲，背插着六面银色令旗，头戴着银盔，盔上簇着一朵拳头大的红缨，脸抹成朱砂红，眉描成倒剑锋，足蹬厚底靴，手提枣木棍，一步三摇地回到了马桑镇。在孙丙装神弄鬼的表演之后，乡民们出于对德国人修建胶济铁路的仇恨和恐惧而纷纷加入，拜孙丙为师跟着习练神拳。庚子年的清明节，在蒙蒙的细雨中，孙丙率领他刚刚训练好的乡民队伍拆了德国人的筑路窝棚，打死、打伤十几个德国人。

光绪二十二年腊八日，赵甲在广济寺前等待领粥的队伍里认出了刑部主事刘光第，并救了他一命。清正廉明、体恤下属的刘给了他很深的印象。戊戌六君子事发后，赵甲亲自执行了六君子的死刑，包括自己所敬仰的刘大人。在天津小站，袁世凯的得力部下钱雄飞为了报答康有为的知遇之恩，密谋刺杀袁世凯却没有成功。赵甲奉袁之命，以整整五百刀凌迟处死了钱雄飞。

孙丙的老婆孩子被害后，知县钱丁欲为民伸张正义，满怀雄心地星夜赶往莱州府，历尽艰险却被知府斥回，卧病不起。孙眉娘想尽一切办法却无法进入县衙，直到知县夫人来请。在她的照料下，钱大老爷的病逐渐好转。孙丙清明节闹事以后，钱大老爷只身进入已经被拳民占领的马桑镇劝说孙丙交换作了人质的德国兵，却在约定的那天遭到孙丙的戏耍。眼看恼羞成怒的德国总督克罗德就要下令炮轰马桑镇，钱大老爷为了避免伤害无辜的百姓，又一次只身进去擒获了孙丙，而克罗德却并没有信守此前的约定，还是血洗了马桑镇。

豹　尾　部

咱家赵甲在天津凌迟罢了钱雄飞，准备连夜离去归隐田园。可袁大人派人将咱家请回，叙了叙他小时候在刑部背着叔父偷作刽子手的旧事。见咱家执意要退归林下，袁大人吩咐咱家到刑部等着，必将有意外的惊喜。回到刑部，咱家惴惴不安地等着。这一天，咱家被一乘小轿抬进宫里，受到了老佛爷和当今万岁的亲切接见，老佛爷封咱家为刽子手中的状元恩准回乡，并将随身的佛珠以及皇上所坐的龙椅赏赐给咱家。为了不辜负这状元的称号，咱家把檀香刑的各项细节都准备的尽善尽美，也让那奶奶的克罗德见识见识中国刑罚的精制讲究。既然让咱家执刑，受刑的又是一位惊动了世界的要犯，那就要显摆出排场，这不是咱家的排场，这是大清朝的排场，不能让洋鬼子看了咱的笑话。

八月十四这天是高密县的叫花子节，俺孙眉娘就倚在门前看叫花子们上街游行。今天，高密县的叫花子是老大，俺干爹钱大老爷的仪仗碰上了叫花子游行的队伍也要悄没声地把路绕。

俺打定了主意要趁着乱乎劲儿闯进县衙，可是德国大兵的刺刀差点就把俺的胸膛刺穿。众叫花子把俺用藤椅抬到了首领朱八那里。朱八将俺好言好语地劝慰了一番，并告诉俺他准备用自己的徒弟小山子把俺爹从牢里偷换出来。俺和朱八都没想到，俺爹死活不同意这种做法，当晚上的行动被他破坏了，俺被知县夫人救了，朱八和几个叫花子却被德国人杀死了。

俺孙丙生是英雄，死也要强梁。俺知道朱八哥哥是好意，是想让德国鬼子的阴谋败亡。可是，俺中途逃脱，那就是虎头蛇尾、有始无终。俺盼望着五丈高台上显威风，俺要让父老乡亲全觉醒，俺要让洋鬼子胆战又心惊。袁世凯袁大人和钱知县都分不清俺和小山子谁才是真正的孙丙，于是就决定让俺们俩同赴刑场。只是可惜了小山子这孩子，从小跟俺学戏，也算是俺的徒弟哩。趁着这天还没有亮，俺就把猫腔的由来给他讲了一番。

俺看到俺爹赵甲端坐在龙椅上，神气十足，俺想坐上去，俺爹又不让。俺知道知县的枪法好，可是昨天夜里他想打俺爹的冷枪也没有得逞。天亮后，俺和俺爹就开始准备檀香刑。三声炮响，袁大人和克罗德总督命令开始。俺就按照事先演练的方法把俺岳父孙丙捆了起来，俺爹也顺顺当当地把檀木橛子楔进了俺岳父的身子。然后，孙丙被抬上升天台，绑在一根粗大的松木上。俺老婆孙眉娘的哭声让俺有点心猿意马。轮到小山子享受檀香刑的时候，他却没有俺岳父这般的勇气，早就挺不住了。袁大人吩咐将小山子斩首了事。

余看着小山子的尸体倒地，不禁心里产生了迷惘和动摇，大清朝，余是应该舍你还是殉你啊？余将三班衙役分派在升天台上上下下，保护着十字架上的孙丙。孙丙有几次就要死去，余派人去找来了县城里最有名的医生，让他们保证孙丙能活到胶济铁路通车的那一天。东北乡的猫腔演员们都集中在升天台前，祭奠他们的猫主孙丙。然而，德国人开枪了，高密东北乡的最后一个猫腔班子全军覆没了。余本打算杀死孙丙让德国人的计划落空却误杀了赵小甲，这时候孙眉娘出现了，她从背后刺死了赵甲。余将匕首刺入了孙丙的胸膛。余看到血从他的嘴里涌出来，与鲜血同时涌出的还有一句短促的话："戏……演完了……"

介入近代史的深层

——评《檀香刑》

何向阳

《檀香刑》是一部很难以常规意义去谈论的作品。无论写法还是故事，都对现有文学理论日益定型的机械性暗暗构成挑战，换句话说，不能用已有既成甚至颇为流行的文学写作观念去解释它。它同时也拒斥着已经相当欧化的先锋汉语或者现代情感，如果说后者在文学的传统写作中曾注入新质的话，那么如今的先锋之刃已经钝锉锈蚀难见光亮了。话语重复、语言贫困大约是先锋沉沦的重要原因，重复的故事，相似的历史，雷同的情景，类型的人物设置，还有那背后隐约暧昧似曾相识的哲思，都可以在 20 世纪的理论发展中找到予以归类的位置。文学贫困到只需几种观念就能统摄写作论说作品评定作家，已经没有意外之喜，只是再度求证，证实着那些个理论或此或彼，总会在某一个点面或者段落重叠涵盖，总能够一网打尽。也许，人类的文字创造真到了巅峰，而再无创新——曾几何时这个词语也成了另类的代名——的可能，到了世纪末，也许连论家也疲倦了，一切都是囊中之物，他打着呵欠，已经不去梦想世上还会有别样的文字让他震动吃惊。

《檀香刑》诞生在这样一种文学时空里，注定了争议的命运。它的存在冲击着已成定局的写作样式和文学氛围，何况，它特有一种颇具标新立异的语言上的破坏感——当然对于作者而言，确是一种对于民间语系的重建。对于书中坚持始终的民间属性，作者清醒于它的接受者，或者市场。"就像猫腔不可能进入辉煌的殿堂与意大利的歌剧、俄罗斯的芭蕾同台演出一样，我的这部小说也不大可能被钟爱西方文艺、阳春白雪的读者欣赏。就像猫腔只能在广场上为劳苦大众演出一样，我的这部小说也只能被对民间文化持比较亲和态度的读者阅读。"这里，莫言对于一种语言的拒绝与对于自己选定的语言的自信是链接一起的，他不讳言自己对于韵文、戏文、道白的大量使用，他不回避自己对戏剧化效果的注重，毋宁说他更重视流畅、浅显、夸张、华丽的叙事，他坦白于个体写作对于曾是小说基础的民间说唱艺术的继承，这其实已经有了划经纬的意思，虽然不那么直白地说出，却也无从按捺他对于日益同化的文学观念的不满。然而这个人不做教师，他低调地观察人生，在他人的经验里放入自己的体悟，在狂躁的热季或者冷寂的倒彩里都能保持自己诚实的态度，虽然也有些许做作与夸饰，但在底限上从不失诚实。这个作家不掩饰自己对全球化背景下东方语言所遭遇的西方强势语言的侵袭的警惕，对于语言的"进化"，莫言选择撤退，回到民间中去。因为这样选择，他才自觉于"在小说这种原本是民间的俗艺渐渐的成为庙堂里的雅言的今天，在对西方文学的借鉴压倒了对民间文学的继承的今天，《檀香刑》大概是一本不合时尚的书"。当今文坛，又谁能做到对庙堂雅言和西方借鉴的同时拒绝呢，何况被拒绝的还有时尚的"今天"。"也许，这部小说更适合在广场上由一个嗓音嘶哑的人来高声朗诵"。这是莫言期待的传承方式。是他因了全身心的投入而追求读者对象的全身心参与。

较之声音的书写，莫言介入近代史的方式是独特的。在支离破碎以解构为能事的现代性写作中，你不能不钦服于《檀香刑》讲故事的能力，这与它坚持的民间写作一脉相承。故事并不复杂，以卖驴肉的女主人公眉娘为轴心，带出她的亲爹——猫腔领班后成抗德义士的孙丙，她的公爹——曾在刑部司执刑的刽子手赵甲，她的干爹——与她有过肌肤之亲的高密知县钱丁，以及她的丈夫——以屠夫身份出现的赵小甲。结局是，公爹为亲爹执刑，女婿给岳父送葬，女儿爱人是捕快见证，送了女儿亲爹上断头台，女儿丈夫是刽子手助手，以死生折磨为能事，女儿极尽周旋却爱莫能助。情节错综，人物纠结，高潮迭起，作者提出"用耳朵阅读"，正是：大戏未开场，幕后声先起。小说"凤头部"以除孙丙外的四位主人公的自述方式交待将要展开的剧情，人物性格人物关系一并带出，而且语言各各带有身份特色，为"猪肚部"的事件展开铺陈到位，可以说为那真正主人公——孙丙以及清末一系列如钱雄飞、谭嗣同、刘光第和如孙丙类大节之前毫无媚骨的人物的出场和演绎人生搭了大台，刚烈再现，将那残酷与冷硬一同拿来，并无回避，直到一个个酷刑而终，"豹尾部"加入孙丙说戏，与凤头四位主人公的说白构成对应，各色人等在此凝缩为五类——冷血的赵甲，无助的眉娘，反抗的孙丙，助纣为虐的小甲，回天无力的知县，体制内外，百姓众生，一律小人物，却绘出了一个清朝的崩溃。以上众人，无论职业，无论被杀自杀抑或杀人，都在他个人的层面加速着整体的毁灭，大厦将倾，末世图景中，只

777

是不同的殉法罢了。

莫言之介入历史由来已久，《红高粱》开始挥之不去的历史情结在此得到了淋漓尽致的发挥，但是对近代史的介入我以为《檀香刑》写出了更深层的东西。那个主题，是经由鲁迅先生发现的，主子与奴才，这两个角色的变换才是这出戏的根本。而更深一层是，莫言写出了施虐的快感与受虐的快感，刽子手赵甲的施虐痴迷与义军首领孙丙的甘愿受刑以完成节义之间，在阅读中让人深思。也许这就是国民根性，意识中的无意识，以致人人自危，亲亲相残，腐败已到基因，再无药可治，而触及了它的莫言从中嗅到了血腥。这血腥，与江山、历史之间又构成甚样的时空关结？那杀戮的底色又为这时空注入甚样的人格链接？于具象事件中找出历史延续的线索，于社会剖解中发出人性良知的拷问，是一个作家提供给世人的——比他在大众与先锋之间冲出一条民间出路寻求到一种中国现代汉语写作的话语方式——都更重要的东西。

而这一点，正是一片鼓噪声中《檀香刑》唱出的意义。

（何向阳，河南社会科学院文学研究所研究员）

花　腔

李　洱原著　于　波缩写

1943 年白圣韬医生对范继槐中将的叙述

那天晚上，当田汗来后沟看我的时候，我想我可能活到头了。我做梦也没有想到，田汗是来告诉我那样一个消息的。他说，有件事给你说一下，葛任还活着。我简直不相信自己的耳朵，去年（1942 年）冬天我从前线回到延安时，田汗噙着泪向我讲过葛任的死。葛任带着部队出去执行任务时邃然与日军遭遇，在二里岗为国捐躯，他成了民族英雄。

田汗告诉我这件事，当然是另有目的。他命令我马上离开延安，奔赴张家口，面见窦思忠，而后再到南方代表他接葛任回来。他给窦思忠的信封在了我穿的裤衩里，他特意交待，一路上不要提葛任的名字，葛任的代号是 O 号，取圆圆满满之意。

为了来白陂接葛任，一路上可真遭罪了。住店时掌柜的杀人越货，还想通过我们向组织上表功。到了张家口，他们要我去看看丈人，我这个托派"毛驴茨基"不敢不去。我的丈人

779

很能吃苦，很会过日子，但是他被划成了地主，地被分掉了。见到他时人整个是鸠形鹄面，我们把带来的肉送给了他。他啃得太用力了，牙床都磕出了血。我问丈人平时都吃些甚么。趁倒嘴的功夫，他的眼珠转了一圈，说："屎。"

　　我见到了窦思忠，我把那封闻起来有些臊味的信交给了他。能看得出，他对葛任的诗《谁曾经是我》爱不释手，并为我朗诵起来。就在此时，他的鼻孔流血了，我懂得粪便学，我把驴粪的灰烬吹进了他的鼻孔止住了血。窦思忠感慨地说，二里岗战斗中葛任要是死掉的话，可就太好了，他是民族英雄。可现在他要回到延安，定会以叛徒论处。在疾风暴雨、你死我活的斗争面前，一个人不是英雄，便是狗熊。总会有人认为，倘若他没有通敌，他又怎能生还呢？即便组织上给他留条活路，他亦是生不如死。窦思忠又说："为了保护一个革命者的名节，我们只能杀掉他。"组织上要借赵耀庆之手完成这事。窦思忠让我给阿庆捎信去传达他的命令，又给我找了一个旅伴小红同行。一路上，我回想了关于葛任的许多往事，许多感慨也涌上了心头。到了兵荒马乱的武汉后，小红设宴为我饯行，我竟然在她所唱的瞿秋白的《卜算子》中醉倒了。

　　后来我遇到了土匪，也遇上了一场雨淋，这却使我了解到了密信上的内容——"O 号速死，文字毁尽。详情后解，活口不留。"甚么叫活口不留呢？潇潇烟雨之中，我仿佛看到了阿庆腰带上左轮手枪的皮套，闻到了它那兽皮的味道。可我还是到了白陂镇，哪知在见到阿庆之前，却被他的手下逮住挨了一通打。阿庆露面时，我还在半空晃悠呢，他亲自动手把我放了下来。瞧着他那笑眯眯的样子，我就绝望了，以为面前就是天堂……

1970 年劳改犯赵耀庆向调查组的交待

事情还得从冰莹说起，那是在 1943 年 2 月。俺在舞厅里遇到了冰莹，她问俺近来有没有看过葛任写的一首诗，随后她又说葛任死没死都逃不过军统的眼睛，如果他真的没死，军统肯定要对他下手。俺当时的身份是国军少将，她希望俺能帮助一下葛任，想办法将他转移到安全地方。

没过几天，范继槐按戴笠的旨意来和俺谈论此事。他说葛任现在藏在大荒山白陂镇，他让俺去调查一下，搞清楚葛任究竟有何贵干。他们哪里知道，俺其实是身在曹营心在汉，一颗红心时刻向着宝塔山。那时候俺是组织安排在军统的内线，俺想革命工作不分高低贵贱，内线就内线吧。俺虽然当了婊子，可是组织上会给俺立牌坊的。

俺是在葛任父亲的茶厂里呆大的，俺和葛任的革命友谊也是那个时候建立起来的。没想到很快葛任就去了日本，到上海送他的时候，冰莹抱着他不撒手，说她是鱼儿离不开水，瓜儿离不开秧。葛任走后，冰莹就受到了宗布的勾引，肚子被搞大了。后来俺在上海见到了他，还有冰莹和她屁股后的小女孩。

俺这么一讲，同志们心中就有数了。范继槐还说杨凤良在俺之前去了大荒山，他要俺到了以后，先与杨接上头再做打算。俺对杨凤良说，上面派俺来，是因为俺是葛任的老朋友，可以劝降他为党国效力。见到葛任的当晚，俺就给组织发了密电。当时，俺受窦思忠同志的秘密领导，俺请组织上派人来营救葛任。没多久，俺收到了一份密电，一个叫白圣韬的家伙要来这里协助俺工作，还要将一份密令转交给俺。为了不让敌人发觉，俺砸掉了发报机弄死了发报员，把这赖到了杨凤良的身上。

一天天的过去了，白圣韬却迟迟不到。俺却见到了宗布，俺猜透了他的心思，是想把葛 任救出去。他对杨凤良的贿赂没有成功，就灰溜溜地离开了。俺见到白圣韬的时候，手下人刚把他从梁上放下来 ，俺恩威并重，先瞪了他两眼，然后弯腰扶他。俺明白无误地告诉他，俺就是阿庆，问他是不是为葛任的事情来的。他这才承认了自己的身份。但是，他把窦思忠同志写给俺的密信弄丢了。他说组织上让他把 O 号带出大荒山。

俺让手下去给葛任抢块洋碱洗洗衣服，哪知却被杨凤良的兵给打了，俺要出这口恶气，趁机把杨凤良也给干掉了。白圣韬都看傻了。俺说，鸡巴毛，怕啥怕，伟大领袖毛主席教导我们，彻底的唯物主义者是无所畏惧的。俺对葛任说，拦路虎已经消灭了，你和白圣韬可以走了，俺派人护送你们离开大荒山。葛任笑了笑，说俺哪里也不去，这里就挺好，你们若是想要俺走，先把俺打死。白圣韬也竟然表示要与葛任共存亡。俺好说歹说，嘴皮都磨薄了，白圣韬才同意带葛任一起走。葛任骑不动马，俺就派人连夜赶制轿子。可是晚了，范继槐已经来了，葛任走不掉了。为了革命事业，葛任在大荒山光荣牺牲了。

2000 年范继槐先生对白凌小姐的讲述

许多年前，我和葛任在日本留学时住过川井家。回国后，我常去找葛任聊天。有一天我去找他，见他正在收拾东西出远门，他要去的是大荒山苏区，在给他饯行的时候他还想拉我下水。后来一个叫胡安的人来找我，他就是冰莹的父亲，葛任的岳父。葛任走后，冰莹思念葛任，也要去苏区，胡安就把女儿和外孙女都送去了。因为当时我情感上遇到了挫折，所以也就跟他去了苏区。

到了大荒山，田汗热情地招待了我，还派来一个叫赵耀庆的人服侍我。可葛任却劝我离开，他说战事越来越紧了，这里无法保证我的安全。当时在场的，除了他与冰莹，还有一个蔡廷锴将军的部下，名叫杨凤良。当时的苏区，执行的是左倾路线，军权在李德的手里。田汗给我们送来了通行证，要是没有它是无法走出苏区的。田汗说了实话，红军要转移了，转移之前要进行清洗，有疑点的人都要清理出革命队伍。可是没有想到，我和阿庆却被敌人逮住了。我撑不住了，不投降不行啊。直到1943年，我在大荒山见到了白圣韬，才知道阿庆一直是田汗的人。

两年后一个偶然的机会，我知道葛任并没有死。他参加了长征还顺利到了陕北。那时候，我已在军统任职。派到陕北的密探告诉我，葛任在延安搞翻译。没过多久我又得知他在和日本人的交战中死去了。后来戴笠找我，他从发表在香港报纸的一首诗中破获出了情报，葛任很可能就在大荒山。他派我去那里摸摸底细。如果葛任确实在那，要搞清楚他有何贵干，然后再进行劝降。我把加入军统的杨凤良找来让他去处理此事。我还给葛任起了个代号O，就是没有的意思。我的意思是说，如果他认为那不是葛任，他就可以把他放了。令我气恼的是杨凤良来了密电，说"O号在白陂，妙手著文章"，这让我感到很为难。我又把阿庆派过去了，暗示他可以把杨除掉。我也考虑到另一种可能，杨凤良发现我对他失去了信任，就会带着葛任逃离大荒山。这也是我所愿意接受的结局。

日本人川井突然出现在我的面前，他是询问他哥哥下落的。我突然想到，如果葛任不得不死，何不借川井之手，让他再当一次民族英雄呢？终于我见到了葛任，二里岗战役中他活着逃了出来，他隐姓埋名住在白陂过了几天安稳日子。他看穿了政府的把戏和我的良苦用心，他对此毫无兴趣。我已经尽仁尽义了。事情就这么定了，当天晚上，葛任就成了民族英雄。

"谋杀"的合法性

——评《花腔》

吴义勤

在所谓的新生代作家中，李洱的创作是令人欣慰的。与骄狂的"断裂者"不同，他有着温和的、不事张扬的作风，又有着坚定的艺术追求和艺术理念。他的"日常生活"和"知识分子写作"理论都不是过过嘴瘾的"宣言"与"口号"，而是有着卓有成效的小说实践的切实支撑。这显示了李洱对于自己写作实力和写作功力的高度自信，也代表了新生代作家的一种全新的艺术可能性。这方面，其长篇处女作《花腔》（人民文学出版社 2000 年 12 月版）即是一个很好的例证。早在上个世纪90 年代下半叶新生代作家就纷纷开始了长篇小说创作，但除了《弑父》等少数几部有一定的反响外，大多数作品都令人失望。除了张扬的、矫情的叙事姿态外，这些作品普遍给人一种轻飘飘的感觉。而李洱的《花腔》则给我们一种完全不同的艺术感受，它以厚实、凝重的内涵和新颖的艺术探索给我们强烈的震撼与冲击，这种震撼与冲击既是艺术上的，又是思想上的。某种意义上，它标志着一个艺术超越过程的完成，代表了新生代作家长篇小说创作的一个新高度。

《花腔》有着非常好看的故事，葛任与冰莹的爱情是小说的一条基本线索，而葛任的"生与死"则是小说的结构中心。在这里，爱与恨、善与恶、阴谋与背叛、朋友与敌人、政治与历史、真实与荒诞……彼此纠缠彼此冲撞，被作家演绎得荡气回肠、惊心动魄。而也正是在这个荡气回肠、惊心动魄的故事中，李洱完成了对于"历史"的解构。葛任在"二里岗战役"的"牺牲"是"历史叙事"的逻辑前提，它赋予葛任"英雄"的身份，同时也赋予历史以合理性。但是葛任"死而复活"的消息却彻底颠覆了这既成的历史秩序，于是，为了维护历史的合法性，延安、军统等各路力量纷纷奔向大荒山，他们希望的是葛任的"重新死去"。小说惊心动魄的思想力量可以说就在于对"谋杀"葛任"合法性"的揭示上。所有的人都以"拯救"的面目来到了大荒山，但他们在乎的是葛任的"名节"、历史的"秩序"，而不是他的"生命"。因此，小说中我们看到葛任似乎有很多次逃出的机会，但多被有意"延宕"了。我们看到了历史以"正义"、"革命"、"友谊"等堂皇的名义对一个人的"谋杀"，但荒诞的是最具"谋杀"合法性的却是日本人川井，是他维护了葛任与"历史"的双重"名节"。

另一方面，《花腔》在叙事上也体现了非常高的水准。小说共三部，主要由三个主人公白圣韬、赵耀庆、范继槐的讲述构成。他们成了小说重要的叙事主体。作为"历史"的亲历者，他们提供了"历史"的感性的、毛茸茸的一面，但是他们的叙述仍然只是历史的一种可能性。因为呈现在他们话语中的历史固然不乏某种真实性，但他们的"花腔"却又有着明显的自我"伪饰"的成份。因此，小说中，作者又贯穿了另一条更重要的叙事线索，那就是对他们"花腔"的辨伪、考证、注释和补充。两条线索，两种语言，平行发展，彼此互文，构筑了一种奇特的开放性文体。前一条线索具有某种"历史叙事"或"时间叙事"的特征，而后一条线索则超越历史和时间，具有形而上的拷问意味。小说引用了大量的典籍、史料和回忆文本，它们与主体的叙述段落构成某种"证实"或"证伪"关系，而"历史"就在这样一种"证实"与"证伪"中既得到了呈现，又得到了解构。在这样的叙事中，我们越是接近了历史的"真实"，我们就越是感受到了历史的残酷；我们越是走近了人物的内心，我们就越是能感受到人在历史面前的无奈。葛任、冰莹、白圣韬、范继槐、田汗、赵耀庆等各色人物都可以说是存活在特定的"历史语境"里面，作家很少对人物进行意识形态或善恶判断，而是尽可能地让他们在历史的轨道上自我表演。他们的人性与他们的政治、历史面具也许是矛盾的、脱节的，但这正是他们的真实，他们与历史其实是互相塑造、互相建构的。从这个意义上说，我能理解葛任对于死亡的态度，实际上，他不是死于别人之手，而是死于洞透历史本质后深深的绝望。在这个意义上，我想，如果作家不把葛任处理成一个垂死的病人，艺术效果将会更好，其对历史的批判与解构也会更有力量。

（吴义勤，山东师范大学文学院教授）

坚 硬 如 水

阎连科原著 赵 亮缩写

龙生龙，凤生凤，同志呀同志，在革命的家庭里，我们都是红彤彤的革命者。我本来应该是在部队里继续发展的，可我已经干够了，想一想一年八个月没闻到女人味，连程桂枝都让我心潮澎湃，这是独特统一的革命生涯创造出来的悲喜剧。她是村支书的女儿，因为他爹是村支书我才娶的她，村支书把她和我将来当村干部的许诺一起嫁给了我。程桂枝长了个女人脸，却是个猪身子，我连她都想了，她来探亲我就顺了她的心去做了，她想怀孕我就让她怀了，她儿女双全。

我谢绝了指导员的挽留，从部队复员回到把楼山脉里最负盛名的程岗镇。回家的路上走得有点复杂，因为我遇见一个让我神魂颠倒的女人耽误了些时日。老丈人看见我提的点心自然高兴，可是闭口不提让我当村长。一番寒暄后，说让我去看一下老镇长——程二伯程天民。在路上，我碰见了夏红梅，她是老镇长的儿媳，丈夫程庆东是一位文质彬彬的教书先生。她是给公公送饭的，不过，她好像把三天前我们在城郊铁道边的柔情蜜意装作没发生过似的，暗暗地瞟了我一眼，走开了。我知道这是形势所逼，她不是那种无情无义的人。县城里的革命已经风起云涌，我回来就是革命，种地有饭吃，革命一样有饭吃。为了伟大的红色革命，我决定先组织成立"红旗飘飘战斗队"。夏红梅当然也参加了，这样，我才有革命动力和热情。村里的男男女女，高高低低三十几个人全部集中在我们家的院落里。他们来参加战斗队，前提是我给他们每人记工分：十分。那天晚上，我作了激情满怀的演说，我仿佛成了一位天才演说家、革命家。

在我的行动计划指挥下，蓄谋已久的牌坊之战打响了。革命队伍唱着《大海航行靠舵手》这支曲子，朝着牌坊进发了。可没想到的是，我老丈人程天青早已扶持着我们每个人的爷爷和父亲、奶奶大娘，恭迎着我们。在老人的凄凄呼喊声中，我们的革命队伍不战自溃。程岗镇的第一场革命被封建资产阶级的代理人程天青扼杀在摇篮里。

革命的战役虽然遭受了挫折，可革命的热情却没有被浇灭。我和红梅的革命情谊一天天加深。正当我躺在床上思虑革命的道路是曲折的时候，孩子娃红生嚷着从外面拿回一封信：

> 爱军：
> 　　先向你致以战斗的革命敬礼。……曙光在前，革命一定能够从黑暗走向光明。祝我们的革命情谊万古长青！
>
> 　　　　　　　　　　　　　　　红梅　5月22日

"祝我们革命情谊万古长青"革命情谊是啥，革命情谊就

789

是我和夏红梅恩爱，如夫妻一般可以在没人的时候相互抚摸，相互打量，可以让我解开她的衣扣，让我的目光从她的头发、额门、鼻梁、嘴角、脖子直到她的乳房、肚子、大腿和她最隐私的任何一个去处详详细细观看，慢慢悠悠抚摸。我们从这样的情谊中吸取战斗的力量，商讨革命的对策。

夏红梅有着无法抵挡的诱惑力，当我接触她身体的一刹那，她因疯狂和愉悦而叫出声音，如四月晨时的朝霞，红光闪灼，流金溢彩，带着极度眩晕的快乐和幸福。四面八方的广播喇叭响应声，依然如水涛涛，如浪滚滚。我听见从东边传来的歌曲是黑铁白钢的《将革命进行到底》，从西边传来的歌曲是高亢火红的《北京有个金太阳》，从南边传来的歌曲是铿锵有力的《打倒美帝苏修反动派》，从北边传来的歌曲是清绿含香的《请喝一杯酥油茶》和汗涩泪咸的《控诉万恶的旧社会》，从头顶降下的是情深博大、泛滥着土地气味的《天大地大不如党的恩情大》，从地下钻出的歌曲是又跳又笑、丝绸飞舞的《解放区的天是明朗的天》，我们被歌曲包围了。我们铺着歌曲，盖着歌曲，呼吸着歌曲。歌曲给我以力量，歌曲赋我以激情，歌曲支撑着我的意志和坚韧。

但是我老婆程桂枝不能理解我和红梅的革命行动，她上吊死了。正当我们青年骨干会整理揭发程天青的材料时，我听到了这一消息。在这革命紧要关头，她的死无疑对我的革命前途是不利的。为了证明我一心向党、爱毛主席的红心，我请来了镇派出所的人来验证桂枝的死。最后桂枝的死被定性为一场现行反革命自杀案。桂枝的自杀使程天青感到天塌地陷，火山爆发。他万万没想到这是一场反革命自杀。不几天，程天青疯了。

790

革命就这样初步成功了。

我当上了革委会主任后，马上采取了一系列伟大的革命措施。我先用水泥把二程故里的牌坊糊了一遍，涂上红漆，描上彩边，写上宋体大字，左边是一句革命标语，右边还是一句革命标语，横额是"新的圣地"。

革命是向前发展的，我和红梅的革命情谊也是发展的。革命工作虽忙，忙里可偷闲，我和红梅打着察看田地的招牌来到了副县长秸垛下，三下五除二我剥光了她的衣服，顺手揪下一捆麦秸当做被褥铺开来，我们又一次亲热起来……她殷红柔韧的叫声在天空如彩虹一样飘飞起来，照亮大地和山脉，鼓舞起我们革命中疯狂的意志和精神。

为了我们的革命情谊和伟大的革命前途，我决计要从我家挖个暗道通到红梅家里去，使我们两个足不出户就能随时随地如夫妻样见面做那事儿。以我在工程兵服役期间学到的开山凿洞的基本知识，算来算去，要打造这个爱情地道需四百二十天。加上开会误工，大约也得两年左右，伟大的革命工程开始了。我白天抓革命，晚上搞生产（挖地道）。

夺取村政权只是我革命行程中的第一步，紧接着革命矛头指向了镇政权。老镇长程天民退位以后，接班的是一位四十五岁的平头镇长王振海。王镇长是个耿直、俭朴、体贴爱护民众的人，在那个年月，能出这么一位镇长，还真不容易。但为了革命，我必须搬掉这块绊脚石，才能取得革命的伟大胜利。当我们的革命队伍烧毁了程寺的一批御匾和砸掉了两块御碑后，王镇长气得把饭碗摔在了镇政府的食堂里。这让我抓住了把柄，我们破除迷信，惩治封建活动，改造人们的思想，提高人们的觉悟，他为啥气得摔碗呢？镇长上钩了……在革命的斗争中，你不征服敌人，敌人就会征服你；你给敌人以喘息之机，待他羽毛丰满，他就像鹰一样扑向你。王振海越来越不像话了，竟敢拿程岗村开涮，不给我们春耕的化肥，好，我高爱军就和你王振海拼个你死我活。

白天闹完了革命，晚上抓生产。我日息而作，夜夜不眠，终于，地道挖通了。在那两年多的日子里，只要我们在村里，我们几乎每天都到地道去约会。有时，我出门三朝五日去开会，回来并不通知她，夜里沿着地道摸进她的被窝里。当然，她是冒着极大的风险的，弄不好会葬送她和我的革命前程哩。地道成了我们爱的温床。有一次高兴之余，红梅以"枪杆子里出政权"这句硬道理的最后一字为题，各自创作五段豪言壮语献给毛主席；我们还给马恩列斯献了诗，也不知我们唇枪舌剑了多久，从精神上和身体上我们都累了，便睡过去了。可朦胧中一道明亮的光刺痛了我的双眼，我醒来一看，是红梅的男人——庆东。他一出去，我俩就完蛋。我抡起铁锨，朝庆东的后脑砸去。程庆东死了。我们把尸体埋在了马恩列斯毛的画像下面。

新的矛盾解决了，但主要矛盾还未解决。我和红梅开始搜集打倒王振海的资料。就是买我们也得买一份材料回来。俗话说：不入虎穴焉得虎子。我们长途跋涉来到了王振海的老家——王家峪村。还没有进村，我们惊奇地发现村外大片的土地上竖着一根根木橛，上面都刻着名字，其中有一根刻着"王振海"三个字。我俩都为这伟大的发现而惊喜。为了拿到第一手资料，我俩千方百计地发动群众，中国的革命实质是农民革命，有了群众，啥都有了。在我俩和群众的谈话中，我们得知：王家峪五年前饿死了一人，王振海一当镇长，便支持村支书李秀玉——王振海的表妹把田地分了。那个年头，别说是土地，就连一根针都是党和政府的。这不是资本主义要复辟吗？我俩又到了王振海的家去走一遭，希望发现更有力的证据。当我们走进王家时，那是破破烂烂的三间草房，满房子漫满了中药味。王振海的婆娘年轻时因拾柴火摔断腰椎，卧床十年，人瘦得和几年不见雨水的干草一样。我们怀着人道主义革命情怀，把五十块钱给了她家。

我们把揭露材料交到了县里，本想等县里通知我们进一步去调查。不料不到一个月王振海被判有期徒刑二十年。更令我意想不到的是，王家峪村支书李秀玉也被抓了，说是与王振海关系暧昧。李秀玉在监狱里写下了"下放土地与王振海无关，全是我李秀玉所为"便在一次审讯后自杀了。

由于我和红梅的革命认真且出色，我俩被关切地拜见了地委的关书记。听说关书记与中央的某些领导人物有来往。关书记说我们有很好的革命前程，欲提拔我俩为县长和妇联主任。当关书记去会议室开会，我俩无事可做，我顺手抄起一份《参考消息》，没想到从里面滑出一张照片：一位端庄的中年偏上的女军人，戴着眼镜和无沿帽，我觉得照片上的人极面熟，可一时想不起来她是谁，又不敢相信她是谁。照片下，竟然写着天惊地动的文字：你是我的夫人多好！！！我把它递给红梅看。关书记一会儿来了，又大加表扬鼓励了一番。然后，让人把我们请进了招待所。

事情正在起变化，我和红梅在招待所里正享受生活时，我们被带进了公安局的特别审讯室。我们问是怎么回事，审讯员说：别说你们，这年月，因为革命，有人杀十几个人还照样当官哩。我们隐约地意识到：难道庆东的事暴露了？一定是程天民装疯，把我们给出卖了。我和红梅暗自发誓，一定要生吞活剥程天民。

老天有眼，我和红梅从监狱里逃了出来。为了革命，为了斗争，我们决定拿出我们最后的武器，先在程天民面前做一场翻天覆地的那事儿，让他明白，我俩是一对革命伴侣。然后再毫不留情地炸掉祖先留下的程寺和牌坊。一切都在我的计划下有条不紊地进行，程天民在我们的疯狂中绝望了……程寺和牌坊在我们的笑声中灰飞烟灭了……可我却不知我能坚硬多久……日头出来了，像是被炸出来似的，血淋淋的。我们像一对新婚夫妻似的，在美丽的朝霞中往监狱走去。

在最后一次审讯中，我们被问到了一个莫名其妙的问题：那次你们在关书记的屋子里看到过一张照片没有？你们把它放哪儿了？关书记如果没命了，你们还有命吗？红梅说：因为那照片下写了一句流氓话，关书记一来我一慌，就掉了。你们知道照片上的人是谁吗？那是伟大领袖毛主席的亲密战友和夫人——江青同志。

我和红梅被枪决在了十三里河滩，是我们革命的聚集地！

革命尚未成功，同志尚需努力！

794

权欲与情欲的舞蹈

——评《坚硬如水》

雷　达

　　阎连科正在不断地生产奇书：《年月日》被有人称为中国式的《老人与海》；《日光流年》倒着写，从主人公之死直写到他回归母亲的子宫，全书激烈而冷硬，是对某种生存境遇的无情叙述，读之者莫不暗暗称奇；而他最近的这部长篇《坚硬如水》，则同样是对人们审美惯性和思维惰性的一次颠覆。

　　我之重视阎连科近年来的一批新作，是惊奇于他能够将真实推向一种陌生而警醒的程度，以至大大超越了表象的真实性，进入到人性和灵魂的深邃真实。仿佛是出于一种天赋才能，他可以毫不费力地将本土与现代，传统与先锋，写实主义与表现主义，形似与神似，扭合在一起，且不见人为痕迹，形成了一种特殊的语言风格和表述方式。看局部，看细节，全然是乡土的、写实的，历历如绘，栩栩如生，然而，它们的指向却是形而上的，整体上像一个大寓言，是对人生对政治对文化的深刻反思，寄寓着作者对一些带根本性的生存问题的独特看法。他近年的小说，基础是写实性的结构，升腾而起的却是意

795

象的海市蜃楼，他主要写人的境遇，人的韧性，人的迷狂，力求写出我们民族灵魂中某些更本原的东西。

按说关于文革，关于那场全民族的迷狂和盲从，人们写得已不算少了，但称得起深刻者并不多见。王蒙在长篇《狂欢的季节》中曾形容道："革命就是狂欢，串联就是旅游，批斗就是摇滚乐、霹雳舞"，又说"文革就是一场集中的语词狂欢，字词拉练"。如果说王蒙主要是一种智慧的洞观，那么，在阎连科这里，则是形象的感性显现，他更注意政治与性的关连，以及双方之间能量的转换方式，他也更注意原欲在人的行为中的作用，并把它与中国传统文化的压抑和人性解放的渴望联系在一起。

读此书，首先感到，我们是由语言进入那个逝去的年代的，其语感，语境，语气，全那么熟悉又那么陌生，读起来很幽默，像是作者在开一个玩笑。其中羼杂着"三句半"，语录歌，样板戏，"两报一刊社论"，快板书，流行的标语口号等等，昔日的话语潮在四周涌流，让人应接不暇，喘不过气来（这里文革语汇的大集合似有点过头）。不过，这只是作者搭造的语言的舞台，为的是将愚昧和颠顶奇幻化，陌生化，奈张化。高爱军与夏红梅这两个人物，既是具象的，又是抽象的，既是物质化的，又是精神性符号化的，他们始终在纵欲做爱而难以尽情如愿、欲夺权而难与传统抗衡的悖论中挣扎，一直在寻求缓解焦虑、释放原欲的途径，又不断走失，迷路，疯魔化。他们是一对奇异的兽，是权力与性欲的混合体。作者对他们寄寓着复杂的感情，不能说没有一点同情，但更多的是描画了他们的无可救药的沉溺和愈演愈烈的破坏性。谁都想不到，那个在黄昏的铁轨旁展示美丽小脚丫的女人夏红梅，一旦与婚姻失败的高爱军苟合，两人勾在一起，便像野火飓风，像重磅炸弹一样，对程岗镇的生存构成了巨大的威胁。高的"革命"是从革他老丈人的命开始的，并无任何新的内容，无非为了当国家干部，吃商品粮，加工分，穿四个兜的制服，无非为了取而代之，继续过去的秩序罢了。他那一番唇焦舌敝的发动群众，确乎显示了一个乡村革命家的惊人口才，但他的革命实力空壳，装载的是欲望，疯狂，发泄，占有，斗争。高与夏无法餍足的情欲，导致了政治上的疯狂；而疯狂的权力欲，又更大的刺激了他们的情欲的放荡。高夏二人日渐沉沦，发展到指鹿为马，构陷他人，颠倒黑白，双手染血的地步。作品就这样通向了对政治的荒诞和人性的荒诞的反思乃至反讽。这可以说是阎连科对"文革"的解读，是多种解读中的一种。

　　我为这作品风格上的酷厉和惨烈所震惊，但我也并不赞成过于观念化的写作，比如有意无意搬用弗洛伊德的原欲说，比较直露地把观念性东西植入小说。比如"我只要想那事儿又不能有那事儿了，就特别想革命，想拿铁锨朝人头上砍，想砸房，想……"，或者，"有一次，就能一月半月心情好一点"之类，就对于性与"革命"、压抑与释放，做了过于简单的解释。幸好这只是偶然的字句，整部作品并非如此。另一点是，艺术讲究节制，这点过去现在都不过时，而作者在这部作品里，似乎过于放纵自己的言语了。

（雷达，中国作家协会创研部主任）

白 银 谷

成 一原著 孙 谦缩写

清末以来，票号的独创成为货币流通中的一次革命。这样火的金融生意，自诞生到消亡，一直为山西商人所垄断，俗称"西帮"。西帮票商又集中在晋中的祁县、太谷与平遥三县。康家的天成元便是太谷的一大户。它的当家人康笏南于光绪二十五年五月初九以隆重仪式迎接西安分庄老帮邱泰基，想以此来奚落邱泰基的奢华与骄横。脱形失神后的邱老帮羞愧难忍，寻死未成，几经周折以减身股、改派庄口为名，受到惩罚。而康老太爷亦因此事想巡视天下生意，以唤醒西帮不肖子孙。康笏南的出巡打算引起了各位爷的担心，他们找了三位有分量的人对东家劝说，但老东家最终决定由天成元大掌柜孙北溟陪着，开始了他古稀之年的江汉之行。西帮人过人之处就是腿长，不畏千里跋涉。一路走来，他们经过了自家的茶庄与票庄。康笏南发现了肃州生意失常，派人调查。汉口的陈老帮为老东台与孙北溟安排会见了一位负责西洋银行的人福尔斯，以显示西帮法度的粗劣，从而维新进取，但收效甚微。

　　与康家有关的第五位老夫人是颇具传奇色彩的人物，她是位接受西洋教育的开通女子，这位留天足而又洗浴成癖的年轻女人回太谷后，最终迈入了康家的大门。然而由于老东西的冷落，她过着冷宫一样的生活。康笏南的出巡，使得杜筠青的生活有些从容。微服私游的出格之举使之兴奋无比。在一次次的出游中，杜老夫人喜欢上了英俊机灵的三喜。她决定抓住这个时机，成就羞辱老东西的故事。与老夫人的生活有相似遭遇的是被派往口外的邱泰基的夫人姚夫人，面对丢了灵魂的男人，她也决心做一件叛逆的事，引诱了小男仆郭云生。老东家到达汉口后，差不多是将天成元的老号移去了，他们在谋划"北存南放"的举动。戊戌年时局动荡，朝廷禁汇，又逢拳民蜂起，使得生意受阻。但老东台仍然毒辣地看出京师银市明紧暗度使西帮有吸纳疲银的良机，于是联络各大票号协同来做。然而此时却传出五娘在天津被绑票的消息，康家一片震动，而天成元津号刘老帮是个比较冒失的人，京号的戴膺亲自赴津，二爷与康有师傅也飞奔天津，无奈在未弄清绑匪究竟是谁时，竟传来了五娘的噩耗，更为可怕的是刘老帮服毒自尽，并由此引发了天成元津号挤兑风波。大掌柜孙北溟深感责任重大，想告老还乡，老东家最终将他挽留住了，而三爷亦因此事与邱泰基有了一种默契。

　　老太爷因为各种事情的接连出现，决定提前返晋，这个消息使三喜与老夫人的私情出现了危机。她的故意出格是为了气一下老禽兽，而一旦越过界限，又变得惊慌失措，三喜的失踪使之痛心不已。康笏南在小雪那天回到太谷，过年的气氛蒸发出来，东家于正月前后设筵招待了太谷第一大户当家人曹培德与塾师何老爷。不久，老太爷宣布了三爷主持外事商务，四爷管理家政内务的消息。主政后的三爷对自己敬重的邱老帮进行了拜访，三爷的到来使身怀六甲的姚夫人感到震惊，而此时的杜老夫人在矛盾与气愤中最终皈依基督教。

年底的结账，业绩出人意料的好，但与此同时，义和拳已成为燎原之势，不久八国联军攻入京津，西帮诸号纷纷停业出逃。庚子年四月，义和拳传入太谷，正值姚夫人分娩之时。怀着一种义愤，义和团最终血染了太谷公理会这座福音堂，为以后太谷遭受奇耻大辱埋下了伏笔。京津两号伙友经过跋涉陆续回到太谷。面对凶险之道，老太爷为家族无人而深感孤寂，他所疼爱的孙女汝梅颇有丈夫气，但终不过是女流之辈。

八月十三日，西帮各大掌柜接省衙急令，赴太原领朝廷急旨。原来是两宫逃难，即将临晋，让西帮承汇京饷，众帮议论纷纷。而大德恒的年轻掌柜贾继英出手三十万两银子的举动，令朝廷与西帮一片哗然，经过对朝中官员的拉拢，太后将行宫设在大德恒商号，实在是开千古之先例。康笏南也谋得了觐见当今皇上太后的时机，但却失望至极。

进入闰八月，时局有所平静，远在口外的邱泰基也终于被调回西安。而邱泰基的夫人姚氏听说男人已获赦免，重往西安，惊得出了一身冷汗，在不断落空的等待中，她已感到彻骨的寒意。打发走云生后，姚夫人又招募了年轻憨厚的雨田，她营造了一种恋爱，自己成功地陷了进去。此时的康家老太爷正让画师为老夫人作西洋画，杜笏青对老东西南巡归来后突然而至的殷勤惊奇不已，依然是一副漠然的样子。而关于画像的真正原因，康家上下除了老太爷，只有管家老夏与近侍老亭知晓，老夫人哪里会想到她与车倌的私情，老夏早就知道，而三喜的神秘失踪也是老夏为了保全自己而一手策划的，因此这次的画像实际是在为老夫人画遗像。老夫人亦因此不断走向康家的隐秘。进入腊月后的杜筠青就得了一种罕见的毛病：爱犯困，常嗜睡，这位年轻的老夫人最终在浩荡、豪华的葬礼的遮掩下死去了。在野外醒来的老夫人亲眼目睹了那场为自己举行的盛大的葬礼。清醒后的老夫人在尼姑庵里认识了康笏南的第四任老夫人六爷生母孟氏，也就是汝梅凤山之行所遇见的老尼月地，在这里，杜筠青知道与她有同样经历的几位"早逝"的老夫人的故事。康笏南用做假的手段为康家赚取了美德，因为康家祖制是不许纳妾的，更为重要的是，虚名的背后是用白花花的银子堆成的实利，从而这份美誉也变成了长久生利的股金，对于挣扎于阴阳两界的人来说，她们在世人面前，只能以"鬼"的形式出现了。三爷、四爷的生母朱氏、六爷的生母孟氏最终因为内心里深重的悲苦而被压倒，悄然圆寂了，杜老夫人在看透一切之后，最终走出了阴阳两界，一心向佛。姚夫人也结束了与雨田的私情，回到以往苦守的日子中。

在老夫人出殡后不久，战祸突然降临，晋省东门已被德法洋寇攻破，太谷人心惶惶。而在此之前，康家已遭朝廷为筹太后寿辰而借钱六万两的大劫，西帮诸号处于惊悸之中。老太爷于危急时刻向三爷传授了祖业祖训，将康家德新堂的九处隐秘银窖及大败大赔的原则一一告诉三爷。六爷亦因科考废除，加之老夫人早逝，而愈发想念老夫人生前为他物色的孙家小姐，决定密谋出游，他携何老爷前往西安，与孙小姐见面。而一向疯疯癫癫的何老爷到达西安票号后精神焕发，对生意不断提出高见，最终留在西安票号，协助邱老帮共同管理生意。在家守孝的三爷及太谷各号掌柜接到县衙传令，美国公理会办理"教案"的总办大人将于六月初入临太谷，请康老贤达出城恭迎，这实则是去年拳民血溅福音堂时，教士被杀，人家算账来了，他们借各种赔款条例规定来羞辱太谷商家，太谷名流蒙受了奇耻大辱。刚送走公理会的文阿德，后脚就收到省上抚台岑大人的急文，原来是朝廷下令票商返京复业。西帮大户相聚商议时政对策，决定出资填补京津窟窿。但因为京市困了一年，如久旱的田亩，乍一落雨，立即吸干，许多票号出现了挤兑。康老太爷遵照西帮"赔得起"的理念，打开秘密银窖，往京师投放现银。在各号紧急往京津调银的同时，又出现太谷镖被劫。在镖局与昌有师傅的配合下，最终扫清了镖道。但在井陉镖道受阻这几天，京师银市又起惊涛，挤兑愈发严重。于是掀起了一场惊天动地的"赔得起"，使西帮票号的京津复业信誉陡涨。而袁世凯在出任北洋大臣时，决定开办"天津官银号"，请西帮票号加入，替他经营，各大掌柜纷纷请示老号，遭到拒绝，这次历史机遇，西帮就这样放弃了。

光绪二十八年八月，六爷赴乡试高中举人，四爷因内心隐藏了太多的疑心与不安，郁闷而死。康笏南续弦了他的第六位夫人，一直活到大清跨台。西帮自辛丑年返津后还是做了十二年很好的生意，大清跨台，西帮也随之盛极而衰。康家的天成元，自然也跳不出这个历史的大势。

《白银谷》的当代意义

——评《白银谷》

阎晶明

　　成一是一位执着于小说叙事艺术的作家，多年来的寂寞追求，使他形成了自己独特的小说理念。创作于20世纪80年代末的长篇小说《游戏》和90年代中期的一系列中篇小说，显示出成一在小说艺术上运用自如、风格独特的创作实力。他总是试图在小人物身上挖掘直指人性的深邃内涵，叙述和描写又努力寻求一种朴素、干净的风格，加上他的一系列小说总在指向自己认定的意义领域，即把跌宕起伏和悬念丛生的故事意义，化入到"无"的境界，来显示自己独到的、充满哲学意味的人生理念。我深解成一的用意，在浮躁的气氛中，他艰难地坚持走自己的创作道路。他的创作本应得到更广泛的关注。

　　《白银谷》是一次转向，也是一次突破，"晋商"作为一种特殊的历史文化现象，已经在学术界和社会上引起关注。成一十几年的积累和梳理，使他有能力把这个历史奇迹化成动人的小说故事。《白银谷》对成一而言，是他小说创作道路中一次转变，他要把极端的小说形式变成"好看"的故事场景；也是一次突破，他不再追寻意义的消解，而是确立和保持故事本身的可读和耐看，在这样一种理念的引导下，成一依然保持着自己严肃的写作态度，让小说故事、历史背景和人性深度蕴育于一体，成为一次立体的、生动的叙述行动。这部长达90万字的长卷一经出版，便引来广泛关注，我注意到，在批评家们回顾2001年长篇小说创作时，《白银谷》已经被视为重要的收获之一。

晋商是一种历史奇观，是一种包含着复杂的社会、经济和文化背景的金融奇迹。成一把它化成了一场惊心动魄的历史故事。小说以康氏豪门为背景，全景式地再现了晋商望族的诸般形态。在一个充满神秘色彩的家族大院中，无论是政治风云、社会动荡、武林镖局，还是男女悲欢、豪门恩怨，都被一一地吸纳其中，变成了一幅全面展现飘摇不定的中国社会历史沿变的史诗式的画卷。

"票号"是一种特殊的金融现象，也包含着极强的"专业"色彩，这对作家来说是一种艰难的选择和重大的挑战，如果沉入到"历史资料"当中，就很有可能满足于"专业性"的强化和独特，而忘记了小说的鲜活性；如果只将"票号"作为模糊的背景来对待，又很可能使小说失去独特的题材优势，变成一次"戏说"行为，在意义的挖掘上失去优势。我对《白银谷》印象最深的，是作家处理题材的自觉能力。成一经十几年的积累和爬梳，对晋商，对近代中国历史的风云变幻，作了一次真实的还原，他又紧紧抓住康笏南家族内外的商业活动和生活隐私，借助晋商商务活动遍及全国的特点，把所有这些史实都演化成一次次充满人性深度的小说故事。晋商显赫的商业业绩，又使这些精明、干练的商业巨子，无时不与上至宫廷、下至民间的中国社会相连接，变成了一幅立体的、全方位的近代中国历史画卷。当康笏南、邱泰基们在政治风云、社会动荡的局面中努力创造他们的金融奇迹时，在他们的深宅后院，进行着另外一场同样惊心动魄的人间故事。发生在康笏南、邱泰基的家眷，尤其是他们的太太们身边的奇异故事，不但增强了小说的可读性和人性色彩，同样也映照着这些商业巨子们在那样一个封闭、动荡的社会中的事业，从开始就烙上的深深的悲剧意味。最终使小说直奔一个主题，当动荡的社会不能容纳这些创造奇迹的人生存和发展的时候，他们的产业、事业和他们的家庭、门风一起走向衰落和消亡。

《白银谷》的语言明白好读，小说结构纷繁有致，现代性的小说理念和历史观，蕴含在不无戏剧性的情节冲突中，达成一种恰当的结合。在当下历史题材小说趋于偏向"戏说"的潮流中，《白银谷》称得是一个令人欣慰的收获。

（阎晶明，山西省作家协会秘书长）

沧 浪 之 水

阎　真原著　许廷顺缩写

　　父亲是在看了那封大学寄给我的录取通知书后倒下的，这时距他被贬到三山坳这个小村已经十年了。十年前父亲因为一个同事的会议发言作证而被拖进了"文化大革命"的漩涡。看着父亲的自画像，我下决心做一个像他那样的有良知的人。在北京求学期间，我刻苦用功，发表了许多文章，也赢得了校花许小曼的青睐，但经过交往我发现两人地位、身份差距太大，就跟她分手了。研究生毕业时我回到了省里。

　　省卫生厅马厅长点名把我留在厅里工作，我感到领导的温暖。和我同在一个科室的丁小槐是一个很会算计的人，他满脑子的是如何表现自己和巴结领导。一次厅里分柚子，丁小槐挑出里面最大的给厅长家送去；为了年底的评优，他居然豪爽地请我吃饭。而一旦用不着我，他又十分计较，连打水、排座位这些小事都不放过，但我却不屑与他一般见识。

　　有人给我介绍了一个叫屈文琴的女朋友，她人很好，但却十分现实，总是叫我学着去巴结领导。一次厅长夫人病了，她

806

非拉着我去医院探望，还说了许多恭维的话，因此我很不高兴。

为了整顿药品市场，我被派下去摸查情况。在报告里我提请关闭的马塘铺药品市场却因地处马厅长的老家而被保留了。在与司机大徐的谈话中我知道了厅里购买进口小轿车的事，不禁为厅里浪费这么多钱买车而心里难过。我于是在一次民主会议上说了自己的想法，没想到说完后就遭到大家一致的批评，后来厅里借口把我调走，连屈文琴也离我而去。

在中医学会呆的几年中，我结了婚。对象叫董柳，是五院的护士，我们在一次联欢会上认识的。中医学会是一个清闲的地方，没事我就跟卫生厅里的老闲人晏之鹤一块下棋，有一段时间觉得自己成了"现代都市隐士"。但麻烦随着董柳的怀孕而产生。由于单位远，每天董柳必须乘公交车上班，但怀孕后再挤公交车就很危险了。我痛苦地忍受卑躬屈膝的煎熬，找到孙副厅长，才给妻子请了两个月的假。可到了临产时，医院临时又让交一千元押金，我借了半天也没借到，最后倒是小姨子董卉从她男朋友那拿来了一千块钱，这使我的自尊心很受打击。在自己的物质需求方面董柳并不在意，可对孩子她却十分关心。孩子小时要喝最好的奶粉，别人家孩子有的东西她就要买来给自己的孩子，花多少钱都不在乎。到孩子入托的年龄，她又想把孩子送到市里最好的幼儿园，可那里连许多领导的孩子都进不去，更别说我的孩子了。我也找了许多人，可办不成此事。可这事最后让董卉的丈夫任志强给办成了，他现在开上自己的车了，混得比我强多了。丁小槐现在当上办公室副主任，搬到了新房子，可我还住在筒子楼里。

在北京的老同学聚会上我又见到了许小曼，这时的同学多已有了一定的头衔，只有我还是无名片阶级。回来后我参加了厅里组织的血吸虫调查，发现湖区发病率很高，但上报结果却没这么高。良心再一次促使我写了一封给卫生部的匿名检举信，但董柳发现了这封信，她声泪俱下地劝说阻止了我的检举想法。后来儿子被开水烫伤了，我怎么也找不到车，谁让我只是一个小兵呢！等到了医院，因拿不出二千元押金，医院不让住，最后还是丁小槐的一个电话才解决了住院问题。我终于认清了这个社会的本质，只有权力是指挥一切的东西，没有权力就什么也做不成。他丁小槐能做到的，我池大为就一定能做到，而且会做得更好。

　　良知促使我做一个正直的人，但现实却让我碰得头破血流。我向晏老师请教为官之道，他告诉我必须有意志。我决定给马厅长送礼，却又没胆量。到丁小槐家去，心里别扭，嘴上也叫不出"丁处长"这三个字，我还养不成做奴才的性格。可机会就在我一筹莫展时来到了。一天夜里丁小槐把我们叫醒，原来马厅长的孙女住院了，扎针的护士技术不好，厅长夫人沈姨大发雷霆，听说董柳技术很好，就赶来叫她了。董柳确实技术不错，一针就扎成功了，我们又在医院护理了几天。通过这件事，董柳和沈姨拉上了关系，我也得以到马厅长家去了，获得了与马厅长亲近的机会。一天中医研究院的舒少华教授找我，谈的竟是控诉马厅长的事。他们已经拟好了控诉的罪状，并拿出一份集体签名信问我是否愿意签名。我以回家和老婆商量为由拒绝了他，回来后下了做小人的决心。我连夜给马厅长打电话汇报，并当面详谈。没想到马厅长早已得到了这份罪状，他让我连夜复印十几份，第二天一早散发到阅报室去。这一事件的结果以马厅长的获胜而宣告结束，舒少华被宣布提前退休。我由于告密而获得马厅长的信任，不久升任中医学会的科长。

上任后遇到的一件大事就是中医学会三年一度的评奖活动。往年不太关心此事的马厅长给了我指示：今年这个奖已经被定为省级奖，再加上厅里要申报博士点，所以需要一些奖项来表明实力，就要我做好这次评选工作。我领会领导意思，立刻找到中医院的秘书小方一块商量，确定了奖项的分配事项，又考虑了评委的情况，最后把事情顺利解决。

在政治圈里混了半年，我逐渐学会了察颜观色，也进一步得到领导的赏识。马厅长特地保我读了博士，让我惊奇的是连我妹夫任志强也跟我一块读博士。到了年底厅里又调我任医政处副处长，这时北京的许小曼来电话让我抓紧时间报一个国家课题项目，我突然又想到了巴结领导的途径。于是我以经验不足为名找到马厅长，请他担起这个课题的研究，然后操作都由我来做，最后书顺利出版，马厅长非常满意。写完书后马厅长安排我去疗养，就在这期间我认识了一个叫孟晓敏的女护士，我感到自己很喜欢她，并和她厮磨了一阵，但并没有做越轨的事。

疗养回来后我升任处长，厅里分给一套三室一厅的房子。马厅长建议我兼任厅长助理，但我感到时机不成熟，就委婉地拒绝了。这一年夏天省里发了洪水，马厅长亲自带领许多卫生防疫小组，到各处洪水区去抗洪救灾，马厅长的表现得到省委书记的赏识。我经过一段时间的考虑，觉得时机成熟了，才接受了厅长助理这一职务。有一段时间我和孟晓敏的感情升温，但一封检举我生活作风有问题的匿名信结束了我的这段浪漫情感，我不能为了一点私事毁了前程。

圈子里是个锻炼人的地方，要想在这里混，必须注意每一个人的言行，揣摩他们的心理。新一届厅长选举时，我根据得到的一些消息，坚定地站在马厅长这一边。结果马厅长获得连任，连我也被推荐为副厅长。当了副厅长后我分管中医研究院，那里研究出一种新型中药，于是上市成立股份公司，由我兼任公司总经理。我让董柳以别人的名义买卖公司的新股票，结果赚了三十多万。马厅长六十岁时省里下了退休的决议，他找我试探一下我的想法，我以"两个凡是"的说法向马厅长表明了心迹。马厅长最终举荐我继任厅长一职。

任职后，我提出撤销各科室私设小金库的经济改革方案，却遭到下属的一致不合作，我认识到，即使我是厅长了，也还是有许多不能根本改变的事情，谁都必须遵守游戏的规则。可我还是尽我的能力，比较公正地提拔有才能的知识分子，对先前虚报数字的血吸虫灾区进行重新核查，加大防治资金的投入。虽然有了权力，我还是抵住别人向我行贿六十万元巨款的诱惑，但我也有自己的生财之道。通过我兼任总经理的医药公司入股改组的机会，我又让董柳以买卖股票的方法净赚了一百多万。物质需要不再担忧时，我便注意加强自己的政治地位，而重要的是要处理好人际关系。我通过年终发奖金、评议分房等事情，以表明自己的公正态度，但无形中的权威依然使我处在了浪峰的顶端。

年末的一天我回到阔别已久的故乡，站在父亲的坟前，我感到了一种怯意。虽然我身上还流着父亲遗传的血液，但灵魂已经沉溺于虚拟的尊严和真实的利益之中了。

追问迷失的根因

——评《沧浪之水》

雷 达

读长篇小说《沧浪之水》，简直有种天机被泄露的感觉：人们在日常生活中有所察觉却又朦胧莫辨的某些东西给挑明了，讳莫如深却又一直有人在暗中操练并受益匪浅的诀窍给洞穿了，这怎不令人豁然复骇然？说得再明白些，也就是这小说在"弄清决定命运的无形之手在哪里"上有所推进。虽不能说作者把世情一一看得分明，却可以说，作品确有发人之所未发的一面，特别是对官本位文化的实际威力及其渗透程度，对权力崇拜的危害，可谓鞭辟入里。更为难得的是，这部小说还写出了某些看清真相的人却又在一种更高的真实中迷失了，于是作者努力追问着迷失者之所以迷失的文化根因。这就超出一般官场小说的格局了。我以为，当下某些官场小说放到《沧浪之水》的面前会变得轻飘。

我之如此评价《沧浪之水》，首先是基于目前创作中的一种风气和弊端而发。现在官场小说或者叫反腐小说的类型颇流行，也颇受欢迎，细思之，此乃势之所至，是不以人的意志为转移

811

的。因为现实生活中有贪官迭出，腐败横流的一面，在文学中也就必然地出现强烈表现反腐反贪主题的作品。或者扩而大之，虽不一定反腐反贪，笔锋所向，却也离不开官场的变幻和宦海的风波。这情景不禁使人想起清末谴责小说的潮流来了。那时李伯元的《官场现形记》，吴沃尧的《二十年目睹之怪现状》等等也是风靡一时。当然，那时与今天是不可同日而语的。但在文学创作的规律上，却不敢保证今天就一定不会重复当年的毛病。鲁迅先生批评那些谴责小说大都"辞气浮露，笔无藏锋"，流于模式化、浅表化，而且"官场伎俩，本小异大同，汇为长编，即千篇一律，特缘时势要求，得此为快"。又说，"惜描写失之张皇，伤于溢恶，则感人之力顿微，终不过连篇话柄，仅供闲散者谈笑之资而已"。总的意思是，它们只是满足了社会一时的需求，停留于嬉笑怒骂的痛快，缺乏艺术化、典型化的提炼，缺乏"忏悔之心"和对人性的思考，因而感人之力甚微。这不是和今天创作上的情形很相似吗？一些作品不也是满足于纪实、问题、案例，或只靠事件的惊人来耸动读者吗？

《沧浪之水》则不同。它不留情面地揭穿了虚幻的真实，深刻地揭出了权力和金钱对精神价值的败坏，显示出锋锐的透视力和"片面的深刻"性。写出非常时期人的扭曲并不太难，难的是写出当下日常生活中人的变异和扭曲的过程。这本书的作者基本做到了。此书不但善讲故事，而且诉诸哲理，不但充满感性，而且注重智性。它不是那种讲一个有趣的贪官故事再夹带些荤笑话就完事的小说，也不是对腐败现象"谴责"一番，以取得宣泄快感的那种小说，或者以为涉及的级别越高，贪污的金额越多，就越深刻的那种小说。它的一个突出优点是不靠惊人的故事，而是在平常生活中努力往根源上挖，努力追问时间、价值、意义等人生哲学问题，提供了一些未必准确却是独立思考的心得。比如，所谓孔子在知识者心中已经死去，所谓我们遭遇了相对主义，以及市场没有终极等等，都是作者对价值失范现象所作出的思想文化评判。在这个意义上，我们可将此书看作是一本思想小说，哲理小说。

然而，小说倒也并不缺乏形象的丰满度和生动性，池大为和马垂章两个主要人物就写得很有深度，既是当下活生生的人，又是当今现实某种流行思想和起支配作用的精神的代表，其复杂内涵令人深思。马垂章那深得做官三昧的作派和嘴脸先不去说，单说池大为"杀死过去的自己"的过程就尤为惊心动魄。一开始他做为一个崇尚先贤，保持平民尊严，愤世嫉俗，决心要为天下、为民众而活的耿直青年，是很可爱的。他的道德理想和价值基础，与他的父辈们的追求，与我们悠久而深厚的文化传统紧密相连，于是表现出刚健、仁爱、慎独、自强的情怀，后来，他发现自己"无欲则刚"了好几年，却一无所有，郁郁不得志。在物质环境的挤压和别人的劝诱之下，他忽然"大彻大悟"，心中的神圣感逐渐摧毁，并欺骗自己说，为了赢得自尊，首先必须放弃自尊。一旦抛弃操守，蔑视永恒，他就活得轻松多了。他逢迎，拍马，出卖，讨好，无所不为，短短几年，他几乎什么都得到了。也许最耐人寻思的是，他后来成为反腐明星，在官场如鱼得水。当然他并非不知道他失去了什么，只是他也无可奈何。他的精神的沉沦，以及他良知未泯的反省，均有相当的深刻性和警世意味。这部作品可谈的东西还很多，我想指出这一点或许是最重要的。

（雷达，中国作家协会创研部主任）